WIT BLOEIT DE MEIDOORN

Van Maeve Binchy verschenen eerder:

De avondschool
Dit jaar zal het anders zijn
Echo's
Echo's/Onder de oude beuk
En vergeet niet te leven
Het hart op de tong
Het huis op Tara Road
Onder de oude beuk
Quentins
Regen en sterren
De spiegel van het meer
Terug naar Mountfern
De terugreis
Verhalen uit Dublin
Vluchtige ontmoetingen
Vrienden voor het leven
Een zaterdag in september
Zilveren bruiloft

Wit bloeit
de meidoorn

H&W

VAN HOLKEMA & WARENDORF
Unieboek BV, Houten/Antwerpen

ROMAN *je blijft lezen*

Oorspronkelijke titel: *Whitethorn Woods*
Oorspronkelijke uitgave: Orion Books, Londen
Copyright © 2006 by Maeve Binchy

Copyright © 2007 Nederlandstalige uitgave:
Uitgeverij Unieboek BV,
Postbus 97, 3990 DB Houten

www.unieboek.nl
www.maevebinchy.com

Vertaling: Corrie van den Berg
Omslagontwerp: Wil Immink
Omslagillustratie: Getty Images; Cheryl Koralik (achtergrond)
Trevillion Images; Michael Trevillion (vrouw)
Opmaak: ZetSpiegel, Best

ISBN 978 90 269 8587 4 / NUR 340

Voor mijn goeie, lieve Gordon.
Dank je wel voor ons heerlijke leven samen.

1

De weg, het bos en de bron – 1

Kapelaan Brian Flynn van de Heilige Augustinuskerk in Rossmore haatte de feestdag van de heilige Anna met een hartstocht die voor een katholiek priester uitzonderlijk genoemd mocht worden. Voor zover hij wist was hij dan ook de enige geestelijke op aarde met een lustig klaterende Sint-Annabron in zijn parochie, een heilige plek van dubieuze origine. Een plek waar parochianen naartoe gingen om de moeder van de Heilige Maagd te vragen hun voorspraak te zijn bij de meest uiteenlopende kwesties, vooral kwesties van intieme, persoonlijke aard. Kwesties waarvoor hun sukkelige kapelaan de oplossing niet bij de hand had. Het vinden van een verloofde of een echtgenoot bijvoorbeeld, of het vervullen van een kinderwens.

Rome toonde zich zoals gewoonlijk weinig behulpzaam en zweeg in alle talen over de bron.

Rome zou ook wel uitkijken om er een uitspraak over te doen, bedacht kapelaan Flynn moedeloos. Ze vonden het daar natuurlijk prachtig dat er op deze manier nog íéts van vroomheid overeind bleef in het steeds onkerkelijker wordende Ierland. Waarom zouden ze zoiets ontmoedigen? Maar aan de andere kant: hamerde Rome er soms niet op dat in het Lichaam van de Kerk geen plek was voor heidense rituelen en bijgeloof? Het was een raadsel, zoals Jimmy placht te zeggen, de aardige jonge dokter uit het dorpje Doon, enkele kilometers verderop. In de geneeskunde ging het volgens Jimmy al net zo: als je voorschriften van hogerhand nodig had, kon je wachten tot je

9

een ons woog, je kreeg ze alleen wanneer je er totaal geen behoefte aan had.

Ieder jaar op 26 juli was er een viering bij de bron; van heinde en ver kwamen er mensen op af om te bidden en de bron met bloemen en slingers te versieren. En ieder jaar opnieuw werd aan kapelaan Flynn gevraagd een woordje te spreken en ieder jaar weer was dat een kwelling voor hem. Hij kon deze mensen moeilijk voorhouden dat het een soort afgoderij was om met z'n honderden tegelijk op te dringen naar een afgebrokkeld beeld achter in een grot bij een oude bron, midden in het Meidoornbos.

De heilige Anna en haar man, de heilige Joachim, waren nogal schimmige figuren, zo wist hij uit zijn studie. Het was bijvoorbeeld heel goed mogelijk dat de moeder van de Heilige Maagd in de verhalen werd verward met de oudtestamentische Hanna, van wie iedereen had gedacht dat ze kinderloos zou blijven, tot ze uiteindelijk Samuel ter wereld bracht. Wat de heilige Anna tweeduizend jaar geleden ook gedaan mocht hebben, het was wel zeker dat ze in ieder geval níét in het Ierse Rossmore een plekje in de bossen had gezocht om er een heilige bron te slaan die nooit meer zou opdrogen.

Dat was zo zeker als wat.

Maar daar moest je bij de mensen in Rossmore niet mee aankomen, want dan had je een probleem. Dus stond hij ieder jaar opnieuw bij die bron een rozenkrans te mompelen – waaraan niemand aanstoot kon nemen – en preekte hij zo'n beetje over goedwillendheid, tolerantie en naastenliefde: woorden die over het algemeen voor dovemansoren waren gesproken.

Kapelaan Flynn vond eigenlijk dat hij al meer dan genoeg aan zijn hoofd had om zich dat ook nog eens te breken over de heilige Anna en haar geloofwaardigheid. De kwakkelende gezondheid van zijn moeder baarde hem grote zorgen en het zag ernaar uit dat zij zeer binnenkort niet meer op zichzelf zou kunnen wonen.

Hij had een brief ontvangen van zijn zus, Judy. Hij, Brian, had gekózen voor een celibatair singlebestaan, schreef ze, maar dat gold zeer beslist niet voor haar. Iedereen in haar omgeving was ofwel getrouwd ofwel homo. Relatiebemiddelingsbureaus hadden alleen maar psychopaten in de aanbieding en op avondcursussen kwam ze alleen maar depressieve zielenpoten tegen; daarom was ze nu van plan naar de wonderbron bij Rossmore te komen om de heilige Anna te vragen zich met haar geval te bemoeien.

Brians broer, Eddie, had zijn vrouw, Kitty, en hun vier kinderen laten zitten om 'zichzelf te vinden'. Brian had Eddie opgespoord: die had zich ergens heerlijk met ene Naomi geïnstalleerd, een meisje dat twintig jaar jonger was dan de verlaten echtgenote. Maar Brians bezoek werd maar matig op prijs gesteld.

'Dat jij nou zo'n abnormaal figuur bent, wil nog niet zeggen dat iederéén de kuisheidsgelofte moet afleggen,' had Eddie gezegd en hem in zijn gezicht uitgelachen.

Brian Flynn werd op datzelfde moment door een enorme moedeloosheid overvallen. Hij vond zichzelf helemaal geen abnormaal figuur. Uiteraard kende hij het verlangen naar een vrouw, maar hij had het met de Heer op een akkoordje gegooid. Tot nog toe gold de regel dat je alleen maar priester kon zijn als je afzag van een huwelijk, kinderen en een normaal aangenaam gezinsleven. Maar kapelaan Flynn had zichzelf voorgehouden dat die regel wel zou veranderen. Het Vaticaan zou toch eindelijk wel een keer gaan inzien dat te veel mensen van het priesterschap afzagen vanwege deze regel, die nota bene door mensen en niet door God was uitgevonden. Toen Jezus nog leefde waren al zijn apostelen getrouwde mannen; de buitenspelregel was van veel later datum.

Door al die kerkschandalen van de laatste tijd zou je toch denken dat de kardinalen, die conservatieve slakken, eindelijk inzagen dat er in de eenentwintigste eeuw iets diende te veranderen.

De mensen hadden niet meer automatisch respect voor Kerk en geestelijkheid.

Integendeel.

De laatste tijd werd vrijwel niemand nog tot het priesterschap geroepen. Acht jaar geleden waren Brian Flynn en James O'Connor de enige twee in het hele diocees die de wijding hadden ontvangen. En James O'Connor had de Kerk inmiddels alweer verlaten, uit woede over de wijze waarop een oudere priester, die zich aan misbruik had bezondigd, de hand boven het hoofd was gehouden; de zaak belandde in de doofpot en de priester ontsnapte aan straf of verplichte behandeling.

Brian Flynn hield het nog vol, al stond ook hem het water na aan de lippen.

Zijn moeder wist niet meer wie hij was, zijn broer minachtte hem en zijn zus Judy maakte zich op om vanuit Londen naar Ierland te komen om deze vervallen heidense bron te bezoeken. Ze vroeg zich intussen af of het niet nog beter zou werken als ze haar bezoek op de feestdag van de heilige plande.

De pastoor van de parochie, kanunnik Cassidy, was een zachtaardige bejaarde die de jonge kapelaan altijd prees om zijn grote inzet. 'Ik blijf hier zolang ik kan, Brian, want als ik dan opstap, vinden ze jou vast oud genoeg om de parochie over te nemen,' zei kanunnik Cassidy vaak. Hij bedoelde het goed, hij zou het jammer vinden als kapelaan Flynn een arrogante, lastige pastoor boven zich geplaatst zou krijgen. Maar af en toe vroeg Brian zich toch af of het niet beter zou zijn als de natuur haar gang ging en kanunnik Cassidy met enige spoed naar een tehuis voor bejaarde geestelijken stuurde, zodat er iemand – wie dan ook – zou komen om hem te helpen met het vervullen van alle parochietaken.

Weliswaar was het kerkbezoek sinds zijn jonge jaren sterk teruggelopen, maar nog altijd moest er gedoopt, getrouwd en begraven worden, en nog altijd waren er kinderen die hun eerste communie moesten doen en waren er parochianen wie de biecht moest worden afgenomen.

Op andere momenten, zoals 's zomers wanneer een Poolse priester hem kwam helpen, dacht Brian Flynn weer dat hij in zijn eentje toch beter af was. De Poolse priester van vorig jaar had wéken achtereen niets anders gedaan dan slingers maken voor de heilige Anna en haar bron.

Nog niet zo lang geleden had hij een uurtje les gegeven op de Sint-Ita-school; hij had toen gevraagd of er leerlingen waren die later non wilden worden. Geen onredelijke vraag aan kleine meisjes op een katholieke school. Maar ze wisten er geen raad mee. Ze leken geen van allen te weten waar hij het over had. Tot er bij een van hen een licht opging. 'Bedoelt u zoals in de film *Sister Act*?'

Kapelaan Flynn had het gevoel dat de wereld echt op z'n kop stond.

's Ochtends als hij wakker werd, strekte de dag zich vaak als een ongrijpbare warboel voor hem uit. Maar hij moest er toch tegenaan. Dus stond hij op, nam een douche en probeerde vervolgens zijn rode haar, dat alle kanten uit stond, met zijn handen in het gareel te duwen. Daarna maakte hij geroosterd brood met honing en een kop thee met veel melk voor kanunnik Cassidy klaar.

De oude man bedankte hem altijd zo uitbundig dat kapelaan Flynn er iedere keer een goed gevoel aan overhield. Hij deed de gordijnen open, schudde de kussens op en maakte een montere opmerking over hoe de wereld buiten eruitzag. Vervolgens ging hij naar de kerk om de dagelijkse mis te lezen voor een slinkend aantal gelovigen. Daarna ging hij bij zijn moeder langs, steeds met angst in het hart omdat hij niet wist hoe hij haar zou aantreffen.

En iedere ochtend weer zat ze aan haar keukentafel, en maakte ze een verloren, doelloze indruk. En altijd weer moest hij haar uitleggen dat hij haar zoon was, en priester van de parochie. Hij maakte het ontbijt voor haar klaar: pap en een gekookt eitje. Dan liep hij, met een bezwaard gemoed, naar Skunk Slattery's kranten- en tijdschriftwinkel aan Castle Street om twee kranten te kopen: een voor de kanunnik en een voor zichzelf. Gewoonlijk kwam hier een intellectuele woordenwisseling met Skunk aan te pas: over de vrije wil, over predestinatie, over hoe het toch mogelijk was dat een God van liefde de tsunami of een hongersnood toeliet. Als hij dan weer thuiskwam, had Josef, de Letse man van de thuiszorg, kanunnik Cassidy inmiddels uit bed gehaald, gewassen en aangekleed, en zijn bed opgemaakt. De kanunnik zat dan in zijn stoel op de krant te wachten. Later die dag nam Josef de oude man mee voor een wandelingetje naar de Augustinuskerk, waar de kanunnik met gesloten ogen zijn gebeden zei.

Kanunnik Cassidy hield van soep bij de lunch en soms leverde Josef hem af bij een café om te eten, maar nog veel vaker nam hij hem mee naar zijn eigen huis, waar zijn vrouw, Anna, hem een bord met eigengemaakte kost voorzette; in ruil hiervoor leerde de kanunnik haar nieuwe woorden en zinnetjes in het Engels.

De kanunnik legde een eindeloze interesse voor het vaderland van Josef en Anna aan de dag; hij keek graag naar foto's van Riga en bleef maar herhalen dat het zo'n mooie stad was. Josef had nog drie andere baantjes: hij maakte schoon bij Skunk Slattery; hij haalde iedere dag de gebruikte handdoeken op bij kapsalon Fabian om ze in Wasserette Fris als een Hoentje te wassen en te drogen; en drie keer per week ging hij met de bus naar het huis van de Nolans om Neddy Nolan te helpen met de zorg voor zijn vader.

Anna had ook de nodige baantjes: ze poetste het koper van de deuren van de plaatselijke bank en ook de indrukwekkende naamplaten die een aantal kantoren buiten hadden hangen; 's ochtends deed ze in het hotel de ontbijtafwas; verder zette ze de bossen bloemen die 's ochtends bij de bloemisten werden afgeleverd in grote emmers water. Josef en Anna stonden versteld van de rijkdom en mogelijkheden die ze in Ierland hadden aangetroffen. Een echtpaar kon hier een fortuin vergaren.

Ze hadden een vijfjarenplan, zo hadden ze kanunnik Cassidy verteld. Ze waren aan het sparen om een winkeltje in de omgeving van Riga te kopen.

'Komt u ons daar een keertje opzoeken?' had Josef gevraagd.

'Ik zal van boven af op jullie neerkijken en jullie arbeid zegenen,' had de kanunnik op nuchtere toon geantwoord, in de volle overtuiging dat hem in de volgende wereld het beste wachtte.

Soms benijdde kapelaan Flynn hem erg.

De oude man leefde nog altijd in een wereld vol zekerheden, een wereld waarin een priester belangrijk was en gerespecteerd werd, een wereld waarin voor elke vraag een antwoord bestond. In de tijd van kanunnik Cassidy had een priester dagelijks duizend-en-één dingen te doen en kwam hij tijd te kort. De priester was een noodzakelijke, gewenste en welkome aanwezige bij alle mogelijke gebeurtenissen in het leven van de parochianen. Tegenwoordig moest je op uitnodigingen wachten. Kanunnik Cassidy kon vroeger onaangekondigd en ongenood bij iedereen van zijn parochie binnenvallen. Kapelaan Flynn had geleerd zich terughoudender op te stellen. In het moderne Ierland, zelfs in een stadje als Rossmore, zouden velen de verschijning van een roomse zielenherder op hun drempel niet waarderen.

Dus toen Brian Flynn die ochtend Castle Street begon af te lopen, wachtte hem slechts een handjevol taken. Hij moest om te beginnen bij een Pools gezin langs om te praten over de doop van hun tweeling aanstaande zaterdag. Ze vroegen of de plechtigheid niet bij de bron voltrokken kon worden. Kapelaan Flynn had moeite zijn ergernis te verbergen. Nee, de doop zou gewoon plaatsvinden bij de doopvont in de Augustinuskerk.

Vervolgens ging hij naar de gevangenis om een gevangene te bezoeken die naar hem had gevraagd, Aidan Ryan. Het was een gewelddadige man wiens vrouw, na jarenlang in stilte geleden te hebben, had toegegeven dat hij haar sloeg. De man toonde geen spoor van verdriet of berouw, hij wilde alleen een onsamenhangend verhaal aan de priester kwijt. Het was doodgewoon haar eigen schuld dat hij zijn vrouw mishandelde. Want jaren geleden had ze hun baby op straat verkocht aan een voorbijganger.

Na zijn bezoek aan de gevangenis ging kapelaan Flynn de Heilige Communie brengen in een bejaardentehuis in de buurt van Rossmore, dat de belachelijke naam Varens en Heide droeg. De eigenaresse vond het helemaal geen rare naam. In een multiculturele samenleving was het volgens haar wel zo aardig om niet overal de naam van heiligen op te plakken. De bejaarden leken blij hem te zien en vertelden enthousiast over hun uiteenlopende bezigheden in de tuin. Vroeger werd dit soort tehuizen voornamelijk door religieuzen gerund, maar de huidige directrice, Poppy, leek meer van aanpakken te weten.

Kapelaan Flynn had een oude rammelkast van een auto om dit soort bezoeken te kunnen afleggen. Binnen Rossmore gebruikte hij het vehikel vrijwel nooit, omdat het verkeer in de stad een chaos was en parkeren schier onmogelijk. Er gingen geruchten dat er een ringweg zou worden aangelegd, met brede rijstroken voor het vrachtverkeer. Er was al gekrakeel over dit plan ontstaan. Sommigen zeiden dat het een dooie boel in de stad zou worden, terwijl volgens anderen Rossmore juist iets van zijn oude karakter terug zou krijgen.

Het volgende bezoek van kapelaan Flynn gold de familie Nolan.

De Nolans lagen hem na aan het hart. De oude vader, Marty, was een levenslustig type dat overliep van verhalen over vroeger. Hij praatte over zijn overleden vrouw alsof ze er nog was en hij had kapelaan Flynn al ettelijke malen verteld over haar wonderbaarlijke genezing bij de Sint-Annabron. De heilige had de vrouw vierentwintig jaar extra in goede gezondheid geschonken. Ook Marty's zoon was een fijne vent; hij en zijn vrouw Clare waren altijd bijzonder ingenomen met kapelaan Flynns bezoekjes. Kapelaan Flynn had de kanunnik enkele jaren geleden geassisteerd bij hun huwelijk.

Clare was onderwijzeres op Sint-Ita. Ze vertelde de priester dat het op school gonsde van de verhalen over de nieuwe weg naar Rossmore. Ze wilde haar klas er zelfs een project over laten doen. Het bijzondere was dat de weg dwars door hun eigen boerderij heen zou gaan; dat viel althans op te maken uit alle verhalen.

'Dat is mooi. Als de weg door jullie land gaat, ontvangen jullie ongetwijfeld een fikse compensatie,' zei kapelaan Flynn opgetogen. Het was plezierig als goede mensen reeds in het hier en nu beloond werden.

'O, maar eerwaarde, we zullen nooit toestaan dat hij door ons land gaat,' zei Marty. 'Nog in geen miljoen jaar.'

Kapelaan Flynn was verbaasd. Gewoonlijk baden kleine boeren om een buitenkansje als dit. Een toeval dat het fortuin je in de schoot wierp.

'Als de weg hierdoorheen komt, dan zou dat betekenen dat het Meidoornbos er ook aan gaat, ziet u,' zei Neddy Nolan.

'En dat zou het einde van de bron van de heilige Anna betekenen,' voegde Clare eraan toe. Dat dit de wonderbron was die haar overleden schoonmoeder een kwarteeuw respijt had geschonken, hoefde ze er niet bij te zeggen. Dat feit was genoegzaam bekend.

Kapelaan Flynn stapte somber gestemd weer in zijn kleine auto. Die achterlijke bron zou opnieuw een scheiding der geesten in de stad veroorzaken. Weer zou er over de heiligheid en de waarde van de bron gesoebat worden, weer zou de een er dit en de ander er dat over te melden hebben. Hij zuchtte diep en wenste dat de bulldozers ogenblikkelijk zouden oprukken om de bron weg te vagen. Het zou een hoop problemen schelen.

Hij ging naar Kitty, zijn schoonzus. Hij probeerde minstens één keer per week bij haar langs te gaan, alleen maar om te laten zien dat niet de héle familie haar had laten zakken. Het was Eddie die haar in de steek had gelaten.

Kitty was niet in goede doen.

'Je wilt zeker wat eten,' zei ze onhoffelijk. Brian Flynn keek rond in de rommelige keuken, waar de vuile ontbijtboel nog op tafel stond, kleren van de kinderen over stoelen slingerden en nog zo het een en ander aan troep rondzwierf. Geen warme, uitnodigende omgeving.

'Nee, hoor, ik hoef helemaal niets,' zei hij, speurend naar een stoel waarop hij kon gaan zitten.

'Dat is ook maar beter. Overal waar je komt, stoppen ze je vol, toch? Geen wonder dat je steeds dikker wordt.'

Brian Flynn vroeg zich af of Kitty altijd al zo verbitterd was geweest. Hij wist het niet meer. Misschien was ze veranderd doordat Eddie er met de jonge seksbom Naomi vandoor was gegaan.

'Ik was vanochtend weer bij mijn moeder,' begon hij aarzelend.

'O, en had ze nog wat te melden?'

'Niet echt, als ze al wat zegt, kan ik er geen touw aan vastknopen, vrees ik.' Het klonk mat.

Maar van Kitty hoefde hij geen medeleven te verwachten. 'Nou, denk maar niet dat ik met haar te doen heb, Brian. Toen ze ze allemaal nog op een rijtje had was ik nooit goed genoeg voor haar geweldige zoon Eddie, dus ze kan me wat. Zo denk ik erover.' Kitty's gezicht had een harde uitdrukking. Ze droeg een trui die onder de vlekken zat en haar haar was vet.

Even voelde kapelaan Flynn begrip voor zijn broer opkomen. Als je maar te kiezen had uit de vrouwen om je heen – en blijkbaar gold dat voor Eddie – dan was Naomi de voor de hand liggende, aangename keuze. Maar toen kwam de gedachte aan plichten, kinderen en huwelijksbeloften weer om de hoek kijken en schaamde kapelaan Flynn zich een beetje.

'Moeder redt het onderhand niet meer in haar eentje, Kitty. Ik denk erover om haar huis te verkopen en haar te laten opnemen in een tehuis.'

'Ga je gang maar, zou ik zeggen. Ik heb toch nooit op een cent van dat huis van haar gerekend.'

'Ik zal het er met Eddie en Judy over hebben, eens zien wat zij ervan vinden,' zei hij.

'Met Judy? Ach, neemt de dame dan ooit de telefoon op als jij belt?'

'Over een paar weken komt ze naar Rossmore,' zei kapelaan Flynn.

'Als ze maar niet denkt dat ze hier kan logeren.' Kitty keek bezitterig om zich heen. 'Dit is míjn huis, het is alles wat ik heb, ik gun het Eddies familie niet.'

'Nee, nee, ik geloof geen moment dat ze... dat ze... eh... dat ze je tot last wil zijn.' Hij hoopte dat zijn stem niet verried dat Judy er zelfs geen moment over zou piekeren om in een hol als dit te overnachten.

'Maar waar moet ze dan slapen? Ze kan niet bij jou en de kanunnik terecht.'

'Nee, ze zal wel naar een hotel gaan.'

18

'Ach ja, dat kan lady Judy natuurlijk wel betalen. In tegenstelling tot sommige anderen,' zei Kitty verachtelijk.

'Ik denk erover om moeder in Varens en Heide onder te brengen. Ik was er vandaag en de bewoners schijnen het er erg naar hun zin te hebben.'

'Maar dat is een protestants huis, Brian! Hoe kan een katholieke priester zijn moeder nu naar een protestants huis sturen? Wat zullen de mensen wel niet zeggen?'

'Het is geen protestants huis, Kitty,' zei kapelaan Flynn geduldig. 'Het is een huis voor alle gezindten en voor mensen die niet gelovig zijn.'

'Dat komt op hetzelfde neer,' snauwde Kitty.

'Helemaal niet. Ik was er pas nog voor de Heilige Communie. Volgende week openen ze een afdeling voor alzheimerpatiënten. Ik dacht dat als een van jullie er ook eens wilde gaan kijken...' Hij klonk net zo moedeloos als hij zich voelde.

De uitdrukking op Kitty's gezicht werd zachter.

'Jij bent geen kwaaie vent, Brian, vanbinnen. Het valt ook allemaal niet mee. Niemand heeft nog respect voor priesters. Of voor wat dan ook.' Het was haar manier om haar medeleven te betuigen, dat wist Brian.

'Ach, sommige mensen nog wel, al is het maar een beetje,' zei hij met een flauwe glimlach. Hij stond op om weer te gaan.

'Waarom heb jij het nog niet opgegeven?' vroeg ze terwijl ze hem uitliet.

'Omdat ik ben toegetreden, omdat ik me ertoe verplicht heb, daarom. En heel af en toe doe ik ook wel eens iets goeds.' Hij zag er beklagenswaardig uit.

'Nou, ík vind het in ieder geval altijd fijn als je komt,' zei de onappetijtelijke Kitty Flynn. Het klonk alsof zij zo ongeveer de enige in heel Rossmore was die het ook maar een beetje fijn zou vinden om hem te zien.

Hij had Lilly Ryan beloofd te komen vertellen hoe het met haar man Aidan in de gevangenis ging. Ze hield nog altijd van hem en nam het zichzelf vaak kwalijk dat ze tegen hem had getuigd. Maar het kon gewoon niet langer. Hij had haar zo toegetakeld dat ze in het ziekenhuis was beland en ze had drie kinderen om voor te zorgen.

Kapelaan Flynn was niet in de stemming om met haar te praten. Maar sinds wanneer deed zijn stemming ertoe? Hij reed de smalle straat in waar Lilly woonde.

Haar jongste zoon, Donal, zat voor het laatste jaar op de school bij de broeders. Die zou dus niet thuis zijn.

'Hè, eerwaarde, op u kun je tenminste bouwen.'

Lilly was erg blij met zijn komst. Hij had haar niets positiefs te melden, maar het was in ieder geval een troost dat ze hem betrouwbaar vond. Haar keuken was een wereld van verschil met die waar hij net vandaan kwam. Op de vensterbank stonden bloeiende planten en haar koperen potten en pannen glommen; in de hoek stond een bureautje waaraan ze een bescheiden inkomen verdiende met het bedenken van kruiswoordraadsels. Ze had al haar zaakjes op orde.

Op tafel stond een schaal met zandgebak.

'Ik moest het maar niet doen,' zei hij spijtig. 'Ik kreeg net nog te horen dat ik zo moddervet word.'

'Ach, kom nou.' Ze trok zich niets van zijn gesputter aan. 'U loopt het er in het bos zo weer af, toch? Maar vertel eerst eens hoe het met hem was.'

Kapelaan Flynn haalde al zijn diplomatieke talenten uit de kast om van zijn ochtendlijke ontmoeting met Aidan Ryan iets in elkaar te knutselen wat leek op een gesprek waaruit zijn echtgenote, die hij in elkaar placht te slaan en die hij nu weigerde te zien, enige troost kon putten. De vrouw die volgens zijn rotsvaste overtuiging hun oudste kind aan een voorbijganger had verkocht.

Kapelaan Flynn had kranten van meer dan twintig jaar geleden nageslagen op de verhalen over de baby van de Ryans; het meisje was meegenomen uit de kinderwagen toen die voor een winkel in de stad geparkeerd stond.

Ze was nooit teruggevonden, niet dood en niet levend.

Kapelaan Flynn slaagde erin het gesprek een optimistisch

tintje mee te geven door een reeks clichés te verkondigen: God de Heer was goedertieren, je wist nooit wat er nog kon gebeuren en het was heel belangrijk om iedere dag opnieuw met frisse moed te beginnen.

'Gelooft u in de heilige Anna?' vroeg Lilly ineens, waardoor de stemming acuut veranderde.

'Eh, ja, natuurlijk geloof ik dat ze bestaan heeft en zo...' begon hij hakkelend. Hij vroeg zich af waar dit heen ging.

'Maar gelooft u dat ze daar bij die bron is en gebeden verhoort?' hield Lilly aan.

'Alles is betrekkelijk, Lilly. Ik bedoel... de bron is al eeuwenlang een plek van grote vroomheid en alleen daardoor al heeft hij een bepaalde betekenis. En natuurlijk is de heilige Anna in de hemel en bemiddelt ze net als alle andere heiligen voor ons hier op aarde...'

'Ik weet heus wel dat het onzin is, eerwaarde, ik geloof ook niet in die bron,' onderbrak ze hem. 'Maar ik was er vorige week en eerlijk waar, ik stond ervan te kijken. Al die mensen daar, en dat in de tijd waarin wij leven... Het is echt verbazingwekkend.'

Kapelaan Flynn probeerde een uitdrukking van blijde verrassing op zijn gezicht te toveren, maar slaagde daar maar minnetjes in.

'Ik weet het, eerwaarde, ik keek er vroeger net zo tegenaan als u. Ik ga er elk jaar een keer heen, moet u weten, rond de verjaardag van Teresa. Teresa is mijn dochtertje, weet u, ze is jaren voordat u naar de parochie kwam, verdwenen. Meestal zegt het me niets om daar te zijn, maar op de een of andere manier was het vorige week anders. Het was alsof Sint-Anna echt naar me luisterde. Ik vertelde haar over de moeilijkheden die het gevolg waren van de verdwijning van Teresa; de arme Aidan is nooit meer de oude geworden sinds het gebeurd is. Maar ik vroeg haar vooral me te vertellen of het goed ging met Teresa, waar ze ook mocht zijn. Ik zou een béétje vrede met alles kunnen hebben als ik wist dat ze ergens was waar ze het goed heeft.'

Kapelaan Flynn keek de vrouw woordeloos aan, niet in staat tot een reactie waaraan ze iets zou hebben.

'Ach, eerwaarde, ik weet ook wel dat er hordes mensen zijn die geloven in beelden die huilen en heiligenprentjes die praten en meer van dat soort onzin, maar er was daar iets, eerwaarde, er was daar echt iets.'

Hij kon nog steeds geen woorden vinden, maar knikte met de bedoeling dat ze verder zou gaan.

'Er waren zo'n twintig mensen toen ik er was, allemaal vertelden ze zo'n beetje hun eigen verhaal. Er was een vrouw die zei: "Heilige Anna, alstublieft, maak dat hij zich niet nóg verder van me verwijdert, maak dat hij bij me blijft..." Gewoon hardop, iedereen kon horen wat haar dwarszat. Maar niemand van ons lúísterde echt, we waren alleen maar met onszelf bezig. En plotseling kreeg ik het gevoel dat met Teresa alles goed was, dat ze een paar jaar geleden, toen ze eenentwintig werd, uitgebreid haar verjaardag heeft gevierd, dat het goed met haar ging en dat ze gelukkig was. Het was alsof Sint-Anna tegen me zei dat ik me geen zorgen meer over haar hoefde te maken. Ik wéét dat het belachelijk klinkt, eerwaarde, maar het heeft me erg veel goed gedaan en dat kan toch geen kwaad?

Ik wou alleen dat de arme Aidan erbij was geweest toen de heilige Anna dit tegen me zei of het mijn geest influisterde of wat ze ook gedaan heeft. Het zou zo bevorderlijk zijn geweest voor zijn gemoedsrust.'

Kapelaan Flynn redde zich eruit met een paar opmerkingen over Gods wegen die ondoorgrondelijk zijn. Hij gooide er zelfs een regeltje Shakespeare tegenaan: 'Er is meer tussen de hemel en aarde, vriend Horatio, dan waarvan jouw wijsheid droomt.' Toen reed hij weg van het huisje, in de richting van het Meidoornbos.

Op zijn wandeling door het bos werd hij gegroet door mensen die hun hond uitlieten en door joggers in trainingspak die de lichaamsbeweging namen die híj volgens zijn schoonzus nodig had. Hij ontmoette vrouwen achter kinderwagens en bleef staan om hun baby's te bewonderen. 'Kijk eens aan wie we hier hebben!' Volgens de kanunnik was deze speelse begroeting een prima truc als je in een kinderwagen moest kijken en je kon niet zien of het een jongetje of meisje was of je was de naam vergeten. De moeder vulde de hiaten in je kennis vanzelf aan en dan kon je vervolgen met: 'Nee maar, wat een flinke vent' of 'Wat een dotje', al naargelang.

Hij kwam Cathal Chambers tegen, directeur van het plaatselijke bankfiliaal; die vertelde dat hij naar het bos was gekomen om zijn gedachten te ordenen.

Hij werd bestookt door mensen die geld wilden lenen om hier in de buurt land te kopen, om het met fikse winst weer te kunnen verkopen als de plannen voor de nieuwe weg erdoor waren. Hij wist niet wat hij ermee aan moest. De hoofdvestiging had laten weten dat hij als man ter plaatse het best kon aanvoelen wat er te gebeuren stond. Maar hoe kon je zoiets nu aanvoelen?

Hij vertelde verder dat advocaat Myles Barry met hetzelfde dilemma kampte. Drie mensen hadden hem al benaderd met het verzoek een bod uit te brengen op het boerenbedrijf van de Nolans. Pure hebzucht was het, speculatie en hebzucht.

Kapelaan Flynn zei dat het verfrissend was om een bankier tegen te komen die zo tegen de dingen aankeek, maar Cathal zei dat ze daar op het hoofdkantoor heel anders over dachten.

Skunk Slattery, die zijn twee hazewindhonden uitliet, kwam naar kapelaan Flynn toe om hem met hatelijke opmerkingen te bestoken.

'Hé daar, eerwaarde, op weg naar de heidense bron om te kijken of de goden van weleer kunnen bereiken wat de Kerk van vandaag niet voor elkaar krijgt?' begon hij pesterig, terwijl zijn graatmagere hazewinden stonden te trillen, eveneens van ergernis, zo leek het wel.

'Ja, ja, Skunk, je kent me, ik kies altijd de gemakkelijkste weg,' zei kapelaan Flynn met opeengeklemde kaken. Hij wist zijn geforceerde glimlach te bewaren gedurende de paar minuten die Skunk nodig had om zijn kwaaiige gemoed te luchten alvorens met zijn trillende honden weer verder te lopen.

23

Ook kapelaan Flynn liep weer door. Met een grimmig gezicht begaf hij zich voor het eerst van zijn leven op eigen initiatief naar de bron van de heilige Anna. Hij was er eerder alleen maar geweest in verband met parochiële activiteiten, altijd met forse tegenzin en in verwarring, en zonder ooit lucht te geven aan zijn werkelijke gedachten.

Enkele houten borden, in de loop der jaren door vrome lieden in elkaar getimmerd, wezen de weg naar de bron, die zich in een diepe, hoge spelonk bevond. Het was er koud en vochtig; een beekje stortte zich aan de achterkant de heuvel af en rond de bron lagen plassen en was het één grote modderbrij doordat hele drommen gelovigen met een oude ijzeren lepel water hadden staan scheppen.

Het was een doordeweekse dag en hij dacht dat er niet veel mensen zouden zijn.

De meidoornstruiken bij de grot waren letterlijk bedolven – kapelaan Flynn wist geen ander woord te bedenken – onder lapjes stof, briefjes en linten. Er hingen ook medailles en allerhande symbolische frutsels, sommige in cellofaan of plastic verpakt.

Er hingen ontelbare verzoeken aan de heilige, smeekbeden om een wens in vervulling te laten gaan; maar er hingen ook bedankbriefjes voor verleende gunsten.

'DANK U WEL, SINT-ANNA, HIJ IS NU DRIE MAANDEN VAN DE DRANK AF, IK SMEEK U HEM TE BLIJVEN BIJSTAAN...'
of:
'DE MAN VAN MIJN DOCHTER DENKT EROVER HUN HUWELIJK TE LATEN ONTBINDEN TENZIJ ZE BINNENKORT ZWANGER WORDT...'
of:
'IK DURF NIET NAAR DE DOKTER, MAAR IK HOEST BLOED OP. HEILIGE ANNA, ALSTUBLIEFT, VRAAG ONZE-LIEVE-HEER OF ER NIKS MET ME IS. LAAT HET ALLEEN MAAR EEN INFECTIETJE ZIJN...'

Kapelaan Flynn was blijven staan om de briefjes te lezen. Zijn gezicht werd roder en roder.

Hij bevond zich in de eenentwintigste eeuw, in een land dat in rap tempo aan het ontkerkelijken was. Waar kwam al dit bijgeloof in 's hemelsnaam vandaan? Waren het alleen oude mensen die hier kwamen? Mensen die terugverlangden naar de tijd waarin het leven zoveel simpeler was? Maar veel van de mensen die hij vanochtend was tegengekomen, waren jong en die geloofden ook dat de bron kracht bezat. Zijn eigen zus kwam over uit Engeland om hier om een man te bidden en het Poolse stel wilde dat hun kinderen hier gedoopt werden. Ook Lilly Ryan, die meende dat het heiligenbeeld haar verteld had dat haar lang verdwenen dochter het goed maakte, was nog jong, begin veertig.

Het was gewoon niet te bevatten.

Hij liep de grot in, waar mensen krukken, wandelstokken en zelfs brillen hadden achtergelaten: symbolen van de hoop dat ze zouden genezen en zich zonder deze dingen konden redden. Er hingen kinderschoentjes en babyslofjes... wie weet wat die te betekenen hadden? Het verlangen naar een kind? De hoop op genezing van een zieke baby?

En daar in het schemerduister stond het enorme beeld van de heilige Anna.

In de loop van de tijd was het verschillende malen overgeschilderd en opnieuw aangekleed: de appelwangen waren steeds roziger geworden, de bruine mantel weelderiger, de haarlok die onder de crèmekleurige sluier uitpiepte, blonder.

Als de heilige Anna al had bestaan, dan moest het een klein, donker vrouwtje zijn geweest, ze was afkomstig uit Palestina. Ze zag er zeer beslist niet uit als een Ierse reclame voor smeerkaas.

Toch waren het heel gewone mensen die hier voor de bron geknield zaten. In de Augustinuskerk in Rossmore zag je er nooit zoveel bij elkaar.

Het was een ontnuchterende en somber stemmende gedachte.

De ogen van het beeld keken glazig naar beneden, wat kapelaan Flynn nog enigszins geruststelde. Als hij het gevoel zou hebben dat het beeld hem persoonlijk iets te zeggen had, zou hij werkelijk ten einde raad zijn geweest.

De heilige had hem niets te zeggen, maar vreemd genoeg voelde kapelaan Flynn wel de drang om zich tegen haar uit te spreken. Hij keek naar het jonge, gekwelde gezicht van de dochter van Myles Barry, die tot groot verdriet van haar vader er niet in was geslaagd tot de rechtenstudie te worden toegelaten. Ze zat met haar ogen gesloten, een en al concentratie. Waar zou ze om bidden?

Hij zag Jane, de superelegante zus van Poppy, de directrice van het bejaardentehuis. Jane droeg haute couture – dat zag zelfs een leek op dit gebied als kapelaan Flynn – maar toch leek ze het heiligenbeeld prevelend iets te vragen. Er zat ook een jonge man met geluidloos bewegende lippen; het was de jongen die op de markt biologisch geteelde groenten verkocht.

Kapelaan Flynn wierp nog een laatste blik op wat hij als een volstrekt misplaatste weergave van de moeder van de moeder van Jezus beschouwde en wenste dat hij de heilige via dit beeld kon vragen of ooit een van de gebeden werd verhoord. En wat ving de heilige aan met botsende wensen van verschillende mensen?

Maar dit soort gedachten ging de kant van de fantasie, van de waanzin uit. Hij zou zich er niet door laten meeslepen.

Terwijl hij de grot uit liep, streek hij met zijn hand langs de wand, die vochtig was en waar boodschappen in waren gekrast. Hij wrong zich tussen de meidoornstruiken bij de ingang door; niemand kwam op het idee ze te snoeien om de grot beter bereikbaar te maken, uit piëteit met de talloze boodschappen, smeekbeden en dankbriefjes die eraan waren gehangen.

Zelfs aan het oude houten hek was een briefje bevestigd: 'HEILIGE ANNA, HOOR MIJN STEM.'

Kapelaan Flynn kon al die stemmen om hem heen bijna horen, de stemmen die hier al die jaren geroepen en gesmeekt hadden. Hij hoorde zichzelf een gebedje zeggen:

'Alstublieft, maak dat ik de stemmen hoor die u hier zijn komen opzoeken, laat me deze mensen leren kennen. Alstublieft, maak dat ik hier iets goeds kan doen. Maak me duidelijk wat ze zeggen, wat ze willen dat wij horen, wat ze willen dat wij voor hen doen...'

2

Het scherpste mes in de keukenla

Deel 1 – Neddy

'Ach, Neddy Nolan! Niet bepaald het scherpste mes in de keukenla!' Dat heb ik mensen wel eens over mij horen zeggen. Maar wat geeft het. Ik heb nooit het scherpste mes in de keukenla willen zijn. Jaren geleden hadden we een heel scherp mes in de keuken en daar werd altijd met de nodige angst over gesproken. 'Leg dat scherpe mes alsjeblieft hoog op een plank. Ik wil niet dat een van de kinderen per ongeluk zijn hand afhakt,' zei mama altijd. En pa zei altijd: 'Denk erom dat de scherpe kant altijd naar de muur toe ligt en het heft deze kant op, want we willen niet dat iemand zichzelf aan reepjes snijdt.' Ze waren altijd bang dat er een verschrikkelijk ongeluk mee zou gebeuren en dat de keuken onder het bloed zou komen te zitten.

Ik had nogal te doen met dat scherpe mes, als ik eerlijk ben. Het kon er toch ook niks aan doen? Het was niet z'n bedoeling mensen bang te maken, het was nu eenmaal zo gemaakt. Maar ik zei nooit tegen iemand hoe ik erover dacht want dan zouden ze me weer soft noemen.

Een softie, zo noemden ze me ook.

Omdat ik er niet tegen kon als een muisje piepend in de val zat en omdat ik moest huilen toen er bij ons in de buurt gejaagd werd en ik de verwilderde ogen zag van de vos die ze achternazaten; ik heb hem kss, ksst, het Meidoornbos in gejaagd. Ja, ik weet best dat anderen me een softie vinden, maar die muis had er niet om gevraagd om in de bijkeuken geboren te worden in plaats van ergens buiten in het veld waar hij een lang en gelukkig muizenleven had kunnen leiden. Zo zag ik dat tenminste. En die prachtige rode vos had ook niet vervelend gedaan tegen al die honden en paarden en mensen in rode jassen die hem zo woest opjoegen.

Maar ik ben er niet zo goed in om dat soort dingen klip en klaar uit te leggen en meestal neem ik dan ook niet de moeite. Niemand verwacht trouwens veel van Softe Neddy. Dus kom ik meestal wel weg met de manier waarop ik tegen de dingen aankijk.

Ik had gedacht dat ik zou veranderen als ik volwassen was. Volwassenen maken zich niet zo druk om van alles en hebben niet zo gauw medelijden met dit en met dat. Ik wist zeker dat ik net zo zou worden, maar het leek eindeloos lang te duren voor het zover was.

Toen ik zeventien was, gingen we met een heel stel – ik, mijn broer Kit en zijn vrienden – in een bestelbusje ergens heen om te dansen, kilometers voorbij de meren, een heel eind van Rossmore vandaan. En daar was dat meisje. Ze zag er heel anders uit dan de andere meisjes; die hadden allemaal jurken aan met van die bandjes over hun schouders, maar zij had een rok aan en een dikke trui met een polohals, en ze droeg een bril en had nogal kroezig haar. Er was blijkbaar niemand die met haar wilde dansen.

Dus vroeg ik haar en toen we gedanst hadden, haalde ze haar schouders op en zei: 'Heb ik vanavond in ieder geval toch één keertje gedanst.'

Dus vroeg ik haar nog een keer, en nog eens en aan het eind zei ik tegen haar: 'Nu heb je veertien keer gedanst vanavond, Nora.'

En toen zei ze: 'Nou wil je zeker mee?'

'Mee?' vroeg ik.

'Nou wil je er zeker overheen,' zei Nora, met doffe berusting in haar stem. Ze zag dit blijkbaar als de prijs die ze moest betalen voor de veertien keer dat ik haar ten dans had gevraagd.

Ik legde uit dat we van de andere kant van de meren kwamen, uit Rossmore, en dat we met z'n allen weer naar huis zouden gaan. Met de bestelbus.

Ik kon niet uitmaken of ze blij of teleurgesteld was.

De anderen treiterden me op weg naar huis.

'Neddy is verlie-hiefd,' zongen ze de hele tijd.

Vier maanden later viel er weinig te zingen. Toen kwam Nora met haar vader bij ons thuis. Ze zei dat ik de vader was van de baby die ze verwachtte.

Ik wist niet hoe ik het had.

Nora keek niet naar me, ze bleef maar naar de grond staren. Ik zag alleen haar kruin maar. Dat zielige permanentje. Ik had heel erg met haar te doen. En ik had nog veel erger met haar te doen toen Kit en mijn andere broers tegen Nora en haar vader van leer trokken.

Hun Neddy was nog geen tel met Nora alleen geweest, zeiden ze, zeker weten. Er waren er wel honderd die dat konden getuigen. Ze zouden kanunnik Cassidy erbij halen, dan zou die hun wel vertellen wat een keurig iemand Neddy was. Met verhitte koppen gingen ze tekeer tegen Nora's vader en ze bezworen dat ik het meisje niet eens een kus ten afscheid had gegeven toen ik met hen weer in het busje stapte. Wat een verlakkerij, zeiden ze. Zoiets hadden ze hun hele leven nog niet meegemaakt.

'Ik heb nog nooit met iemand gevreeën,' zei ik tegen Nora's vader. 'Maar als het wel zo was geweest en er was een kind van gekomen, dan zou ik zeker mijn verantwoordelijkheid hebben genomen en dan zou het me een eer zijn geweest om met uw dochter te trouwen, maar ja... zo is het nu eenmaal niet gegaan.' En om de een of andere reden geloofde iedereen me. Werkelijk iedereen. En daarmee was de kous af.

De arme Nora hief haar rode, betraande gezicht naar me op en keek naar me door haar dikke brillenglazen.

'Het spijt me, Neddy,' zei ze.

Ik ben nooit te weten gekomen wat er met haar gebeurd is. Iemand zei eens dat haar grootvader de schuldige was, maar dat er nooit iets aan was gedaan omdat hij de hele familie onderhield. Ik weet niet of haar kind geboren is en of ze het zelf heeft grootgebracht. Haar familie woonde zo ver bij Rossmore vandaan, er was nooit iemand die ik ernaar kon vragen. En mijn familie had trouwens liever niet dat ik navraag deed. Ze zeiden allemaal lelijke dingen.

'Schaamteloze rooie trien,' zei mijn ma.

'Hoe krijgt ze het verzonnen, onze Neddy met de bastaard van een ander op te zadelen,' zei mijn oma.

'Ja, zelfs een softie als onze Neddy valt niet op zo'n molenpaard,' zei mijn pa.

Maar ik voelde een brok in mijn keel bij de gedachte aan de arme jonge vrouw die zo trots had gezegd dat ze die avond in ieder geval één keertje gedanst had en die zichzelf op zo'n troosteloze manier had aangeboden uit dank voor de luxe van veertien dansjes op een avond.

Het was zo ontzettend treurig allemaal.

Niet lang daarna vertrok ik uit Rossmore om in Londen in de bouw te gaan werken, samen met Kit, mijn oudste broer. Hij had een appartement gevonden boven een winkel, daar woonden ze al met z'n drieën. Ik was de vierde. Het was er niet bijster schoon en netjes, maar het was dicht bij de ondergrondse en in Londen is dat het allerbelangrijkste.

In het begin ging ik alleen met thee rond op de bouwplaats en moest ik van alles sjouwen voor iedereen. Ze hadden daar alleen maar ouwe gebarsten bekers, met stukjes eruit. Dus op de dag dat ik mijn eerste loon kreeg, ben ik naar de markt gegaan om tien mooie nieuwe te kopen. Ze waren allemaal erg verbaasd dat ik de bekers zo netjes afwaste en dat ik ook nog een suikerpot en een melkkannetje had gekocht.

'Die Neddy is een echte heer,' zeiden ze over mij.

Ik weet nooit zo goed of mensen nou goed vinden wat ik doe of niet. Ik denk eigenlijk van niet. Maar het doet er ook niet zoveel toe.

Alleen deden ze daar op de bouw soms van die rare dingen. Zo vulden ze ongeveer elke zesde afvalbak niet met rotzooi, maar met zakken cement, stenen of gereedschappen. Blijkbaar was het een soort systeem, een soort regeling, maar niemand had mij er iets over gezegd en dus vertelde ik de ploegbaas dat er allemaal bruikbare spullen werden weggegooid. Ik dacht dat ze blij zouden zijn.

Maar dat waren ze niet.

Ze waren zelfs verre van blij.

En Kit was nog het minst blij van allemaal. Ik moest de volgende dag thuisblijven van hem.

'Maar als ik niet ga werken, word ik ontslagen,' zei ik smekend tegen hem.

'Als je wél gaat, word je door de anderen om zeep geholpen,' zei Kit. Zijn mond stond zo strak dat ik wist dat ik beter niet tegen hem in kon gaan.

'Wat moet ik hier de hele dag dan doen?' vroeg ik.

Kit wist altijd heel precies wat iedereen moest doen. Maar deze keer niet.

'Jezus, Neddy, weet ik veel. Doe gewoon iets, maak de boel hier maar schoon of zo. Het maakt niet uit, als je maar niet bij de bouwplaats in de buurt komt.'

De anderen zeiden geen woord tegen me, waardoor ik begreep dat het gedoe met die vuilnisbakken blijkbaar erg belangrijk was. Ik ging zitten prakkiseren. Het liep allemaal helemaal niet zoals ik gedacht had.

Ik was van plan geweest om in Londen een hoop geld bij elkaar te sparen, zodat ik mama op vakantie kon sturen en voor pa een goeie jas met leren garneersels kon kopen. Maar nu mocht ik niet eens naar mijn werk.

Maak de boel hier maar schoon of zo, had Kit gezegd. Maar waarmee dan? We hadden geen schoonmaakspullen. Er was geen bleek voor de gootsteen of het toilet. Er was geen meubelolie. Er was geen zeeppoeder om het beddengoed te wassen. En ik had nog maar negen Engelse ponden.

Ik kreeg een idee en ik ging naar beneden, naar de winkel van de Patels, die dag en nacht hard moesten werken.

Ik deed schoonmaakmiddelen en een blik witte verf, ter

waarde van tien pond alles bij elkaar, in een winkelmandje en ging praten met meneer Patel.

'Als ik uw erf opruim, alles aanveeg, en alle kratten en dozen netjes voor u opstapel, geeft u me deze schoonmaakspullen dan als loon?'

Hij monsterde me peinzend, alsof hij in gedachten de kosten en de hoeveelheid werk die ik zou verzetten tegen elkaar afwoog.

'Zeem je dan ook de etalage?' begon hij te onderhandelen.

'Ja zeker, meneer Patel,' zei ik met een brede grijns.

Meneer Patel glimlachte op zijn beurt, onverwacht en aarzelend.

Toen ging ik naar de wasserette en daar vroeg ik of ik de voordeur mocht schilderen, want die zag er zo gehavend uit.

'Wat vraag je ervoor?' vroeg mevrouw Price, die de leiding had in de zaak. Men zei van haar dat ze veel vrienden van het mannelijk geslacht had, dus ze wist van wanten.

'Twee ladingen was, met drogen erbij,' zei ik.

We hadden een deal.

Toen Kit en de andere jongens thuiskwamen, wisten ze niet wat ze zagen.

De bedden waren verschoond, het afgetrapte linoleum op de vloeren was blinkend gewreven en de stalen gootsteen was stralend schoon. Ik had de kastjes in de keuken en de badkamer geschilderd.

De volgende dag zei ik tegen de Patels dat ik nog wel meer karweitjes voor ze kon doen, in ruil voor een spulletje om het email van badkuipen bij te werken. Er viel ook nog meer te schilderen in de wasserette, zodat ik daar een heleboel wassen mocht doen: overhemden, broeken, noem maar op. Ik bracht er zakkenvol naartoe en haalde ze later weer op, want ja, ik mocht immers niet naar de bouwplaats toe.

Omdat ze allemaal weer een beetje tot bedaren waren gekomen en zo geweldig te spreken waren over het appartement dat nu zo heerlijk fris en schoon was, durfde ik het aan om naar die andere toestand te vragen. Was de ploegbaas alweer een beetje afgekoeld?

'Het lijkt er wel op,' zei Kit. 'Hij kan namelijk niet geloven dat jij mij erbij zou lappen, je bloedeigen broer! Ik zei dat niemand zijn broer zoiets zou aandoen, en ook niet de maten bij wie hij in huis woont. Dat hij de schuldigen elders moest zoeken. En dat doet hij nu dus ook.'

'En denk je dat hij ze vindt?' vroeg ik opgewonden.

Het leek wel alsof we meespeelden in een spannende thriller. Ze keken elkaar bevreemd aan. Het bleef een tijdje stil.

'Waarschijnlijk niet,' zei Kit uiteindelijk.

'Kan ik volgende week weer naar mijn werk?' vroeg ik.

Weer viel er een stilte.

'Nou weet je, Neddy, je bent hier zo goed bezig... Je maakt het hier echt knus voor ons allemaal. Dus misschien is dit het beste wat je kunt doen. Snap je wel?'

Ik was hevig teleurgesteld. Ik had gedacht dat ik elke dag met hen uit werken zou gaan, dat we echte maten zouden zijn.

'Hoe kan ik nu geld sparen voor een huis als ik niet eens een baan heb?' vroeg ik aangeslagen.

Kit boog zich naar me toe en begon tegen me te praten, als volwassen mannen onder elkaar.

'Weet je, Neddy, ik vind dat we onszelf maar als een bedrijf moeten zien. Dan ben jij onze manager.'

'Ik manager?' vroeg ik, diep onder de indruk.

'Ja. Wat dacht je hiervan: jij maakt 's ochtends het ontbijt voor ons klaar, zorgt voor lunchpakketten en houdt de boel hier tiptop in orde. En natuurlijk verzorg je ook onze administratie en breng je ons geld naar het postkantoor en zo. Daarmee neem je een grote last van onze schouders en daarvoor betalen we jou met z'n allen loon. Wat vinden jullie ervan, jongens? Zo komen we thuis in een keurig huis en als Neddy de boel hier helemaal op orde heeft, kunnen we zelfs bezoek ontvangen.'

Ze vonden het allemaal een schitterend idee en Kit ging *fish and chips* halen om te vieren dat ik die dag hun manager was geworden.

Het was een prima baan, lang niet zo verwarrend ook als het werken in de bouw, want ik dopte nu mijn eigen boontjes en wist wat ik deed. Ik deed verslag van alles in mijn wekelijkse brief naar huis en dacht dat papa en mama wel erg blij zouden zijn. Maar ze stuurden me een hoop waarschuwende brieven waarin ze me op het hart drukten goed uit te kijken dat Kit en de anderen me niet te hard lieten werken en misbruik van me maakten.

'Je bent zo'n goedaardige, lieve jongen, Neddy,' schreef mama, 'je moet heel goed op jezelf passen, hoor. Beloof je dat?'

Maar ik had helemaal geen problemen, want iedereen was ontzettend aardig voor me en ik kon alles goed aan. Als ik de jongens 's ochtends een goed warm ontbijt had voorgezet, bracht ik de kinderen van de Patels naar school. Daarna opende ik de wasserette, want mevrouw Price, die zoveel vriendjes had, was 's ochtends vroeg niet op haar best.

Dan ging ik weer naar de Patels om ze te helpen met het bijvullen van de vakken en om hun afval naar de vuilstort te brengen. Daarna ging ik weer naar het appartement om schoon te maken en iedere dag probeerde ik weer iets nieuws voor de jongens te doen. Ik hing bijvoorbeeld een nieuwe plank op, of ik ging in de zaak waar ze televisies repareerden, schoonmaken in ruil voor een tweedehandstelevisie. En op een keer vond Kit een videorecorder die van een vrachtwagen was gevallen maar niet kapot was en toen hadden we zo'n beetje onze eigen bioscoop in de keuken annex zitkamer.

Ik haalde ook iedere dag de kinderen Patel weer van school en deed de boodschappen voor Christina, een oude Griekse dame die als dank onze gordijnen maakte.

Ieder jaar zorgde ik ook voor tickets om naar Ierland terug te gaan. Kit en ik brachten dan een tijdje bij onze familie op de kleine boerderij bij Rossmore door.

Het veranderde daar steeds, de stad groeide en strekte zich steeds verder uit. Er stopte nu zelfs een bus aan het einde van de weg waaraan ons huis lag. Ik hoorde nooit iets over de arme Nora en haar problemen. Kit zei dat ik er maar beter niet naar kon vragen.

Ik deed altijd klusjes in de twee weken dat we thuis waren.

Kit ging de hele tijd uit dansen en had blijkbaar niet door dat er van alles niet deugde aan het huis, dat het een armoeiige boel was, dat er hier en daar planken vervangen moesten worden of schilderwerk moest worden gedaan. Pa ging er met het vee op uit en had geen tijd of puf om zich hiermee bezig te houden.

Ik stelde Kit wel eens voor om een mooie televisie of wasmachine voor pa en mama te kopen, maar Kit zei dat het geld ons niet op de rug groeide en dat we niet net moesten doen alsof we in Londen miljonairs waren geworden, want dat iedereen daar een sik van kreeg.

Ik maakte me vaak ongerust over mama. Ze was altijd ziekelijk geweest, maar ze zei altijd dat de heilige Anna haar al die extra jaren had geschonken om haar kinderen te zien opgroeien en dat ze daar erg dankbaar voor was. Toen we in de zomer een keer terugkwamen, vond ik dat ze er erg broos uitzag, maar ze zei dat ik me om haar geen zorgen moest maken want dat alles in orde was en dat ze een goed leven hadden sinds pa een van zijn weiden had verkocht en er minder vee was. Hij was nu veel vaker thuis om haar een kop thee te kunnen brengen. Ze maakte zich nergens zorgen om, behalve of het met pa wel goed zou gaan als zij er uiteindelijk niet meer zou zijn.

En toen moesten Kit en ik uit Londen terugkomen voor mama's begrafenis.

Al onze vrienden in Londen stuurden bloemen omdat ik hun over mama had verteld. De mensen zeiden dat men in Londen blijkbaar een hoge pet op had van Kit, omdat hij zoveel vrienden had. In feite waren het mijn vrienden, maar ach, wat deed het ertoe.

De arme pa zag eruit als een bloedhond. Zijn gezicht zat vol diepe groeven van verdriet toen hij ons uitzwaaide.

'Pas goed op onze Neddy, hoor je?' zei hij tegen Kit op het station. Wat wel gek was, omdat ik degene was die voor alles zorgde.

'Je zou toch denken dat hij de reis voor ons zou betalen,' mopperde Kit. Maar ik had het geld voor onze reis, dus deed het er niet toe.

En toen, omdat ik al meneer Patels schuren had opgeknapt waardoor hij meer opslagruimte had gekregen, gaven de Patels ons een kamer extra zonder dat we meer huur hoefden te betalen. Een van de jongens kreeg vaste verkering met een meisje en verhuisde, en toen hadden we het appartement voor ons drieën en hadden we ieder een eigen kamer.

De andere twee namen wel eens een meisje mee naar huis, allemaal leuke meisjes die 's ochtends meeaten en heel aardig tegen mij waren.

Echt waar, ik had het steeds zo druk dat de tijd gewoon voorbijvloog. Opeens was ik zevenendertig, maar ik had al bijna twintig jaar gespaard, zodat ik inmiddels een grote som geld voor de aanbetaling van een huis bij elkaar had. Ik wil maar zeggen, als je begint met twintig pond per week opzij te leggen, en dat wordt dan dertig en nog weer later vijftig pond, dan heb je op een gegeven moment een aardig bedrag bij elkaar.

Ik speelde het klaar om Kit ieder jaar mee naar huis te krijgen, maar makkelijk was dat over het algemeen niet. Hij zei dat hij geen zin had om in Rossmore tussen de levende lijken te zitten. Maar er was een jaar dat we naar huis teruggingen en onze pa helemaal niet lekker was. Hij had het gaas van de kippenren niet op tijd gerepareerd en de vos had alle kippen gestolen. Pa was niet meer in staat naar de markt te gaan en de mensen moesten naar hem toe komen als ze beesten van hem wilden kopen. Dat ging hem heel erg aan het hart.

Hij leefde erg teruggetrokken en hield de boel niet goed meer bij. Ik zei tegen Kit dat hij niet veel langer op deze manier kon doorgaan. Kit zei dat pa het verschrikkelijk zou vinden om naar het bejaardentehuis te worden gestuurd. Alsof ik hem ooit naar het bejaardenhuis zou laten gaan.

'Nee,' zei ik, 'ik denk dat ik weer bij hem moet gaan wonen en proberen de boel draaiende te houden.'

'En de hele erfenis voor jezelf houden, zeker?' zei Kit op een heel gemene toon.

'O, nee, Kit, helemaal niet. Ik zal iemand laten komen om alles te taxeren, Myles Barry misschien, de advocaat uit de stad.

Dan geef ik jou en de anderen jullie deel. Dat is toch eerlijk dan?'

'Wou jij echt weer bij pa gaan wonen?' Kits mond zakte open van verbazing.

'Iemand zal wel moeten,' zei ik, 'en trouwens, misschien ga ik wel gauw trouwen, als ik een aardig meisje kan vinden tenminste.'

'Wou je dit huis kopen? En ons allemaal ons deel geven? Doe niet zo maf,' zei Kit lachend.

Maar ik kon het kopen, en dat deed ik ook, de volgende dag nog. Mijn vader was in de wolken, maar Kit was er helemaal niet over te spreken.

Hij had geen spaargeld, zei hij, maar ik, die nog geen dag van mijn leven had gewerkt, hoefde mijn hand maar in mijn broekzak te steken om er genoeg geld uit te halen om een boerenbedrijf te kopen met een huis erbij. Hij vond het onbegrijpelijk.

'Hoe kom je erbij dat ik mijn hele leven niet gewerkt heb? Ik was jouw manager toch, of niet soms?' riep ik. Ik was verschrikkelijk verontwaardigd over zijn valse beschuldiging.

Hij leek mijn uitleg niet te accepteren.

'Maar ik wás echt jullie manager,' hield ik vol. Want dat was zo. Ik was zelfs een geweldige manager. Ik had ervoor gezorgd dat we met z'n allen in een geweldig appartement konden wonen. En ik zou hún geld ook hebben weggebracht, precies als het mijne, als ze het me maar gegeven hadden. Ik zou het op het postkantoor op rekeningen met een heleboel verschillende namen hebben gestort, dat had iets met boekhouden te maken of zo. Maar ik kon op vrijdag moeilijk het geld uit hun handen rukken als ze de stad in gingen om meisjes mee uit te nemen of blitse spullen te kopen.

Dat ik in staat was geld opzij te leggen, kwam doordat ik niet dronk. Ik kocht mijn kleren tweedehands en ik maakte bovendien zo veel uren dat ik nauwelijks tijd had om uit te gaan en geld uit te geven. Dus spaarde ik het op voor een huis.

Dit alles vertelde ik Kit geduldig. Ik legde het hem haarfijn uit voor het geval hij het nog niet snapte. Ik keek naar zijn gezicht en na verloop van tijd was hij niet boos meer. Dat kon ik zien. Zijn gezicht kreeg een zachte, aardige uitdrukking, net als die avond toen hij me manager had gemaakt. Toen hij *fish and chips* was gaan halen. Hij stak zijn grote hand uit en legde die over de mijne.

'Het spijt me, Neddy, ik zat er helemaal naast daarnet. Natuurlijk was jij onze manager en een hele goeie ook nog. Ik zou niet weten waar ik een ander zoals jij vandaan moet halen als jij weer hier gaat wonen. Maar goed, dan krijgen we er uiteindelijk wel een smak geld voor en dan weten we in ieder geval dat er voor pa gezorgd wordt, wat op zich ook al een hele opluchting is.'

Ik glimlachte opgelucht. Alles zou weer in orde komen.

'Weet je, Neddy, dat trouwen is misschien wat lastiger voor je, je moet er maar niet mee zitten als het minder makkelijk gaat dan de rest. Vrouwen zijn heel moeilijk te volgen. Het valt niet mee om vat op ze te krijgen. Je bent een prima kerel, maar je bent niet het scherpste mes in de keukenla. Ik denk niet dat jij een geschikt type bent voor de vrouwen van tegenwoordig.'

Hij was aardig voor me en dus bedankte ik hem zoals ik iedereen altijd bedankte voor adviezen, of ik ze nu snapte of niet. En ik ging aan de slag om een vrouw voor mezelf te vinden.

Dat kostte me zeven maanden. Toen ontmoette ik Clare.

Ze was onderwijzeres. Ik zag haar toen ze naar onze parochiekerk was gekomen voor de uitvaart van haar vader. Ik vond haar ontzettend aardig.

'Ze is veel te slim voor je,' zeiden ze allemaal.

Alleen mijn vader zei dat niet, want hij vond het heerlijk dat ik bij hem woonde en hij zei nooit iets wat ik vervelend zou kunnen vinden. Ik maakte iedere ochtend pap voor hem en ik nam een man in dienst om te zorgen voor de paar koeien die we nog hadden. Zelf zorgde ik voor de kippen en de eenden. Ik nam pa mee naar het bos om te wandelen, zodat hij in beweging bleef. Soms ging hij naar de bron om Sint-Anna te bedanken voor de extra jaren die hij met mama had kunnen doorbrengen. En iedere dag bracht ik hem naar de pub voor zijn warme eten en een biertje met zijn vrienden.

Pa zei vaak over mij: 'Neddy is niet zo'n softie als iedereen denkt.'

En pa vond dat Clare een heel geschikte vrouw voor mij was. Hij zei dat ik wat geld moest spenderen aan nieuwe overhemden en dat ik mijn haar eens goed moest laten knippen in de kapsalon van Rossmore. Moet je je indenken: mijn vader die een woord als kapsalon kende.

Clare was heel ambitieus, dat maakte ze me al meteen duidelijk. Ze wilde hogerop in het onderwijs, ze wilde graag schoolhoofd worden, en ik zei dat ik dat best vond, want zoals ik het voor me zag kon ik thuis manager zijn en ervoor zorgen dat alles gedaan was als zij thuiskwam van haar werk. En stel je voor, denk je eens in dat we een kindje zouden krijgen, dan kon ik voor dat kindje zorgen als Clare ging werken. Tot mijn vreugde zei ze dat het haar allemaal heerlijk in de oren klonk en dat ze het een eer zou vinden om mijn vrouw te worden.

Kit kon niet naar onze bruiloft komen, want hij zat in Engeland in de gevangenis als gevolg van een of ander misverstand. De ware schuldigen werden ook deze keer niet opgespoord.

Met pa ging het intussen veel beter; hij was weer aardig op krachten gekomen. Dat hij er zo slecht aan toe was geweest, kwam alleen maar doordat hij zich eenzaam en verwaarloosd had gevoeld.

En dus lieten we een heel goeie aannemer komen met wie we een prijs afspraken om het huis op te splitsen en te verbouwen, en dat deed hij fantastisch. Nu zou Clare als ze er na onze bruiloft kwam wonen het gevoel hebben dat ze haar eigen huis had, voor haar en mij alleen, niet dat ze bij mij en mijn vader introk. Op die manier zou iedereen tevreden zijn.

Ik moedigde de vrienden van pa aan om hem 's avonds thuis op te zoeken. En ik kocht een kast van een televisie voor hem, waar ze allemaal veel plezier van hadden als er sportwedstrijden werden uitgezonden.

Onze bruiloft in Rossmore was een geweldig feest.

39

Kanunnik Cassidy voltrok het huwelijk, maar de nieuwe kapelaan, Brian Flynn, droeg ook zijn steentje bij. We hadden een receptie in het hotel, waarbij mensen toespraken hielden.

Mijn pa zei dat wat hem betrof zijn geliefde vrouw, die door de heilige Anna genezen was, bij ons in de zaal aanwezig was om de heuglijke dag mee te vieren en dat ik de beste zoon op aarde was en de beste echtgenoot op aarde zou worden, en ook, als de tijd daar was, de beste vader.

Ik hield een korte toespraak waarin ik zei dat ik niet het scherpste mes in de keukenla was. Ik wilde dat de mensen wisten dat ík wist dat ze dat over mij zeiden. Maar ik was wel het gelukkigste mes, zei ik. Ik had alles wat ik me mijn hele leven al gewenst had en ik verlangde verder niets meer.

En toen zei Clare dat ze ook iets wilde zeggen. Ze wist dat het niet gebruikelijk was dat de bruid een toespraak hield, maar dat er iets was wat ze graag zou zeggen.

Ik had geen idee wat.

Ze stond op in haar prachtige jurk en ze zei tegen de mensen in de zaal dat keukenladen altijd uitpuilden van akelig scherpe messen. Het waren er zo veel dat ze bijna geen lade meer had durven opentrekken. Maar toen had ze mij gevonden en was haar hele leven anders geworden. Toen ik de grote zaal in het hotel rond keek, zag ik dat de mensen half in tranen waren terwijl ze heel hard klapten en juichten. Het was echt de gelukkigste dag van mijn leven...

Deel 2 – Clare van de gouden ster

Toen ik op de Sint-Ita-school in Rossmore zat, was de gouden ster iedere week voor mij.

Maar één keer, toen ik griep had, kreeg een ander meisje hem, mijn vriendin Harriet Lynch, verder kreeg ik hem altijd.

Iedere maandagochtend haalde ik hem van mijn schooluniform af om hem terug te leggen op het bureau van het schoolhoofd, en een uur later, als in iedere klas werd opgelezen wie de gouden ster had verdiend, kreeg ik hem weer terug.

Het was de beloning voor een combinatie van goede cijfers, goed gedrag en inzet. Je kon hem niet verdienen door alleen maar hard te werken. Nee, je moest een evenwichtige, veelzijdige leerling zijn, tenminste in hun ogen.

En voor mij was het heel gemakkelijk om hen te laten geloven dat ik dat was. Want ik vond het heerlijk om naar school te gaan. Ik kwam het eerst en ging het laatst weg. Ze hadden dus alle tijd om mij en mijn inzet op school te zien. Ik bedoel maar, als je uit mijn omgeving kwam, was iedere andere omgeving beter. Wie zou dan niet liever op school zijn dan thuis?

Het was niet alleen maar de schuld van mijn moeder. Het was niet helemáál haar schuld.

Vrouwen waren toen nog anders, ze klampten zich uit alle macht vast aan het huwelijksbootje, hoe vervaarlijk en onplezierig dat ook schommelde. Een huwelijk, hoe beroerd ook, was beter dan geen huwelijk, en iedere vernedering was altijd nog minder erg dan de ultieme vernedering: door je man verlaten worden. Vrouwen gingen toen nog naar de bron van de heilige Anna om te bidden dat alles beter zou worden, in plaats van te proberen er zelf voor te zorgen dat alles beter werd.

Ik was ook niet het enige kind op school dat dit soort problemen had thuis. Zo was er een zielig meisje – Nora hoeheette-ze-ook-alweer – die niet helemaal goed bij haar hoofd was. In haar geval was het haar opa die haar lastig viel. Ze werd zwanger en zei dat het kind van een knaap was die ze op een dansfeest had ontmoet, maar kennelijk had die knaap al zijn broers laten opdraven om te getuigen dat hij nooit met haar alleen was geweest. Die arme Nora kwam bij de nonnen terecht, kreeg haar baby en stond hem ter adoptie af, terwijl haar grootvader gewoon in hun huis bleef wonen. Iedereen wist hoe het zat. Ze wisten het aldoor. Maar niemand deed zijn mond open.

Zoals iedereen ook wist van mijn oom Niall bij ons in huis. En niemand die er ooit iets van zei.

Ik bracht een grendel aan op mijn slaapkamerdeur, maar niemand vroeg waarom. Ze wisten donders goed dat de broer van mijn vader een oogje op me had. Maar de boerderij was grotendeels van hem, dus wat konden ze eraan doen?

Ik vroeg God voortdurend of hij er niet voor kon zorgen dat oom Niall ophield met dit soort dingen te proberen. Maar God had het in die tijd blijkbaar erg druk of misschien waren er ergere gevallen dan het mijne. Wat ik nog het moeilijkst vond, was dat ze het allemaal wisten, maar geen poot uitstaken. Ze wisten waarom ik mijn huiswerk op school maakte, namelijk omdat hij dan niet op me af kon komen als het huis leeg was. Ze wisten waarom ik pas weer thuis kwam als ik zeker wist dat mijn moeder terug was van de zuivelhandel waar ze werkte en mijn vader terug was van het land, of dat er andere mensen waren die me konden beschermen. Zo'n beetje dan.

Als schoolmeisje schaamde ik me en was ik tegelijk trots. Ik was er trots op dat het me lukte uit mijn ooms gore klauwen te blijven. En ik schaamde me omdat ik uit een gezin kwam dat niet voor me zorgde, maar me in mijn eentje liet vechten tegen dingen die ik niet eens begreep.

Ik vermoed dat ik daardoor ook zo snel volwassen ben geworden. Toen ik eindexamen voor de middelbare school had gedaan, kondigde ik vastberaden aan dat ik aan de universiteit ging studeren, een heel eind weg van huis.

Daar werd behoorlijk moeilijk over gedaan. Mijn vader vroeg zich af waar ze het geld vandaan moesten halen om mijn studie te bekostigen. Zijn leven lang deed hij niets anders dan zich zorgen maken over geld, het was zijn grootste vloek.

Waarom bleef ik niet thuis om op mijn zusje te passen? Waarom ging ik geen secretaresseopleiding volgen? Dat vroeg mijn moeder, zoals van haar te verwachten viel.

Op mijn zusje Geraldine moest inderdaad gepast worden en voor ik wegging heb ik haar ook goed gewaarschuwd.

Zou het in de grote stad niet slecht met me aflopen? Het was oom Niall die zich dit afvroeg, hoewel hij wel beter wist, net als ik en net als mijn ouders. Het zou me al veel eerder slecht zijn vergaan als ik geen grendel op mijn slaapkamerdeur had gezet.

Ik was veel taaier dan ze allemaal dachten.

Ik was voor mijn leeftijd inderdaad al opmerkelijk volwassen. Ik zou het wel redden in mijn eentje, zei ik tegen ze. Ik zou een baantje nemen om een kamer te kunnen huren en mijn studie te betalen. Ik was het meisje van de gouden ster. Een veelzijdig, evenwichtig persoontje. Ik kon alles wat ik maar wilde.

En ik deed wat ik gezegd had. Twee weken voordat de colleges begonnen, ging ik naar Dublin, vond een kamer in een flat met drie andere meisjes en kreeg een ochtendbaantje in een café waar ze al heel vroeg ontbijt serveerden. Dat was fantastisch want als ik 's ochtends om tien uur naar college ging, had ik er al aardig wat uurtjes werk op zitten en een stevig ontbijt achter mijn kiezen. 's Avonds werkte ik van zes tot tien in een pub, zodat ik nauwelijks tijd had om geld uit te geven en overdag de tijd aan mezelf had.

Vanwege oom Niall en meer van dat soort gedoe was ik niet happig op mannelijk gezelschap, zoals mijn huisgenotes, en dus kon ik mijn hoofd goed bij mijn studie houden. Aan het einde van het eerste jaar behoorde ik dan ook tot de beste vijf van mijn jaar, wat geen geringe prestatie was.

Ik vertelde niemand hier iets over toen ik in de vakantie thuis was in Rossmore, behalve aan mijn zus Geraldine dan, want ik wilde dat zíj wist dat we alles, maar dan ook alles konden bereiken als we maar wilden.

Geraldine vond mij geweldig en vertelde dat ze zich oom Niall heel goed van het lijf wist te houden door keihard 'Hé, oom Niall, bent u daar? Wat kan ik voor u doen?' te roepen als hij in de buurt kwam, zodat het hele huis het hoorde, waarop hij zich slinks uit de voeten maakte. En ze had een keer waar iedereen bij was aangekondigd dat ze een groot hangslot aan haar deur ging maken.

Maar halverwege het tweede jaar van mijn studie begon er een heleboel mis te gaan. Mijn moeder kreeg kanker en de dokters zeiden dat een operatie niet mogelijk was. Mijn vader bood de situatie het hoofd door zich iedere avond klem te zuipen.

Mijn zusje ging bij het jongere zusje van mijn vriendin Harriet Lynch inwonen om te kunnen leren en uit de klauwen van oom Niall te blijven, omdat er nu niemand meer was om haar te beschermen.

Toen ik weer terug was in Dublin werd de huur van onze flat opgeschroefd, en niet zo'n beetje ook. En juist in die periode ontmoette ik Keno, die een nachtclub had in een steegje in Dublin; hij vroeg me er te komen dansen. Ik zei dat hij niet zo raar moest doen, dat ik helemaal niet kon dansen, maar hij zei dat er niets aan was. Toen zei ik dat het me nogal gevaarlijk leek, want het was toch immers zo met dat dansen dat je je heel flirterig aan mannen opdrong om ze vervolgens te verbieden aan je te zitten?

Maar Keno had uitsmijters in dienst die dat soort dingen afhandelden.

Toen stierf mijn moeder.

Ja, dat was vreselijk, en ik probeerde oprecht om haar te rouwen. Maar ik slaagde er niet in te vergeten dat ze altijd de andere kant op had gekeken en mij en Geraldine aan ons lot had overgelaten. Kort na de begrafenis verkocht oom Niall de boerderij achter de rug van mijn vader om. Geraldine had op school al een hele tijd nauwelijks iets uitgevoerd, omdat de hele toestand haar zo had aangegrepen. Als ik dat stomme dansbaantje aannam, kon ik mijn eigen flat in Dublin huren, mijn studie afmaken en Geraldine naar een speciale school in Dublin sturen zodat ze alsnog haar diploma kon halen. Bovendien kon ik zo een oogje op haar houden. Dus zei ik ja tegen Keno en ik danste daarna iedere avond in een bespottelijke string, kronkelend om een paal.

Een onnozele bezigheid. Heel onnozel, een tikje treurig ook.

Van de muziek kreeg je af en toe barstende koppijn.

Maar ik kreeg geweldige fooien, de uitsmijters deden hun werk voortreffelijk en om drie uur 's nachts wachtte er altijd een taxi om me naar huis te brengen. Dus waarom niet eigenlijk?

Ik maakte Geraldine wijs dat het een gokpaleis was en dat ik als croupier werkte, dat ze volgens de wet nog te jong was om er binnen te mogen. Dus het kon geen kwaad. Maar op een avond – het kon niet uitblijven, natuurlijk – kwam de vader van Harriet Lynch met een stel vrienden naar de club. Ze herkenden mij, ze vielen bijna om van verbazing.

Ik ging naar hun tafeltje om iets met ze te drinken en zei heel liefjes dat iedereen op zijn eigen manier zijn geld verdiende en zijn privépleziertjes had en dat het me niet nodig leek om de moeder of zussen van Harriet Lynch in Rossmore op de hoogte te brengen van de precieze aard van hun zakenreisjes naar Dublin. Ze begrepen de boodschap en Keno zei naderhand dat ik het pienterste meisje uit zijn stal was. Het woord 'stal' kon ik niet waarderen. Alsof we een kudde steigerende merries waren. Maar ik mocht Keno wel. Graag zelfs. Hij behandelde ons allemaal met respect en was in deze business gestapt omdat hij thuis in Marokko een grote, arme familie te onderhouden had. Hij zou veel liever dichter zijn, maar met poëzie viel geen droog brood te verdienen. Zijn zusjes en broertjes hadden niet naar school gekund als hij alleen maar gedichten had geschreven. Daarom dreef hij deze club.

Ik begreep het volkomen.

Soms gingen Keno en ik samen koffiedrinken; mijn vriendinnen van de universiteit vonden hem een geweldig lekker ding. Hij praatte altijd over gedichten en dus dachten ze dat hij ook studeerde. Hij vertelde nooit aperte leugens, merkte ik, maar hij sprak ook nooit de zuivere waarheid.

Ik was de laatste om hem dat kwalijk te nemen. Ik zou niet willen dat hij mijn studiegenoten vertelde dat hij me kende van zijn club, waar ik vijf avonden per week bijna naakt danste.

Tegenover Geraldine gedroeg hij zich precies hetzelfde; ze zat inmiddels ook op de universiteit en had gelukkig een zo hectisch sociaal leven dat ze niet eens nieuwsgierig was naar mijn zogenaamde croupierbestaan in het casino. Ik was niet verliefd op Keno en hij niet op mij, maar we praatten wel vaak over de liefde en over hoe het zou zijn om getrouwd te zijn. Hij geloofde niet in eeuwigdurende liefde, door zijn beroep had hij te vaak het tegendeel gezien.

Hij zei dat hij graag kinderen zou hebben, en hij had er zelfs al een, een dochter in Marrakech. Haar moeder was een exotische danseres in een van zijn clubs daar. Voor het eerst hoorde ik dat hij behalve de club in Dublin waar ik werkte nog meer van dit soort etablissementen bezat.

Maar ik zei niets en begon er verder nooit meer over.

'Je bent een geweldige meid, Clare,' zei hij vaak tegen me. 'Ik vind je een echte ster.'

Ik vertelde dat ik op school altijd Clare van de gouden ster was geweest en dat vond hij erg schattig.

'Clare, gouden ster van me, hou toch op met die onzinnige studie van je. Word alsjeblieft bedrijfsleider van mijn club,' smeekte hij vaak.

Maar ik zei dat ik, als ik was afgestudeerd en een baan als lerares kon krijgen, de club eraan zou geven. Het gevaar was immers levensgroot dat vaders van leerlingen me zouden zien.

'Wat maakt dat nou uit, je zei zelf dat ze er niet thuishoren,' zei hij lachend.

Hij kwam samen met Geraldine naar mijn afstuderen. Ik moest lachen toen ik het document in ontvangst nam. Ze moesten eens weten dat dit meisje, dat cum laude geslaagd was, topless danste in een nachtclub... Alleen Keno wist het en die applaudisseerde het hardst van allemaal.

Een jaar later had ik mijn onderwijsbevoegdheid op zak en kon ik beginnen op het soort school waar ik altijd had willen lesgeven. Ik nam Keno als afscheid mee uit lunchen. Hij geloofde zijn oren niet toen ik vertelde wat ik ging verdienen. Ik vond het meer dan genoeg.

Geraldine had een studiebeurs gekregen, ik had geld gespaard en ik gaf maar heel weinig uit.

Ik bedankte hem dat hij het allemaal mogelijk had gemaakt, ik bedankte hem uit de grond van mijn hart. Hij keek chagrijnig en somber en zei dat ik ondankbaar was.

'Als ik je ooit nog eens met iets kan helpen, zal ik het zeker doen,' beloofde ik, en ik meende het ook.

Hij liet drie jaar lang niets van zich horen. En toen hij weer contact met me opnam, was er inmiddels veel veranderd.

Na jaren veel te veel gedronken te hebben, stierf mijn vader uiteindelijk en tijdens de begrafenis ontmoette ik een oude man in een rolstoel die Marty Nolan heette en die mijn vader van vroeger kende. Uit de tijd toen er nog met mijn vader te praten viel. Héél lang geleden. Marty was een heel aardige man. Zijn zoon, die zijn rolstoel duwde, heette Neddy en was een ontzettend goedmoedig type. Neddy had in Engeland gewerkt in de bouw, vertelde hij, of liever gezegd als manager voor zijn broer en hun vrienden. Maar hij was weer naar huis gekomen om voor zijn vader te zorgen.

Hij was iemand die op een heel aparte manier een enorme rust uitstraalde en ik vond het heel fijn om met hem te praten. Harriet Lynch zei dat ik zijn oudere broer Kit zou moeten zien, dat was pas een spetter. Oogverblindend. Maar waar was die dan, vroeg ik. Blijkbaar was hij om de een of andere reden in de bak beland en was Neddy de brave jongen uit de familie.

Geen groot licht, zei Harriet, nogal traag van begrip. Een sul eigenlijk. Later had ze spijt dat ze me spontaan deze informatie had verstrekt.

Spijt als haren op haar hoofd.

Ik zag Neddy terug, want ik kwam daarna nog vaak naar Rossmore om mijn vaders nalatenschap af te handelen, waarvan Geraldine en ik ons rechtmatige deel dienden te krijgen, vond ik. 'Nalatenschap' is misschien een groot woord om de bezittingen te beschrijven van een dronkaard die in het gemeentelijke bejaardentehuis gestorven was. Jarenlang had ik geprobeerd bij te dragen aan het levensonderhoud van mijn vader met wat ik in Keno's club verdiende, maar zijn arts had gezegd dat ik me die moeite beter kon besparen. Hij zei dat mijn vader niet eens wist waar hij was en dat hij, als hij geld van iemand kreeg, het alleen maar aan drank zou uitgeven. Om die reden was het beter als mensen hem niets meer gaven.

Ik kwam na de uitvaart oog in oog te staan met mijn oom Niall, die druk doende was de bewijzen van medeleven naar aanleiding van de dood van zijn arme ongelukkige broer in ontvangst te nemen.

Ik vroeg een ogenblik zijn aandacht.

Hij keek me vernietigend aan.

'Wat kan ik op deze droevige dag voor je betekenen, juffrouw Clare?' vroeg hij.

'Nou, je hoeft me alleen maar een derde te geven van wat je voor de familieboerderij gevangen hebt,' zei ik op vriendelijke toon tegen hem.

Hij keek me aan alsof ik gek geworden was.

'Met een derde neem ik genoegen. Ik heb mijn bankrekeningnummer voor je opgeschreven.'

'Je krijgt nog geen euro van me. Hoe kom je erbij dat ik jou geld zou willen geven?'

'Eens even denken. O ja, ik denk niet dat je het fijn zou vinden als Geraldine en ik de plaatselijke dokter, de priester, half Rossmore en niet in de laatste plaats een kei van een advocaat gaan vertellen waarom zij en ik gedwongen waren al op heel jonge leeftijd het huis uit te gaan,' zei ik.

Hij staarde me vol ongeloof aan, maar ik bleef hem standvastig aankijken en uiteindelijk was hij degene die zijn ogen afwendde.

'Het is voor mij een koud kunstje, hoor. Er is hier een nieuwe kapelaan die kanunnik Cassidy zal helpen moed te verzamelen om het tegen jou op te nemen. Meneer Barry kan voor een eersteklas advocaat uit Dublin zorgen en de dokter zal desgevraagd bevestigen dat ik zijn hulp heb ingeroepen om Geraldine uit jouw klauwen te houden. De wereld is veranderd, weet je. De tijd is voorbij, Niall, dat een oom met geld kan doen waar hij zin in heeft zonder bang te hoeven zijn dat hij gepakt wordt.'

Hij begon te hakkelen. Ik geloof dat het feit dat ik 'je' tegen hem zei en hem Niall noemde, voor hem de druppel was.

'Als je ook maar een ogenblik denkt dat ik...' begon hij.

Ik onderbrak hem. 'Over een week wil ik het geld op mijn rekening hebben staan en je zorgt ook voor een fatsoenlijke grafsteen voor mijn vader.'

Het was verbazingwekkend gemakkelijk. Hij haalde bakzeil.

Het was pure chantage natuurlijk, maar daar kon ik niet mee zitten. Ik zag het heel anders.

Daarna begon ik met Neddy uit te gaan. Een keer in de week kwam hij me in Dublin opzoeken. En ik ging een keer in de week naar hem toe. We gingen niet met elkaar naar bed, want zo'n jongen was Neddy niet.

En in de drukte van Dublin, waar het leven altijd nogal hectisch was, bleek hij inderdaad een baken van rust.

Toen hoorde ik weer van Keno.

Hij wilde dat ik terugkwam, ze hadden me hard nodig in de nachtclub. Hij zou het me niet vragen als hij niet ten einde raad was. Hij had problemen gehad met een aantal meisjes uit het buitenland. Een hoop gedoe met visa en documenten, administratieve rompslomp. Hij had een betrouwbare danseres op de club nodig die de boel een beetje in de gaten kon houden.

Ik legde hem uit dat ik onmogelijk naar de club terug kon, althans dat probeerde ik hem uit te leggen. Ik vertelde Keno zelfs over Neddy en wat voor soort man het was. Ik had Keno niet over Neddy moeten vertellen, natuurlijk.

Want toen hij de foto's op tafel legde, begon hij over Neddy.

Ik wist niet dat er foto's waren, maar die waren er wel, foto's van mij, in zeer suggestieve houdingen. Ik voelde me misselijk worden terwijl ik ernaar keek.

Ik moest er niet aan denken wat het schoolbestuur of mijn lieve, naïeve Neddy ervan zou vinden.

'Dit is chantage,' zei ik.

'Zo zie ik het niet,' zei Keno schouderophalend.

'Geef me een week de tijd,' zei ik. 'Dat ben je me wel verschuldigd.'

'Goed.' Keno was minzaam als altijd. 'Maar jij bent mij ook het een en ander verschuldigd. Je hebt je nieuwe start in het leven aan mij te danken.'

In die week − natuurlijk, ik had het kunnen verzinnen − vroeg Neddy me ten huwelijk.

'Ik kan niet met je trouwen,' zei ik. 'Ik sleep te veel ballast met me mee.'

'Het verleden kan mij niet schelen,' zei Neddy.

'Het gaat niet alleen om het verleden, het gaat ook om de toekomst,' zei ik.

En toen vertelde ik het hem. Ik vertelde hem alles, van A tot Z. Ik vertelde hem over mijn walgelijke oom Niall en over Geraldine, ik vertelde hem over het dansen in de club en hoe vervelend en vermoeiend ik dat altijd had gevonden. Ik had de envelop met foto's op tafel liggen en hij gooide ze gewoon in het haardvuur zonder ernaar te kijken.

'Je bent vast heel erg mooi op die foto's,' zei hij. 'Waarom zouden mensen niet betalen om naar je te kijken?'

'Hij heeft er vast nog meer,' zei ik. Het klonk wanhopig.

'Ja, natuurlijk heeft hij er nog meer, maar wat maakt het uit?'

'Maar Neddy, ik geef les aan heel fatsoenlijke meisjes. Denk je dat ik nog les kan geven als mensen die foto's te zien krijgen?'

'Nou, eigenlijk hoop ik dat je met me trouwt en naar Rossmore terugkomt; dan kun je daar toch lesgeven?'

'Maar dan kan hij nog altijd met die foto's aankomen,' zei ik. Ik vroeg me af of Neddy niet toch een beetje simpel was.

'Je kunt het ze toch meteen vertellen. Je kunt tijdens het sollicitatiegesprek zeggen dat je je studie hebt moeten bekostigen door verschillende baantjes te nemen, waaronder exotisch dansen,' zei hij.

'Maar dan geven ze me toch geen baan, Neddy? Op die manier redden we het niet.'

'Jawel, omdat je dan gewoon de waarheid zegt.' Hij keek me aan met zijn eerlijke blauwe ogen.

'Ik wou dat het allemaal anders was gelopen,' zei ik.

'Zou je wel met me trouwen als dit kleine probleempje er niet was geweest?' vroeg hij.

'Het is een heel groot probleem, Neddy,' zei ik mat.

'Maar zou je anders ja zeggen, Clare?'

'Ja, Neddy, anders zou het me een eer zijn om met je te trouwen.'

'Nou dan. We komen er wel uit,' zei hij.

Die avond ging hij met me mee naar Keno. We liepen dwars

tussen de danseressen en het publiek door naar het kantoortje achterin. Dat Keno verrast was, is zacht uitgedrukt. Ik stelde ze heel formeel aan elkaar voor en toen stak Neddy van wal.

Hij zei tegen Keno dat hij begrip had voor de situatie en dat het ongetwijfeld heel erg moeilijk moest zijn om een zaak draaiende te houden als er problemen waren met het personeel en zo, maar dat het niet eerlijk was om mij mijn droom te willen afpakken, want dat ik al mijn hele leven lerares had willen worden, al vanaf dat ik zelf op school zat.

'Clare kreeg altijd de gouden ster op school,' zei Keno, volgens mij met geen andere bedoeling dan om een duit in het zakje te doen.

'Dat verbaast me helemaal niet,' zei Neddy met een stralende glimlach. 'Dus het is duidelijk dat we Clare niet iets anders moeten laten doen dan voor de klas staan.'

Keno haalde een grote bruine envelop uit een la van zijn bureau.

'Wil je wat foto's zien?' vroeg hij aan Neddy.

'O, die foto's? Ik vind ze erg mooi. Clare heeft ze me vanavond laten zien,' zei Neddy.

'O ja?' Keno was verbijsterd.

'Natuurlijk. Als wij met elkaar trouwen mogen er geen geheimen zijn tussen ons. Ik heb Clare verteld over mijn broer Kit die meerdere malen in de gevangenis heeft gezeten. Nu ook weer. Je kunt nu eenmaal niet zwijgen over dingen die bij je horen. En ik weet dat Clare je heel erg dankbaar is voor de kans die je haar gegeven hebt. Daarom zijn we hier.'

'Waarom precies dan?' Keno kon er geen touw meer aan vastknopen.

'We willen weten of er niet een andere manier is waarop we je kunnen helpen.' Neddy zei het eenvoudig, alsof het volkomen vanzelfsprekend was.

'Hoe dan, in godsnaam?'

'Nou, ik heb bijvoorbeeld een heel goeie vriend die smeedwerk maakt. Hij zou buiten ramen voor je kunnen maken, ramen die er heel mooi uitzien maar tegelijk heel goed bestand zijn tegen onwelkome bezoekers. En even kijken, wat kunnen we verder nog bedenken? Ja, als de danseressen moe zijn en graag ergens willen bijkomen... bij ons in het bos is het heerlijk rustig. Misschien hebben je danseressen af en toe behoefte aan een ontspannende vakantie. Ze kunnen wel bij ons komen logeren. Er is heel veel te zien in Rossmore. In het bos is zelfs een wonderbron. Mensen kunnen er een wens doen, die dan uitkomt.' Zijn goedige gezicht was vertrokken van de inspanning om allerlei goede ideeën voor Keno te bedenken.

Ik smeekte God dat Keno niet de draak met Neddy zou steken, of tegen mij zou zeggen dat ik met een simpele ziel ging trouwen. Ik sprak God in mijn binnenste heel ferm toe. 'Alstublieft, God, ik heb u nooit met ditjes en datjes lastiggevallen, toch? Ik ben nooit naar die bron gegaan om tegen uw grootmoeder, de heilige Anna, aan te zeuren. Echt niet. Ik heb mijn problemen altijd zelf aangepakt en ik heb goed op mijn kleine zusje gepast. En ik heb ook nauwelijks gezondigd. Tenzij het een zonde is om topless te dansen... Maar dat is zo onnozel, dat kan toch geen zonde zijn? Nu wil ik aan zo'n soort leven ontsnappen en met een goeie man trouwen. Daar bent u toch voor, God, om zoiets belangrijks te regelen?'

God luisterde. Voor deze keer.

Keno zette de papierversnipperaar aan en voerde de foto's aan het apparaat.

'Meer zijn er niet,' zei hij. 'Laat die vent van het smeedijzer me maar bellen, Neddy. En hup, gauw naar huis jullie, ga als de donder je bruiloft voorbereiden. Ik moet hier een wankel bedrijf draaiende zien te houden.'

Hand en hand liepen we de nachtclub uit, het steegje in.

3

Single op vakantie

Deel 1 – Vera

Het was me meteen duidelijk toen ik de advertentie zag:

SINGLE OP VAKANTIE!
PLEZIER, ZON, ZEE, ONTSPANNING!

Dat was nu precies wat ik wilde. De slome duikelaars van de Vereniging voor Actieve Zestigplussers reageerden lauw, mijn cardiofitnessklasje honend en de Tuinieren-voor-Bejaarden-Club ronduit vijandig. Maar mijn verwanten in Rossmore lieten zich nog het meest afkeurend uit. Zo'n vakantie was toch alleen voor jonge mensen, zeiden ze. Voor van die enge jongelui die al in het vliegtuig seks hadden en vervolgens veertien dagen bezopen waren.

Maar waar stond dat dan in die advertentie?

Nergens toch zeker.

Ik deed de aanbetaling van tweehonderd euro en ik betaalde de rest toen ze me de acceptgiro hadden gestuurd. Naar mijn leeftijd werd niet geïnformeerd, totaal niet. Dat zou ook nogal mooi zijn geweest. Had ik hún soms naar hun leeftijd gevraagd?

Ik meldde me op het vliegveld met het paarsgele labeltje met de opdruk 'Single op vakantie' aan mijn bagage.

Ik was immers single.

Ik had zo met Gerald kunnen trouwen, en vermoedelijk ook

wel met Kevin. Maar Gerald was erg saai, oersaai om precies te zijn. Dus ben ik niet met hem getrouwd. De vrouw die wél met hem getrouwd is, schijnt zo'n beetje gek van verveling te zijn geworden. En wat Kevin betreft: ik heb niet eens geprobeerd hem het hoofd erg op hol te brengen, want het was een erg onbetrouwbaar type. Met hem zou ik geen ogenblik rust hebben gekend.

Ik heb nooit spijt gehad dat ik single ben gebleven. Geen ogenblik – behalve af en toe dan, op vakantie.

Iedere keer moest ik weer toeslag betalen voor een eenpersoonskamer. En heel vaak werd ik in het restaurant van het hotel ergens aan een piepklein tafeltje gezet, achteraf, uit het zicht van de andere mensen. Het was soms best eenzaam om niemand te hebben om mee te praten zoals de anderen, niemand om mee te lachen en de dag door te nemen. Dus ik was opgetogen toen ik las over deze vakantie, die precies te bieden had wat ik zocht.

Op het vliegveld zag ik een heleboel van die geelpaarse labeltjes en inderdaad, mijn reisgenoten leken stuk voor stuk piepjong, zeg zo'n veertig jaar jonger dan ik. Maar ach, het waren de eersten die ik zag, de ouderen zouden vast nog komen opdraven.

Alleen deden ze dat niet. Terwijl ik in de rij voor de incheckbalie stond, werd er nu en dan met een scheef oog naar me gekeken. Maar ja, dat soort blikken was ik wel gewend. Een vrouw van zestig-en-nog-wat in een spijkerbroek en met een grote, slappe zonnehoed op haar hoofd krijgt vaak van dat soort blikken. Mensen kijken meestal nog een keertje om er zeker van te zijn dat ze het wel goed hebben gezien: al die lijnen en rimpels onder een bloemetjeshoed van katoen en boven een strakke jeans.

Het meisje aan de balie vroeg of ik wel zeker wist dat ik de juiste vakantie had geboekt, maar ik verzekerde haar dat ik single was en erg uitzag naar de reis. In het vliegtuig begon iedereen zich meteen aan elkaar voor te stellen en dus bleef ik niet achter.

'Ik heet Vera,' zei ik en ik schudde degenen die het dichtst bij me in de buurt zaten hartelijk de hand. Het waren erg aardige jongelui; Glenn, Sharon, Todd en Alma heetten ze. Ze waren nog nooit met een reis voor singles mee geweest. Ik ook niet, dus dat hadden we alvast met elkaar gemeen.

'Waar ben je vorig jaar naartoe geweest, Vera?' vroeg Glenn. Ik vertelde over de wandelvakantie in Wales met de Vereniging voor Actieve Zestigplussers, en over de busreis naar Schotland met mijn cardiofitnessklasje van het jaar ervoor. Ik had er even over gedacht dit jaar met de Tuinieren-voor-Bejaarden-Club mee te gaan naar Cornwall om het Eden-Project te bezoeken, maar toen had ik deze advertentie gelezen; het was precies wat ik wilde.

Sharon, een heel mooi meisje met een heel lieve glimlach, vroeg me of ik nog familie thuis had en ik antwoordde dat ik helaas enig kind was en nooit getrouwd was geweest. Maar ik voegde eraan toe dat ik wel een heleboel goede vrienden en vriendinnen had. Sinds ik met pensioen was, had ik ook alle tijd om bij ze op bezoek te gaan.

Todd wilde weten waar ik vandaan kwam. Uit Dublin, zei ik, maar oorspronkelijk uit Rossmore. Ik dacht dat ze wel nooit van dat gat gehoord zouden hebben, maar dat had ik mis.

Ze hadden er op televisie een documentaire over gezien. Er was daar een erg coole bron, zoals zij het noemden, een wonderbron die je wensen vervulde. Alma zei dat we misschien beter daarheen konden gaan in plaats van naar Italië. Stel je voor, een heilige bron die je gaf wat je wenste. Ik dacht erover te vertellen dat de bron helemaal niet heilig was, dat hij er al ver voor de komst van Sint-Patrick in Ierland was geweest. Maar het was niet goed om jonge mensen met al te veel informatie op te zadelen.

Glenn vroeg of ik al eens in Italië was geweest en ik vertelde het een en ander over Rome, Florence en Venetië. Ik zei dat ik nog nooit in het plaatsje Bella Aurora was geweest, waar wij nu naartoe gingen. Ik had er zelfs nog nooit van gehoord voordat ik de reisfolder kreeg waarin stond dat er van alles te zien en te beleven was. Ik was er erg benieuwd naar.

'Er zullen wel veel disco's zijn,' zei Alma. Haar vriendin was er het jaar daarvoor geweest en had gezegd dat het totaal wreed was.

Wreed? Hoezo dan? Maar ik zei maar niets. Jongelui kunnen zo geïrriteerd raken als je ze niet snapt.

'Klinkt goed,' zei ik stralend en ik kan het me verbeelden, maar het leek wel alsof ze me vanaf dat moment met meer interesse bekeken.

Toen het vliegtuig was geland en we onze bagage hadden opgehaald, streepten twee bijna naakte meiden in paarsgeel gestreepte bikini's onze namen af op een klembord en brachten ons naar een bus. We reden door verscheidene uitgestrekte vakantiecentra en bereikten toen Bella Aurora. Een en al witte hotels met uitzicht op zee en één lange rij cafés, pizzeria's, ijssalons en bars. Bella Aurora zag er precies zo uit als de andere badplaatsen.

Ik kon nog zo maar niet ontdekken wat er allemaal voor bezienswaardigs aan was. Maar het is niet mijn gewoonte om meteen te klagen. Dat er veel te ontspannen viel, was ook niet meteen duidelijk – van alle kanten kwam blèrende muziek op je af – maar je moet niet meteen op alles afgeven voordat je goed en wel op je plek bent. Plezier viel er vast wel te beleven, al was de ruimte ervoor beperkt: het strand was overvol. Maar men had ons plezier beloofd en dat zouden we vast wel krijgen ook.

In het hotel werden we opgewacht door nog eens drie bijna blote meiden met klemborden; ze wezen ons onze kamers en meldden dat we een halfuur hadden om onze koffers uit te pakken, want dat ons daarna een welkomstdrankje bij het zwembad wachtte.

Dus hing ik mijn kleren in de kast, nam een douche, trok een heerlijk schoon T-shirt aan over mijn spijkerbroek en ging toen hup, naar beneden.

Tot mijn verbazing waren bijna alle mensen met wie ik in het vliegtuig had gezeten inmiddels ook halfnaakt. De meesten waren zo wit als wat, maar een paar, Alma en Sharon bijvoorbeeld, hadden voorgebruind op de zonnebank. Sharon was prachtig, ze leek wel een Hawaiiaanse schone. De twee meiden zagen eruit alsof ze al twee weken hier waren.

Er werd een soort vruchtenpunch geserveerd, erg lekker en verfrissend; we hadden allemaal ook flinke dorst, want het was heet en we hadden een hele tijd gereisd en zo. De bijna naakte meiden vertelden ons wat voor interessants er allemaal te beleven viel, wat eigenlijk neerkwam op een opsomming van uitgaansgelegenheden die tegen middernacht opengingen en *cool* of *hot* en *full of action* waren. Ik voelde me inmiddels een beetje draaierig, het leek wel alsof het zwembad een eind was opgeschoven. Ik ging er even bij liggen en deed mijn ogen dicht.

Toen ik ze weer opende, was het al bijna donker en leken de anderen bij het zwembad aan het dansen te zijn. Er klonk harde muziek.

Todd lag naast me, op zo'n houten zonnebed met van die latten.

'Ja,' zei hij goedkeurend, 'er zat een onbehoorlijke stoot wodka in die punch, hè?'

Wódka?! Had ik op klaarlichte dag wodka gedronken, in die hitte?

'Nou, Vera, jij bent écht een ouwe taaie, dat moet ik je nageven,' zei Glenn, die een hand tegen zijn voorhoofd hield gedrukt. 'Ik hou wel van vrouwen die tegen een glaasje kunnen. Maar ik geloof dat ík het even kalm aan doe. Ik zie je wel weer bij het eten...'

Bij het eten? Ik dacht dat ik finaal door de maaltijd heen was geslapen, dat het al bedtijd was. Maar misschien was even eten wel goed voor me.

De eetzaal was versierd met papieren bloemen en je kon gaan zitten waar je wilde. Ik nam naast Sharon plaats. Die was terneergeslagen en had geen zin in eten. Ze had een oogje op Glenn, vertrouwde ze me toe, maar die zag haar blijkbaar niet staan. Dat zou je nou net zien. Ze had wel Todd achter zich aan gekregen, maar die was tijdens het borrelen als een blok in slaap gevallen. Het leven was hard, vond ik ook niet?

Ik gaf haar gelijk, maar ik zei dat de vakantie nog maar net begonnen was en dat het misschien maar beter was als een man niet meteen voor je viel. Toen klaarde ze helemaal op en verslond een bord vol eten.

Even na middernacht vertrokken ze met z'n allen naar een van de interessante disco's aan de boulevard. Ik ging naar bed en was meteen van de wereld.

De volgende morgen ging ik naar beneden en trok drie baantjes in het zwembad, waarna ik me kiplekker voelde. Ik speurde rond naar mijn nieuwe vrienden, maar die lieten zich geen van allen zien. Dus ging ik maar bij het zwembad zitten lezen. Normaal zou ik zijn gaan wandelen of had ik een oude kerk of een museum bezocht, maar ik wilde de andere singles niet het idee geven dat ik me van hen distantieerde. Dus bleef ik wachten en wachten, maar ik zag geen mens.

Toen bedacht ik ineens dat er misschien Iets Interessants was georganiseerd en dat ik dat gemist had doordat ik de vorige dag door de punch met wodka onder zeil was gegaan. Een van de bijna blote meiden had ons haar kaartje gegeven zodat we haar konden bereiken als er iets was. Ik belde haar op om te vragen of ik soms Iets Interessants had gemist.

De bijna blote meid leek verrast, of zeg maar gerust geïrriteerd dat ik haar zo vroeg wakker had gemaakt. Zo vroeg? Het was al middag, ik was al vanaf acht uur op. Nee, natuurlijk stond er niets voor vanochtend op het programma, zei ze. Er was toch zeker geen mens die 's ochtends iets wilde? Ergens na halfdrie was er een zeebanketbuffet, en daarna werd er waterpolo gespeeld. Het stond allemaal op het mededelingenbord van het hotel. Of ik haar verder wilde excuseren want ze moest nodig weer gaan slapen.

Dus ging ik verder met lezen in afwachting van het zeebanketbuffet. Zo rond drie uur kwamen mijn vrienden naar beneden gedruppeld, nog erg vermoeid en met een kater. Ze dronken de man zo'n drie koppen zwarte koffie, afgewisseld met sinaasappelsap – hun ontbijt kennelijk – waarna ze op bier overgingen en bergen garnalen, inktvis en mosselen naar binnen werkten. Verrassend genoeg bleken ze daarna wel puf te hebben in een potje waterpolo. Ik geloof eigenlijk niet dat er echte regels aan het spel te pas kwamen. Het ging er voornamelijk om de bovenstukjes van diverse bikini's los te trekken.

Ik keek het allemaal aan en merkte op dat ik tot twee uur na een maaltijd nooit aan sport deed. Dat was me nu eenmaal geleerd. Ze luisterden geïnteresseerd, alsof ik hun boodschappen van de planeet Mars overbracht.

Sharon vertelde me dat Glenn al wat meer interesse in haar toonde. Geweldig, toch? Ik had echt gelijk toen ik zei dat ze de moed niet meteen moest opgeven.

Todd vertelde me dat Sharon een echte slettenbak was.

Alma vertelde me dat ze Todd een echte spetter vond.

En Glenn vertelde me dat hij de vakantie tot nog toe fantastisch vond en hij vroeg of ik het wel naar mijn zin had. Ik zei dat ik het geweldig vond. Ik ben nu eenmaal altijd beleefd en zeg dat ik iets geweldig vind ook al is het niet zo; zo ben ik opgevoed.

De waarheid was dat er naar mijn idee niet zoveel interessants te beleven viel en dat ik eigenlijk een beetje te oud was voor hun idee van vermaak. Maar ach, er was nog altijd de zon. En er was de zee. En ik had aardige mensen om mee te eten... Dus ging ik eropuit om prentbriefkaarten te kopen, terwijl zij zich overgaven aan wat ze waterpolo noemden. Ik stuurde de kaarten naar mijn familie in Rossmore en mijn vrienden van de Vereniging voor Actieve Zestigplussers, mijn cardiofitnessklasje en de Tuinieren-voor-Bejaarden-Club met de mededeling dat ik een zalige vakantie had. En dat was deels ook zo.

De volgende avond keek ik heel goed uit met de vruchtenpunch en tijdens de avondmaaltijd vertrouwde Sharon me toe dat Glenn nu aldoor bij haar wilde zijn. Hij wilde zelfs nog bij haar zijn als de vakantie voorbij was, had hij gezegd. Todd zei dat Sharon een flirt en een kreng was. Alma zei dat Todd alleen maar zo'n kabaal maakte omdat niemand hem ooit begreep. Ze gingen die avond naar een andere *coole* dancing en ik ging weer naar bed.

Ik had inmiddels natuurlijk door dat ik 's ochtends alle tijd zou hebben om me te wijden aan mijn idee van interessante uitjes. Als ik om een uur of drie 's middags maar terug was voor het zeebanketbuffet, zou geen mens me missen. Ik bezocht het museum in het oude stadscentrum, dat werkelijk fantastisch was, en ik stuitte op een echt ouderwets hotel, dat een compleet contrast vormde met de andere gelegenheden in Bella Aurora. Het verschilde zo van de herrietenten langs de boulevard, met hun horden bijkans naakte mensen, dat ik besloot naar binnen te gaan om koffie te drinken.

De koffie werd geserveerd in een grote lommerrijke tuin. Het hotel was eigenlijk veel meer naar mijn smaak, alleen zou ik hier wel eenzaam zijn geweest. Ik zou niet bij het leven van zoveel mensen betrokken zijn geraakt, zoals wel het geval was in mijn singles-hotel.

In de hoteltuin zat een man op leeftijd te tekenen. Hij knikte me hoffelijk toe en ik knikte terug, naar ik hoopte even hoffelijk. Na slechts achtenveertig uur in het gezelschap van onstuimige jongelui gedroeg ik me naar mijn idee anders dan normaal, ik dacht zelfs anders. Uiteindelijk kwam de man naar me toe om me zijn tekening te laten zien.

'Wat vindt u ervan?' vroeg hij.

Ik zei dat ik de tekening erg goed vond. En dat ik vond dat hij zoveel oog had voor detail.

Hij zei dat hij Nick heette en nu twee dagen hier was. Het was een prachtig hotel, zei hij, maar nogal stilletjes, en de rest van de gasten waren allemaal stellen. Ik zei dat ik met hem meevoelde, dat hotels voor mij ook altijd een probleem waren geweest. Hij vertelde dat hij weduwnaar was, zonder kinderen, en dat hij zich in zijn eentje normaal gesproken heel goed wist te vermaken, maar dat zijn bestaan als gepensioneerde hem eigenlijk niet zo beviel. Ik vertelde dat ik nooit getrouwd was geweest en dat ik me had aangemeld voor een reis voor singles omdat ik vond dat mensen die alleen op vakantie gingen meestal zo gediscrimineerd werden.

Hij was stomverbaasd.

'Maar dat soort reizen is toch voor jonge mensen?' zei hij.

'In de advertentie werd daar anders met geen woord over gerept,' zei ik en dat leek hem te amuseren. Hij lachte en zei dat ik een bijzonder iemand was.

Ik zei dat de jongelui allemaal erg laat opstonden, zo tegen drieën.

'Wat doen ze dan al die tijd?' vroeg Nick.

Ik zei dat ik geen idee had. Ik kon me niet voorstellen dat ze zich de hele ochtend aan seks overgaven en nam dus maar aan dat ze steeds tot zo diep in de nacht in de disco bleven dat ze helemaal uitgeput waren.

Nick zei nog eens dat hij me een bijzonder type vond en vroeg of we niet samen konden lunchen. Ik zei dat ik voor het zeebanketbuffet van drie uur terug moest zijn.

Waarop hij me een klopje op mijn hand gaf, alsof ik een oude vriendin van hem was.

'Wil je dan alsjeblieft beloven dat je morgenochtend weer hier komt? Dan gaan we gezamenlijk op onderzoek uit terwijl de singles-club nog slaapt.'

Ik zei dat ik dat een heel goed idee vond.

Tijdens het buffet vertelde Alma me dat zij en Todd elkaar die nacht gevonden hadden en dat het allemaal heerlijk was. Ik vroeg maar niet wat ze precies bedoelde met dat ze elkaar gevonden hadden. Ik zat alleen maar enthousiast te knikken. Sharon wist niet zo goed of ze Glenn aan het lijntje moest houden of niet. Ze vond het maar moeilijk. Ik probeerde haar zo goed mogelijk van advies te dienen. Die middag was er een 'Miss-Nat-T-Shirt-verkiezing' in plaats van waterpolo, maar het verschil was eigenlijk niet zo duidelijk. 's Avonds bij het eten zei Todd dat Alma een slettenbak was en leek Glenn alleen maar oog te hebben voor een van de bijna blote meiden van de reisleiding. Later gingen ze met z'n allen naar weer een andere club. Ik ging naar bed en lag wakker van de muziek die mijn oren vanuit heel Bella Aurora bereikte.

Ik zag uit naar mijn ontmoeting met Nick de volgende ochtend.

De resterende vakantiedagen verliepen in een aangenaam, ontspannen ritme.

Nick en ik gingen er iedere dag samen op uit. Soms namen we de bus naar een dorpje in het binnenland, en twee keer sloeg ik het middagbuffet over. Maar bij de avondmaaltijd was ik steeds present.

'Mag ik niet een keertje 's avonds bij jullie komen eten?' vroeg hij.

Niemand had nog een introducé meegebracht en dus zei ik dat ik zou vragen of het goed was.

'Ik betaal natuurlijk gewoon en ik zal wat flessen wijn meenemen,' zei hij.

'Dat zal ik erbij zeggen,' verzekerde ik hem.

Een van de bijna blote meiden zei dat het eigenlijk niet was toegestaan, maar dat ze er in mijn geval geen probleem mee had. En dus nodigde ik Nick uit.

'Ik ben een beetje zenuwachtig,' zei hij. 'Alsof ik aan je ouders zal worden voorgesteld.' Ik had hem over Todd, Glenn, Sharon en Alma en hun ingewikkelde levensstijl verteld. Ik had de jongelui niets over Nick verteld.

De avond dat hij kwam eten, had Glenn totaal geen aandacht voor zijn eten, maar zat hij te kussen met een van de bijna blote meiden, terwijl Sharon zat te huilen. Alma vertelde iedereen die het maar horen wilde dat Todd een schizo was.

'Een wat?' vroeg ik.

'Een randdebiel,' zei Alma, zodat ik nog niks wist.

Nick liet alles op zich inwerken.

'Het komt vast door de drank en het klimaat,' zei Nick tegen Sharon. 'Hou Glenn een dagje bij de drank weg en uit de hitte. Neem hem mee naar zo'n leuk dorpje met veel schaduw waar hij niet al dat lokkende vlees om zich heen heeft en waar jullie kunnen praten. Je zult zien dat het goed komt.'

Tegen Todd zei hij dat hij moest ophouden zich als een hufter te gedragen want dat dat aardige meisje hem alleen maar een randdebiel noemde omdat ze verkikkerd op hem was.

Daarna kwam Nick iedere avond eten, behalve de laatste, want toen gingen we met z'n tweetjes uit en praatten we urenlang over wat we allemaal met elkaar gemeen hadden.

Hij vertelde dat hij een autootje had, maar niets van snelwegen moest hebben; hij nam het liefst kleine binnenwegen. Misschien was het een idee als hij een keer met mij naar Rossmore reed, dan kon ik hem het bos laten zien waar iedereen zo dolenthousiast over was.

'En dan kan ik misschien ook je familie ontmoeten,' zei hij weifelend.

'Die moeten beslist niets van je hebben,' zei ik. 'Ze keuren namelijk alles en iedereen af.'

Dat sprak hem wel aan.

'Waar moet ik met ze over praten?' vroeg hij.

'Ze zullen je aan een verhoor onderwerpen,' legde ik uit. 'En als ze voldoende uit je hebben getrokken, zullen ze je doorzagen over hun ideeën over een nieuwe ringweg. Ze vinden het een nationaal schandaal, en ze zullen je vragen een protestbrief naar alle kranten te sturen.'

'En is het een nationaal schandaal?' vroeg Nick.

'Nee, die weg is hard nodig. Rossmore is net een parkeergarage, alleen kan niemand er in of uit. De ringweg had er jaren geleden al moeten komen.'

'Maar hoe moet het dan met die heilige bron?'

'Het is niet meer dan een heidense plek. De meidoorn zou een soort toverkracht bezitten en daarom weigeren de boeren de snoeischaar erin te zetten. Het is één hysterische toestand.'

Nick zei maar weer eens dat hij me een uiterst boeiend persoon vond en dat het erg prettig was dat ik in Dublin zo dicht bij hem in de buurt woonde; met de bus was hij er zo. Hij had altijd al meer van tuinieren willen weten, maar hij was bang dat het misschien te laat was. Zo had hij ook al zijn hele leven graag willen tekenen, zonder te weten hoe te beginnen. Hij zei ook dat het heel prettig was als je het goed met jezelf kon vinden, maar dat gezelschap van iemand anders nog plezieriger was.

Toen we de volgende dag vertrokken, liepen Glenn en Sharon gearmd en droeg Todd Alma's koffer.

Toen een van de bijna blote meiden ons de bus in dirigeerde, vroeg ze aan mij of ik volgend jaar weer kwam. Ik keek haar aan vanonder mijn gebloemde zonnehoed en zei dat ik volgend jaar misschien niet meer in aanmerking kwam voor een vakantie voor singles.

Deel 2 – Chez Sharon

Ik vond het vreselijk om na de vakantie weer naar huis te gaan. Echt vreselijk. Toen we op het vliegveld van Dublin achter onze bagagekarretjes liepen, had ik een dikke knoop in mijn maag. Ik was er gewoon van overtuigd dat nu alles voorbij was, dat het voor hem niets meer dan een vakantieliefde was geweest. Dat hij zou zeggen: 'Nou, het was leuk, ik zie je wel weer eens.' Of dat hij zou opbellen om het uit te maken. Geen leuke disco's meer zoals in Bella Aurora. Alleen nog mijn stomme werk en een hoop regen, terwijl ik nog nooit iemand zo leuk had gevonden als Glenn, mijn hele leven niet. En dat terwijl ik onderhand al drieëntwintig was, dat was toch niet niks.

Maar daar stonden we dan. Iedereen zei elkaar gedag en kuste elkaar en iedereen zei dat we elkaar beslist weer eens moesten zien, in de dancing of zo. En Glenn stond daar maar naar me te kijken. Ik wenste vurig dat ik iets anders zou weten te zeggen dan wat er voortdurend door mijn hoofd spookte: zinnetjes als: 'Alsjeblieft, Glenn, zet me nu niet aan de kant,' of 'Hier in Dublin kunnen we het ook heel leuk hebben samen, zelfs al moeten we werken en zo...' Ik kon alleen maar dingen bedenken die jongens vreselijk vinden, dingen die ze het gevoel geven dat je ze wilt vastbinden.

Dus uiteindelijk zei ik maar: 'Nou, daar zijn we dan weer.' Niet bijster intelligent, hè? Natuurlijk waren we er weer. Waar zouden we anders zijn?

Glenn glimlachte alleen maar. 'Ja, daar zijn we weer,' zei hij.

'Het was heel erg leuk, hè?' Ik hoopte dat het niet te heftig klonk, te opdringerig.

'Ja, maar het is nog niet voorbij, toch?' vroeg Glenn gespannen.

'Natuurlijk niet,' zei ik. Ik weet dat ik een brede grijns op mijn gezicht had toen ik dat zei.

Op dat moment kwam Vera ons gedag zeggen.

'Nick komt volgende week terug, die heeft een week langer vakantie, en ik wilde een aantal mensen bij mij thuis uitnodigen voor een soort reünie. Komen jullie ook? Todd en Alma hebben gezegd dat ze komen. Jullie hebben mijn adres, dus ik zie jullie vrijdag over een week, *Chez* Vera? Rond acht uur?'

'Sjee Vera?' vroeg ik schaapachtig.

Die Vera was ontzettend aardig, ze zou je nooit in je gezicht uitlachen.

'Een rare uitdrukking. Het betekent... bij iemand thuis. *Chez moi*: bij mij thuis. *Chez vous*: bij u thuis. Heel ouderwets, wij zeiden dat vroeger altijd.' Ze keek verontschuldigend vanonder haar belachelijke hoed. Ze had alweer die verschoten spijkerbroek aan. Ze wuifde terwijl ze wegliep om haar bus te halen. Een eigenaardig type, maar we waren allemaal dol op haar... Ze had onze vakantie iets extra's meegegeven.

Glenn zei dat zijn broer en een paar vrienden over een uur uit Santa Ponsa zouden aankomen en dat hij met hen in de bar had afgesproken. Ze zouden hem een lift naar Chez Glenn geven. Als ik het niet erg vond om te wachten, konden ze mij ook Chez Sharon afzetten.

Ik had ontzettend graag willen wachten om onze vakantieromance ook een basis in Ierland te verschaffen, na ons verblijf onder de blauwe Italiaanse hemel. Maar ik kon hem onmogelijk Chez Sharon laten zien. Niet dat Glenn zo'n kakker was, helemaal niet, maar het zou minstens een maand werk kosten om ons huis zodanig op te knappen dat ik het hem zou durven laten zien. Dat had niks met aanstellerij te maken of zo, het was meer een kwestie van overleven.

De tuin stond vol paardenbloemen en lag bezaaid met oud ijzer dat zich waarschijnlijk nooit meer liet verwijderen. De keukenruit zat dichtgetimmerd sinds pa de laatste keer met dingen had lopen smijten; ik kon me niet voorstellen dat er sinds mijn vertrek glas in gekomen was. Als ik al kans had een relatie met Glenn op te bouwen, dan zou die verkeken zijn zodra hij Chez Sharon zag.

Dus zei ik nee, dat ik moest rennen en dat ik wel weer van hem zou horen. In de bus naar huis zat ik de hele weg te huilen. Mijn moeder was bezig met het avondeten. Ze zag er moe uit, maar ze zag er altijd moe uit, al zo lang ik me kon heugen. 'Maak je vader vanavond maar niet boos,' was het eerste wat ze tegen me zei.

'Heeft hij weer eens de pest in?' vroeg ik.

'Het heeft hem een beetje tegengezeten, Sharon, dus hou je alsjeblieft in en zet de boel niet op z'n kop. Je hebt net een heerlijke vakantie gehad. Dat kun je van ons niet zeggen.'

Daar viel niets tegenin te brengen.

Mijn ma had een hondenleven, ze had een verschrikkelijk baantje als schoonmaakster van kantoren van vier tot acht uur 's ochtends en daarna als serveerster in een tent waar de hele dag door ontbeten kon worden. Ik had net veertien dagen van zon, lekkere drankjes en lol achter de rug en ik had een fantastische jongen ontmoet. Nee, ik ging de boel niet op z'n kop zetten.

Toen mijn vader thuiskwam, toverde ik een glimlach op mijn gezicht die ik stug vasthield. Pa liep te tieren over een paard en een zogenaamde kameraad die hem van alles over dat paard op de mouw had gespeld.

Hij keek me wrokkig aan. 'Ja, ja, Sharon, jij boft maar, jij bent lekker weg geweest.'

'Ja, pa, ik weet het, ik heb ontzettend geboft,' zei ik. Ik zag dat mijn moeders gezicht zich ontspande. In feite had het met boffen niet zoveel te maken, ik had gewoon heel hard gewerkt en maar liefst zevenendertig weken lang twintig euro per week gespaard van het geld dat ik bij de stomerij verdiende. Daarvan had ik mijn vakantie betaald en daarvan had ik ook nog wat vakantiekleren gekocht.

Pa had zijn hele leven nog geen cent opzijgelegd. Ma spaarde wel, maar gaf alles weer uit aan ons en aan het huis. Of ze kocht nieuwe overhemden voor pa voor het geval hij ooit nog ging solliciteren en een baan zou krijgen.

Mijn broertjes kwamen binnen om te eten en ik gaf ze de grote doos Italiaanse koekjes die ik voor ze had meegebracht.

Mijn vader doopte zijn koekjes in zijn thee, want hij had rotte tanden en haatte kauwen.

Stel dat ik Glenn mee naar huis had genomen. Dat hij deze kamer zag, waar kleren over de stoelen te drogen hingen en op de vloer kranten lagen opengeslagen op de pagina's met de uitslagen van de paardenrennen. En geen kleed op tafel. Ik huiverde bij de gedachte.

De volgende dag moest ik weer naar de stomerij, in mijn uniform, en was het net alsof ik helemaal niet op vakantie was geweest. De meisjes met wie ik werkte merkten wel op dat ik zo bruin was geworden, maar de klanten hadden er totaal geen erg in. Of we een rode wijnvlek uit een witkanten blouse konden krijgen, dat was wat ze interesseerde, of hoe ze een teervlek uit een dure rok konden krijgen.

Maar ineens stond Glenn voor de toonbank.

'Dat geel staat je prachtig,' zei hij. En ineens had ik het gevoel dat het allemaal misschien toch wel goed zou komen. Hij was me niet vergeten, hij zou me niet meteen dumpen.

Hij werkte voor zijn oom die in de bouw zat, en zijn werk was vlakbij. We konden elkaar elke dag zien, zei hij. We zouden het er later wel over hebben waar we 's avonds naartoe konden gaan. Hij kwam uit een gezin met zes kinderen, dus bij hem thuis was er geen ruimte. En er was geen sprake van dat ik hem Chez Sharon in de buurt zou laten komen.

Daarna begonnen zelfs de klanten meer aandacht voor me te krijgen. Ze zeiden dat ik zo aardig en goedlachs was. Dan zeiden de meisjes met wie ik werkte dat ik verliefd was. Dat vonden ze leuk om te horen. In een omgeving vol wijn- en vetvlekken en stoffen die al kreukten als je er maar naar keek, was het heel plezierig om aan liefde te denken, al was het maar heel even.

Op de afgesproken vrijdag gingen we naar Vera. Ze woonde in een dure wijk, ik denk niet dat de bewoners hier ooit mensen zagen als Glenn en mij, of Todd en Alma. Vera had een huis van drie verdiepingen dat veel te groot was voor haar en haar rooie kat, Rotary. Maar misschien zou Nick bij haar intrekken, tenminste dat zou je denken als je zag hoe ze met elkaar om-gingen. Ze waren als twee handen op één buik en hij was sinds zijn terugkomst kennelijk iedere dag bij haar langs geweest. Hij lachte om al haar grapjes en zei tegen ons dat ze een fantasti-sche vrouw was. Bij dat 'fantastische vrouw' sloot hij zijn ogen even.

Nick woonde niet ver bij haar vandaan in een huurflat. Met de bus was hij er zo, zei hij. Dus lag het toch voor de hand dat hij bij haar in dat grote huis kwam wonen? Ze hadden gezel-schap aan elkaar en wie weet gingen ze nog wel met elkaar trouwen ook.

Vera had een grote pan spaghetti bolognese gemaakt en Nick een grote schuimtaart met een hoop aardbeien erin en iedereen had het geweldig naar zijn zin behalve Alma, die me in het oor fluisterde dat Todd had voorgesteld om elkaar minder vaak te zien, wat natuurlijk niet leuk voor haar was. En toen Todd zei dat hij vroeg weg moest, zei Alma dat ze met hem meeging, wat naar mijn idee niet zo handig van haar was, want het stond zo plakkerig. Je kon zien dat het hem irriteerde en daardoor voelde Alma zich nog onzekerder.

Maar goed, Vera en ik deden de afwas en Glenn hielp Nick met het snoeien van de opdringerigste bramen- en frambozen-takken die de achterdeur van het huis dreigden te versperren.

'Jullie hebben het blijkbaar heel erg gezellig met zijn tweetjes,' zei ik terwijl ik de borden afdroogde.

'Ja, Nick is een ontzettend aardige man,' zei Vera opgetogen.

'Dus jullie gaan samenwonen?' vroeg ik. Aan Vera kun je zo-iets gewoon vragen, al loopt ze zo'n beetje tegen de negentig volgens mij.

'Nee, nee, dat zou absoluut niet werken,' antwoordde ze on-verwachts.

Het speet me nu dat ik het gevraagd had. 'Ik bedoelde niet vanwege séks,' probeerde ik het goed te maken. 'Ik bedoel van-wege het gezelschap.'

'O, nee, de seks is niet het probleem,' zei Vera nuchter, 'als jul-lie weg zijn, gaan we vast weer met elkaar naar bed.'

Ik vroeg me af wat dan het probleem kon zijn. Had hij soms ergens een vrouw of een minnares zitten? Had hij soms een hele ris kinderen die het niet goed vonden dat hij bij Vera introk? Blijkbaar was dat niet zo. Het had er eerder mee te maken dat ze allebei gewend waren hun eigen gang te gaan. Het schijnt dat je, als je zo oud bent, je eigen manier van leven niet meer kunt opgeven, zelfs al zou je het graag willen. Dat heeft met de ruimte om je heen te maken, je wilt dat alle dingen waaraan je gehecht bent blijven waar ze altijd geweest zijn. Dat zei Vera tenminste.

'Het zou mij niet kunnen schelen wat er met mijn spullen gebeurde als ik stapelgek op iemand was,' zei ik.

'Ja, maar ik denk dat jij nog niet zoveel spullen hebt om heel erg aan gehecht te zijn.'

'Wat voor soort spullen dan?' vroeg ik.

'O, eigenlijk alleen maar zooi, Sharon, gewoon dingen waarvan ik niet wil dat Nick eraan zit, zoals mijn verzameling gedroogde bloemen en mijn dozen met allerlei dingetjes die ik nog eens wil inplakken. Terwijl Nick als een dwaas al zijn tubes verf bewaart, ook al valt er geen sliertje meer uit te knijpen, net als zijn oude schetsboeken en dozen vol brieven en knipsels die hij misschien ooit nog wel eens weg zal gooien, maar nu nog niet. We kunnen dat allemaal niet op één hoop bij elkaar vegen, Sharon, we zouden binnen een week de grootste ruzie krijgen. Wat wij met elkaar hebben is veel belangrijker. Dat moeten we niet op het spel zetten door samen te gaan wonen.'

Glenn en ik praatten erover toen we bij Vera weggingen. Het leek ons zo zonde dat twee van die aardige mensen de korte tijd die hun nog restte, niet samen konden zijn. We zuchtten ervan. Je kon blijkbaar nooit alles hebben. Wij hunkerden ernaar om bij elkaar te zijn en voor ons zou het geen enkel probleem zijn om het leven zoals we dat leidden, op te geven. Maar wij hadden weer geen geld en zouden wel nooit een plekje voor ons samen vinden.

'Kan ik niet bij jullie in huis komen wonen, Sharon? Bij jou op je kamer? Jij hebt tenminste nog een kamer voor jezelf, ik moet er een delen met mijn broer,' zei Glenn smekend.

'Nee, Glenn, heus, dat gaat niet. Geloof me. Mijn pa is een echte kankerpit en hij is nog aan gokken verslaafd ook.'

'Nou en? De mijne is godsdienstfanaat. Dus wat maakt het uit?'

'Als jij bij mij kwam wonen, dan kwam je er wel achter.'

'Maar ik zou extra geld in het laatje brengen, toch?'

'Ach, nee, Glenn. Dat zou alleen maar aan nog meer drank voor mijn vader opgaan.'

'Maar wat moeten we dan?' vroeg hij uit het veld geslagen.

'We verzinnen wel iets,' zei ik. Het klonk veel zelfverzekerder dan ik was. Ik was vastbesloten nooit het leven van mijn moeder te gaan leiden, ik keek wel tien keer uit. Als ze niet buitenshuis aan het dweilen was of vieze borden waste, was ze aan het koken, wassen en schoonmaken voor mijn vader en mijn broers.

'Ik ben best gelukkig, hoor, Sharon,' zei ze als ik ernaar vroeg. 'Ik hou immers van hem en we mogen nooit vergeten dat hij niet is weggelopen toen ik van jou in verwachting was.'

Een leven lang dankbaar zijn omdat hij erkend had wat verdorie zíjn kind was! Vierentwintig jaar dankjewel zeggen en dat liefde noemen!

Af en toe zag ik Alma nog. Ze zei dat Todd een ander had, dat wist ze zeker, maar ze hield van hem en zou alles doen om hem terug te krijgen. Hij ging dus met een ander en dat wíst ze, maar toch had ze het over liefde.

En ik zag Vera af en toe ook en dan praatte ze over haar liefde voor Nick en zei ze dat ze zo blij was dat ze zo'n heerlijke man in de herfst van haar leven had ontmoet. Maar intussen was ze wel bereid dit alles op het spel te zetten vanwege haar albums met gedroogde bloemen of zijn tubes verf. Ik vond het maar een raar soort liefde. En dan had je Glenn en mij, die écht van elkaar hielden en elkaar het allerbeste toewensten, maar geen uitzicht hadden op een plek om samen te kunnen wonen.

Het leek ontzettend oneerlijk allemaal. Maar toen hoorde ik

de een of andere ouwe zeurkous op de radio zeggen dat je je eigen geluk zelf moet máken, dat het geen kwestie van toveren is en dat ze mensen zat kende die heel erg geslaagd waren in het leven: ze hadden eruit gehaald wat erin zat. En toen zei ik tegen Glenn dat wij dat ook moesten doen. We moesten zelf iets ondernemen. Ik wou dat ik kon zeggen dat hij boordevol goede ideeën zat. Maar zelf liep ik er ook niet van over.

Ik had het er met Vera over, ik vroeg of ze dacht dat die heilige bron in Rossmore misschien zou helpen. Ze zei dat dat erg onwaarschijnlijk was. Als er al een heilige Anna bestond en, wat nog twijfelachtiger was, als die al luisterde, dan zou ze waarschijnlijk niet staan te springen om een situatie te creëren waarin een stel in zonde kon leven en zich naar hartenlust aan buitenechtelijke seks kon overgeven. Ik zei dat ik ten einde raad was en het toch wilde proberen. En toen zei Vera dat ze dan wel met me mee zou gaan om me het Meidoornbos te wijzen en van de gelegenheid gebruik zou maken om haar harkerige familieleden op te zoeken.

Het was een prachtige wandeling naar de bron, maar toen ik er eenmaal was, schaamde ik me een beetje. Ik bedoel maar, ik wist eigenlijk nauwelijks wie deze Sint-Anna was en ik ging ook niet naar de kerk of zo. En er waren daar zo veel mensen, wel honderd denk ik. Sommigen hadden kinderen in een rolstoel of op krukken bij zich en sommigen zagen er erg slecht uit. En allemaal waren ze wanhopig aan het bidden. Ik kreeg het gevoel dat ik moeilijk kon vragen om een plek voor mij en Glenn om... nou ja... Het leek ineens niet te kunnen.

Dus zei ik zoiets als: 'Als u de kans krijgt en de kwestie komt aan de orde, dan zou dat prettig zijn, maar eerlijk gezegd denk ik dat u zich beter eerst met deze mensen kunt bezighouden...'

Ik vertelde dit aan Vera toen we weer op weg naar huis waren en die zei dat ik misschien wel zou krijgen wat ik verlangde omdat ik veel aardiger was dan de meeste mensen, met inbegrip van haarzelf.

Ik vroeg haar naar haar familie en toen zei ze dat het net wezels waren. Wezels met enge tandjes, een muizenverstand en piepstemmetjes. Ze konden over niks anders praten dan over de prijs van de grond en over de compensatie die mensen zouden krijgen als hun huis gesloopt moest worden. Toen we uit de bus stapten, stonden Glenn en Nick ons op te wachten, Glenn met zijn brommer en Nick met zijn autootje.

'We hebben jullie gemist, dames,' zei Glenn en ik hoopte dat Sint-Anna het hoorde. Glenn was zo'n prima kerel, een ouwe heilige kon toch zeker niks anders willen dan dat ik bij hem ging wonen? Ik moest maar eens nakijken hoe de heilige Anna zelf geleefd had.

Toen we met ons vieren in de pub achter een pint bier zaten, vroeg ik aan Glenn waar hij en Nick zoal over hadden gepraat. Blijkbaar hadden ze het vooral over het souterrain van Vera's huis gehad.

Nick zei dat er volgens hem een r-a-t huisde, ondanks de imponerende aanwezigheid van de rooie kater. Maar Glenn dacht dat het er veel meer moesten zijn, tientallen. Nick had zich afgevraagd of het souterrain misschien tot woonruimte verbouwd zou kunnen worden en toen had Glenn gezegd dat hij zijn oom zou vragen om te komen kijken en een schatting te maken van de kosten.

Ik begreep dat ze dus nog steeds over de mogelijkheid van samenwonen dachten. Maar die mogelijkheid was de grond in geboord, want het zou een klein fortuin kosten om de boel goed in orde te krijgen en Vera vond het toch niet zo'n prettig idee dat Nick beneden zou wonen. Allebei zaten ze te zeuren dat ze al zo oud waren en dat ze misschien op termijn iemand nodig zouden hebben om voor hen te zorgen. Als ze nog weer ouder waren.

God, je zou ze toch! Die twee hadden allebei meer leven in hun donder dan mensen die maar half zo oud waren en ineens praatten ze alleen nog als stokoude grijsaards. Het kwam allemaal door het hele idee van verandering. Ze hadden het allebei op hun manier immers prima naar hun zin met hun albums met droogbloemen en hun tubes verf.

Alleen al de gedachte dat alles door elkaar zou worden ge-gooid, dreef hen uit elkaar. Dat was toch jammer, doodzonde was het.

En intussen was daar dat van ratten vergeven souterrain dat ons zo'n beetje lag aan te gapen. In drie weekendjes zouden Glenn en zijn oom het voor óns kunnen verbouwen. Wíj waren niet kieskeurig, we zouden het stukje bij beetje opknappen. Het viel niet mee om me op mijn werk te concentreren zo-lang deze dingen door mijn hoofd spookten. Zo kwam ik er in-eens achter dat een vrouw al een hele tijd tegen me stond aan te kletsen zonder dat ik het in de gaten had. Het ging over een pakje dat ze van haar zus had geleend om naar een bruiloft aan te trekken. Een of andere sukkel had er Irish Coffee overheen gegooid. Zou het mogelijk zijn de vlek eruit te krijgen zonder dat er nog iets van te zien zou zijn? Haar zus was geen gemak-kelijke tante en als ze merkte dat haar pakje naar de haaien was, zou ze alle duivels uit de hel vloeken.

'Zo erg is dat niet, zou je zeggen, maar het punt is dat het mijn beroep is, ik verdien mijn brood met het oplossen van pro-blemen. Ik ben een Lieve Lita zogezegd, maar ik weet niet eens hoe ik mijn eigen zus moet aanpakken.'

Ik sloot meteen een deal met haar. Ik zou de bedrijfsleider vragen zich er hoogstpersoonlijk mee te bemoeien, we zouden de vlek er voor haar uithalen, en dan zou zij míjn probleem voor me oplossen. Ik vertelde haar over Vera en Nick die van elkaar hielden, maar elkaars spullen verafschuwden, en ik ver-telde over Glenn en mij die heel graag in het van ratten ver-geven souterrain zouden wonen.

Ze vroeg hoeveel slaapkamers er in het hele huis waren. Vier, zei ik.

'Veel te veel voor die twee, en ze zijn ook veel te oud om nog aan kindertjes te beginnen. Zorg dat ze allebei een kamer krij-gen voor hun spullen, laat je vriend in de ene planken en zo maken voor alle verftubes en in de andere opbergruimte voor de gedroogde bloemen. Knap het souterrain op, zeg dat jullie als ze op vakantie zijn op het huis passen, inbrekers wegjagen en de kat zijn natje en zijn droogje geven, en dat jullie op ze zullen passen als ze oud zijn. Simpel toch?'

En inderdaad, zo simpel was het.

En het verbazendste was nog wel dat er een geweldig goedje bleek te bestaan waarmee we de vlek uit het geleende pakje kregen.

Glenn en zijn oom hadden in een mum van tijd de twee hobbykamers op orde, en zoals 'Lieve Lita' in haar wijsheid al had voorzien, bleken Vera en Nick er geen enkel bezwaar tegen te hebben keuken en bed-, bad- en zitkamer te delen zolang hun dierbare spulletjes maar een veilige plek hadden.

Vervolgens stortten Glenn en zijn oom zich op het souterrain terwijl Rotary hooghartig toekeek hoe ze de ene rat na de andere verwijderden. Rotary was het soort kater dat zich niet nodeloos inspant. Waarom iets groots en vervaarlijks aanvallen als er mensen zijn om dit klusje voor je op te knappen? Ik vroeg Vera nog naar het privéleven van de heilige Anna en toen vertelde ze dat die was getrouwd met ene Joachim.

'En was het een gelukkig huwelijk?' vroeg ik.

'Niet gelukkiger of ongelukkiger dan de meeste,' antwoordde Vera, die zelf geen enkele ervaring met het huwelijk had.

Ik geloof dat ze wel merkte dat ik haar antwoord nogal teleurstellend vond. Ik had graag een echt happy end gehad.

'Nou goed dan,' zei Vera. 'Het was erg gelukkig, denk ik. Als ze hun kinderen hadden moeten offeren of door de pest getroffen waren, dan hadden we er vast wel van gehoord.'

In het souterrain hadden wij tweetjes alle ruimte. Het was hartstikke mooi en we maakten er een heerlijk liefdesnestje van. Van ma kregen we wat oude pannen mee en schoonmaakspullen die ze tijdens haar nachtelijke schoonmaakwerk tegenkwam. Glenns ma gaf ons gordijnen. En mijn pa gaf ons een grasmaaier zodat híj die nooit meer hoefde te gebruiken. Niet dat hij hem nou zo vaak gebruikt had. Glenns vader tipte ons over een hazewindhond die vijf tegen een won.

Nick deed ons zijn bed cadeau, want hij ging Vera's bed met haar delen. Alma gaf ons een bos bloemen plus een preek over mannen: ze deugden geen van allen. Todd had haar laten zitten. Glenn is geweldig als hij in het weekend met me meegaat naar mijn ouders, het voormalige Chez Sharon. Hij helpt mijn vader met alle klusjes die hij door de week heeft laten liggen. Volgend jaar gaan Glenn en ik trouwen, zodra we genoeg gespaard hebben om een mooi bruiloftsfeest te kunnen geven. Vera heeft gezegd dat we, als we in de zomer trouwen, haar tuin mogen gebruiken en dat zij dan wel bruidsmeisje wil zijn. Dat laatste bedoelde ze natuurlijk als grapje, maar ik zei dat ik het een geweldig idee vond, dat ik het enig zou vinden. En ik zei dat ik, als zij en Nick het eindelijk over trouwen eens konden worden, háár bruidsmeisje wilde zijn, wie weet bij de bron van de heilige Anna. Maar om dat idee kon ze alleen maar lachen.

Blijkbaar zijn zij en Nick absoluut niet van plan om te gaan trouwen. Ja, ja, die oudjes van tegenwoordig. Mensen moeten altijd erg lachen als ik vertel dat wij Vera en Nick tijdens een vakantie voor singles ontmoet hebben.

'Jij bent een echte grapjas, met die rare verhalen van je,' zeggen ze dan.

Alsof je zoiets zou kunnen verzinnen.

4

Vriendschap

Deel 1 – Malka

Ik ontmoette Rivka Fine in... laat me even nadenken, het is al jaren en jaren geleden. In ieder geval ergens in de jaren zestig. We waren die zomer in een kibboets in de Negev-woestijn. Ik was de allereerste persoon uit Rossmore die iets zo avontuurlijks deed: naar het Midden-Oosten gaan om sinaasappels en kippen te plukken. Ik weet nog dat die arme kanunnik Cassidy me van tevoren waarschuwde. Het was heel mooi om naar het Heilige Land te gaan en je voeten neer te zetten op de plaatsen waar Onze Lieve Heer gelopen had, maar ik moest wel erg uitkijken dat ik niet van mijn geloof viel, want ik zou erg veel mensen tegenkomen die een ander geloof hadden.

In het begin had ik niet gedacht dat Rivka en ik bevriend zouden raken: ze leek nogal knorrig, zeg maar gerust chagrijnig, terwijl ik alles even leuk vond en tegen iedereen aanpraatte. De anderen kwamen werkelijk overal vandaan: uit Marokko, Roemenië, Turkije, Duitsland... En ze hadden allemaal Hebreeuws geleerd. Er waren maar een paar anderen die Engels spraken en dus moesten Rivka en ik erg ons best doen om ons te redden. We leerden dat *tapoosim* sinaasappels betekende en *toda raba* dankjewel. Ik probeerde iedere dag tien nieuwe woorden te leren, maar omdat het zo heet was en ik zo hard in de keuken moest werken, lukte het me niet en beperkte ik me tot zes.

We moesten een hut delen en dus kwamen we heel wat van elkaar te weten. Zij was in de kibboets omdat haar ouders in New York zich schuldig voelden dat ze niet naar Israël waren geëmigreerd. Nu konden ze tenminste nog zeggen: 'Onze dochter is als vrijwilligster in de woestijn gaan werken.' Ik was er omdat ik thuis in Rossmore twee joodse jongetjes Latijn had geleerd en hun ouders me als dank een reis naar Israël hadden aangeboden. Het was een buitenkansje, ze hadden zelfs deze kibboets gevonden waar ik kon werken. Een nicht van mevrouw Jacobs was er ook een keer in de zomer geweest en had het er erg naar haar zin gehad.

Ik vond het allemaal geweldig. Ik werd verliefd op Shimon, die oorspronkelijk uit Italië kwam, en hij was ook verliefd op mij; als zijn diensttijd erop zat, zouden we samen ergens gladiolen gaan kweken.

Ik denk dat Rivka een tikje jaloers was omdat Shimon zo vaak bij onze hut rondhing. Niet dat we met elkaar naar bed gingen of zo. Ja, ja, ik weet het wel, maar zoiets deed je in die tijd nu eenmaal niet. We waren te bang, denk ik. Nou ja, zo zat het gewoon.

Rivka vroeg of ik werkelijk van plan was om in de gladiolenteelt te gaan werken en ik zei dat ik dat in ieder geval graag zou willen. Ik zou wel eerst naar Rossmore terug moeten om mijn familie een beetje enthousiast te maken, al zou dat niet meevallen. Kanunnik Cassidy zou zich er ongetwijfeld tegenaan bemoeien, aangezien ik met een niet-katholiek wilde trouwen. En we hadden ook met zíjn familie te maken, en dat zou ook problemen geven. Joden geloofden immers dat de familielijn via de vrouw werd doorgegeven en zijn ouders zouden dus niet blij zijn als hij met een niet-joods meisje kwam aanzetten.

Toen werd Rivka verliefd op Dov, een vriend van Shimon, waardoor alles nog leuker werd. We konden nu met z'n vieren uitstapjes maken. Rivka was toen nog niet zo ver dat ze erover dacht met Dov in Israël te gaan wonen. Ze zei dat ze naar New York terug moest en daar met een tandarts of chirurg zou trouwen. Zo simpel was het. Nee, Dov kon echt niet met haar mee als hij uit dienst kwam. Dov kwam uit Algerije. Zijn familie woonde in hutten. Niet dat dat voor Rivka wat uitmaakte, maar voor haar moeder wel. En niet zo'n klein beetje ook. Het was een onvergetelijke zomer. We hadden het heel druk met sinaasappels plukken van de bomen, en veren van kippen en van eigenwijze haartjes uit onze wenkbrauwen. We spoelden ons haar met citroensap, we raakten allebei tonnen gewicht kwijt omdat we zo'n hekel hadden aan de margarine die ze gebruikten en vrijwel alleen maar sinaasappels en gegrilde kip aten. Ze moesten me nu eens zien, de mensen uit Rossmore, dacht ik voortdurend.

Maar toen, voor we het goed en wel erg in de gaten hadden, was het allemaal weer voorbij en moest ik terug naar Rossmore om weer les te gaan geven op Sint-Ita en Rivka terug naar New York, naar het reisbureau waar ze werkte. We waren intussen vriendinnen voor het leven geworden en we vonden het vreselijk om afscheid van elkaar te moeten nemen. Niemand anders zou ten volle kunnen beseffen wat een geweldige zomer we hadden gehad, hoe heerlijk het was geweest om op vrijdagavond te gaan dansen en hoe prachtig de rode rotsen in de woestijn waren. We wisten dat onze verhalen over Shimon en Dov onze vrienden als dwaze vakantieliefdes in de oren zouden klinken terwijl onze ouders er een rolberoerte van zouden krijgen.

We zwoeren dat we contact zouden houden en dat deden we ook.

Ik schreef een met tranen besproeide brief aan Rivka toen Shimon me had laten weten dat er in gladiolen geen toekomst zat. Dat hij helemaal geen toekomst voor ons zag. Rivka schreef me barstend van woede dat Dovs broer haar de boodschap had gestuurd dat Dov geen Engels kon lezen en dat ze moest ophouden hem lastig te vallen. Ik schreef Rivka dat mijn moeder had aangeboden om golflessen voor me te betalen in de hoop dat ik dan op de golfbaan een jurist of bankier aan de haak zou slaan. Rivka schreef me dat háár moeder haar een weekje meenam naar een of ander luxe skidorp dat dienstdeed als huwelijksmarkt. Ze diende er tiptop uit te zien, want het was erop of eronder. Waarschijnlijk was het laatste het geval, want van het eerste was totaal geen sprake.

Rivka schopte het tot chef van de reisbureauvestiging, maar op het huwelijksfront zat alles muurvast. Blijkbaar gaf dat bij haar thuis aanleiding tot een hoop stress. Met mijn moeder maakte ik iets vergelijkbaars mee. We hadden verschrikkelijke ruzies waarbij ze dingen zei die ik haar niet zomaar vergaf: 'Toen ik zo oud was als jij, Maureen, was ik getrouwd en verwachtte ik een baby,' en 'Je denkt toch zeker niet dat je uiterlijk er na je vijfentwintigste op vooruitgaat, of wel?' Ik zei dat ik nog liever stierf zonder antwoord op die vraag dan mezelf op te dringen aan de stompzinnige kakkers met goedbetaalde banen die mijn moeder voor me op het oog had, en die trouwens veel meer op hadden met drank en golf dan met vrouwelijk gezelschap. Mijn vader zei dat het heel erg plezierig zou zijn als hij eindelijk rust zou krijgen, meer verlangde hij niet.

Bij Rivka thuis begonnen de zaken nu echt krankzinnige vormen aan te nemen, schreef ze.

Haar moeder had een advertentie in een deftig blad geplaatst om een man voor haar aan te trekken. En ik wist dat ik krankjorum zou worden als ik de volgende zomervakantie thuis zou moeten doorbrengen.

Mijn moeder wilde me naar de bron van de heilige Anna in het Meidoornbos sturen om voor een man te bidden en vermoedelijk zou het uiteindelijk zo ver komen dat ik mijn bloedeigen moeder met mijn blote handen vermoordde en in de gevangenis belandde, wat mijn goedaardige vader beslist niet de rust zou opleveren waarnaar hij zo verlangde. Dus nam ik een zomerbaantje aan als leidster in een kindervakantiekamp in Amerika.

Daaraan voorafgaand zou ik een week bij Rivka in New York gaan logeren.

'Wat is dat nu voor rare naam?' zei mijn moeder. 'Rívka?'

79

'Ja, zo heet ze,' zei ik op ruzieachtige toon, alsof ik een kleuter was.

'Maar waar komt die naam dan vandaan? Is Rivka echt haar doopnaam, bedoel ik?' Mijn moeder had weer eens een van die buien van haar. Ik voelde me te lusteloos om uit te leggen dat het zeer onwaarschijnlijk was dat Rivka gedoopt was.

'Weet ik veel,' zei ik nors.

Ik liet mijn gedachten de vrije loop terwijl mijn moeder weer begon door te zagen over dat ik weliswaar een goede opleiding had gehad, maar eigenlijk nergens weet van had. Mannen hielden van een vrouw die wakker uit haar ogen keek en overliep van levenslust, niet van een dromerig, verstrooid type als ik.

Ik bedacht hoe wonderlijk het was dat mijn moeder totaal geen idee had hoe levenslustig en wakker ik in de Negev-woestijn met Shimon was geweest. Niet dat ik er wat mee was opgeschoten. Maar goed, gelukkig zat ik weldra met Rivka in New York.

Ze haalde me af van het vliegveld. We omhelsden elkaar enthousiast. Op weg naar haar huis zei ze dat ze het erg vervelend vond om me hiermee te belasten, maar dat ze aan haar moeder had laten doorschemeren dat ik joods was. Vond ik het een probleem om net te doen alsof dat zo was? Voor dat ene weekje?

Ik vond het maar idioot, en dat zei ik ook. Rivka ging toch niet met me trouwen of zo!

'Alsjeblieft, het maakt het alleen maar gemakkelijker, het scheelt in ieder geval één gevecht met mijn moeder,' zei Rivka smekend. Nee maar. Bij haar thuis ging het er al net zo belachelijk aan toe als bij mij. We zuchtten eens diep om onze gekke moeders.

'Ik heb gezegd dat je Malka heet,' biechtte ze op.

'Málka!' riep ik.

'Dat is Hebreeuws voor koningin,' verklaarde Rivka, alsof het iets uitmaakte.

'Juist ja,' zei ik.

De jaren zestig waren jaren waarin van alles veranderde, waarin iedereen vooruitkeek. Nou, dat gold misschien voor anderen, maar niet voor de wereld waarin Rivka en ik leefden. Voor haar moeder was ik als Maureen niet goed genoeg, en voor mijn moeder diende Rivka op z'n minst gedoopt te zijn.

Trala! Het scheelde een heel stuk dat ik voor meneer en mevrouw Jacobs had gewerkt en in Israël was geweest. Daardoor wist ik in ieder geval wat seider was, en Pesach, en Grote Verzoendag. Ik wist wat Chanoeka was, ik wist dat zuivel en vlees gescheiden gehouden moesten worden, zelfs de borden waarop deze producten lagen, en dat vlees van dieren met gespleten hoeven niet op het joodse menu stonden.

Mevrouw Fine ging prachtig gekleed en was een erg mooie vrouw. Ze maakte een hoop heisa, maar daar had Rivka me voor gewaarschuwd. Eén ding had Rivka me niet verteld. Ze adoreerde haar dochter.

Dat zei ik tegen Rivka toen we samen op haar slaapkamer zaten, die een verbluffende hoeveelheid frutsels bevatte.

'Dat kan wel zijn,' zei Rivka, 'maar wat heb je daaraan als die liefde ronduit verstikkend is? Ik zou nog liever willen dat ze helemaal niet van me hield.'

We kwamen de eerste dagen tamelijk goed door. Mevrouw Fine wilde weten of mijn moeder ook koosjer kookte. Ik zei van wel en ik hoorde mezelf tot mijn eigen verrassing zelfs een beschrijving geven van de synagoge waar de Jacobsen naartoe gingen als ze in Dublin waren. Niet dat ik die ooit vanbinnen had gezien. Ik moest het feit dat ik op een nonnenschool lesgaf in de conversatie verdoezelen en maakte er een middelbare school van voor de kleine maar zeer levendige fictieve joodse gemeenschap van Rossmore. In werkelijkheid waren er in totaal niet meer dan drie joodse gezinnen in Rossmore, maar met die informatie hoefde ik mevrouw Fine toch niet lastig te vallen?

Ze waren zeer over me te spreken en het deed hen deugd dat ik net als Rivka nog bij mijn ouders woonde. Ze vonden het van zedeloosheid getuigen als jonge meisjes op zichzelf gingen wonen.

Jonge meisjes! Rivka en ik zuchtten weer eens diep toen we met z'n tweeën waren. Wij jong! We waren onderhand zielige ouwe vrijsters. We waren al bijna een kwarteeuw op de wereld maar nog steeds was er geen zicht op een verloofde, laat staan op een echtgenoot.

Als ze me aanspraken met Malka of die naam riepen, reageerde ik naar mijn idee nooit snel genoeg, maar volgens Rivka deed ik het heel goed. Ze verontschuldigde zich keer op keer voor wat ook in die tijd een volslagen idiote farce was.

Maar toen was het tijd om bij ze weg te gaan. Na een lange, vermoeiende treinreis kwam ik in het zomerkamp aan waar ik weer Maureen kon heten, in plaats van Malka, een naam waar ik inmiddels aan gewend was geraakt. Het was daar een behoorlijk sportieve toestand, veel sportiever dan ik me had voorgesteld. Er stonden een hoop wandelingen en speurtochten op het programma, er werd veel gehonkbald en ik moest bijna voortdurend allerlei meisjes troosten omdat ze dachten dat hun moeder een hekel aan ze had. Anders had die hen toch niet op zomerkamp gestuurd?

'Moeders haten hun dochters niet,' legde ik keer op keer uit. 'Ze denken alleen maar dat wat ze doen het beste voor je is. Dat is niet zo, maar daar hebben ze geen idee van, echt niet.' Ik geloof dat ik op die manier een paar verstoorde relaties heb recht gebreid en wat gekwelde hartjes heb gerustgesteld, maar dat denken leraren altijd van zichzelf. Het kan heel best zijn dat die meiden er niets van hebben opgestoken.

Per post hield ik me ook nog eens met dit soort dingen bezig.

Rivka schreef me de ene brief na de andere om me te melden dat haar moeder me echt geweldig vond en dat het Malka voor en Malka na was. Malka was zo'n zonnig type en Malka at nooit tussendoortjes en Malka was geïnteresseerd in alle mensen in haar omgeving, in plaats van onaardig tegen ze te doen zoals Rivka...

Ik schreef terug dat ik tot de ontdekking was gekomen dat het hele leven feitelijk één grote act was. Je hoefde maar naar mij te kijken, ik was één brok valsheid: ik had me voorgedaan als iemand die bij hen hoorde en ze waren erin getrapt. Hieruit moest een lesje te leren zijn. We moesten gewoon een show opvoeren voor de mensen, doen alsof we rustiger, gelukkiger en zelfverzekerder waren dan het geval was.

Rivka schreef terug dat ze er eens diep over had nagedacht en dat ik misschien inderdaad het Geheim van het Universum had ontsluierd.

Ongeveer een week later, toen ons kamp een reeks wedstrijdjes speelde tegen een ander kamp, ontmoette ik Declan, een leraar uit een dorp niet zo ver van Rossmore. We werden smoorverliefd op elkaar.

Zo verliefd zelfs dat Declan zei dat hij, als we weer in Ierland terug waren, meteen mijn ouders wilde ontmoeten. Hij was dan wel geen arts of advocaat – hij was slechts leraar, net als ik – maar toch was hij alles wat mijn ma zich wenste: hij was katholiek, kwam uit een keurige familie en had uitstekende manieren. Met Kerstmis zei hij dat hij met me wilde trouwen.

Ik wist nog niet zo zeker of ik wel ergens in de rimboe wilde gaan wonen, om opgeslokt te worden door zijn gigantische familienetwerk; maar ze waren allemaal heel erg hartelijk voor me en in die dagen zou geen zichzelf respecterende man zijn levensstijl voor een echtgenote of wat dan ook aanpassen.

En dus geschiedde het dat ik met hem trouwde en in de rimboe ging wonen, dat wil zeggen midden op het platteland. Ik hield Rivka van alle ontwikkelingen nauwgezet op de hoogte en het lot wilde dat zij ene Max had ontmoet, die weliswaar geen tandarts was, maar wel een succesrijk zakenman die een aantal reisbureaus bezat; haar moeder was erg in haar nopjes en ook Rivka zou gaan trouwen. Dus kwam ze eerst naar mijn bruiloft in Ierland. Het was heerlijk dat ze erbij was en mijn moeder werd zo hevig in beslag genomen door wat ze aan moest trekken en door het feit dat een oom van Declan, een heuse rechter, ook naar de bruiloft zou komen, dat ze Rivka niet eens aan een verhoor onderwierp over haar eigenaardige naam en zelfs niet merkte dat Rivka's moeder een huwelijksgeschenk had gestuurd dat bestemd was voor 'lieve Malka'.

Rivka haalde alles door elkaar in Rossmore. Ze bleef het heiligenbeeld in de kerk Ons-Lieve-Hart in plaats van Heilig-Hart noemen. Ze kon er niet over uit dat de huwelijksmis zo'n eeuwigheid duurde en ze verbaasde zich erg over de pauselijke zegen en over het feit dat de meeste vrouwen doeken en sjaals over hun hoofd droegen tijdens de plechtigheid in plaats van met enorme hoeden te pronken.

De hoeveelheid drank die tijdens de bruiloft geschonken werd, was haar te machtig, evenals alle liederen die iedereen zo nodig moest zingen...

Maar het was al met al een schitterend feest. Declan kneep voortdurend in mijn hand en ik had nooit gedacht dat ik zo gelukkig kon zijn.

Declan en ik brachten onze twee weken durende huwelijksreis door in Spanje en gingen toen in deze uithoek van de wereld wonen: een dorp in de heuvels waar nauwelijks iets te beleven viel. Omdat ik getrouwd was, kon ik geen les meer geven, dus viel het niet mee om de dagen door te komen. Iedere dag leek op de vorige, met als enige variatie dat we iedere zondag bij zijn moeder gingen eten en zijn zussen zo eens in de week kwamen informeren of ik al zwanger was.

De brieven die ik van Rivka kreeg, vormden een soort reddingsboei in dat afgelegen gat. Ze schreef me welke boeken ik moest lezen en opperde het plan dat ik een soort mobiele bibliotheek zou opzetten voor mensen die hun huis niet uit kwamen. Iedereen vond het erg fijn dat ik dat ook werkelijk deed. Declan vond zelfs dat ik heel geïnspireerd bezig was.

Maar hij wilde niet met me mee naar Rivka's bruiloft. Het was te ver, het was te duur, en hij zou niet weten hoe hij zich zou moeten gedragen tussen al die joodse mensen met hun eigenaardige gebruiken. Nee, die kelk wilde hij echt aan zich laten voorbijgaan. Nou ja, sommige dingen kun je niet afdwingen. Ik gaf er een positieve draai aan om mezelf op te monteren. Ik zou in Amerika weer Malka moeten spelen, en dat zou ongetwijfeld een stuk gemakkelijker zijn als ik Declan niet bij me had. En dat was ook zo.

Wat een verschil met mijn bruiloft: het baldakijn in de gigantische tuin van de Fines, het zingen en bidden in het Hebreeuws, het breken van glazen dat iets te maken had met de verwoesting van de tempel of zoiets. Ik kon er moeilijk naar vragen want ik was immers Malka en zou al deze dingen gewoon moeten weten.

Max was een uiterst vrolijke, aardige man. Hij fluisterde me toe dat hij in mijn geheimpje was ingewijd. Ik had geen idee waarover hij het had. Wist hij dat ik in Dublin naar een arts was geweest om de anticonceptiepil te halen, omdat ik niet in verwachting wilde raken voordat ik mijn bibliotheek goed en wel op poten of liever gezegd wielen had gezet? Of wist hij dat ik Declans moeder en drie bazige zussen nog honderd keer erger vond dan mijn moeder vroeger, en dat ik alle mogelijke moeite deed om uit hun buurt te blijven?

Nee, het bleek gewoon dat hij wist dat ik niet echt Malka en op geen stukken na joods was.

'Rivka en ik hebben geen geheimen voor elkaar,' zei hij, 'en dat zal ook nooit gebeuren.'

Om de een of andere reden bezorgde Max me een onaangenaam gevoel. Belachelijk natuurlijk. Waarom zou ik me door hem niet op mijn gemak voelen? Hij was lief en aardig, hij hield van Rivka. Hij was een echte snoes.

Rivka en ik bleven met elkaar corresponderen. Een tijdlang dan. Daarna begon ze me af en toe vanaf kantoor te bellen. Dat was gemakkelijker, zei ze, en veel directer. Dat was natuurlijk zo, maar het was ook een stuk duurder. Ik kon me in ieder geval beslist geen trans-Atlantische telefoongesprekken veroorloven. Rivka zei dat het voor haar niet uitmaakte, dat ze als chef vanuit haar kantoor gewoon gratis kon bellen. Dus vond ze het niet erg dat ik haar niet kon bellen, ze belde mij wel.

Ik miste onze ellenlange epistels, maar het was niet zo dat ze nu dingen voor mij verborgen hield. Ze vertelde me van A tot Z over haar leven, dat mij een uitputtingsslag leek. Rivka leek voortdurend op een of ander verschrikkelijk dieet te zijn. En ze verspilde menig intercontinentaal gesprek met berichten over een belangrijke benefietavond waarvoor ze in twee weken tijd tien kilo moest afvallen omdat ze anders niet in haar jurk paste. Ze vertelde dat ze de laatste tijd voortdurend erg moe was.

Ik vertelde haar dat Declans zussen ronduit stuitend waren en dat ik nog tijdens mijn leven heilig verklaard zou moeten worden omdat ik me steeds weer wist te bedwingen en hem niet haarfijn uit de doeken deed wat voor draken het waren.

'En gaat dat lukken, denk je?' vroeg ze geïnteresseerd.

'Gaat wat lukken?'

'Word je tijdens je leven heilig verklaard?' vroeg Rivka. Blijkbaar was ze echt uitgeput. Zelfs joodse mensen zouden moeten weten dat het maar een grapje was en dat je eerst dood moet zijn om een heilige te worden.

Toen belandden we allebei tegelijk in een crisis.

Die van Rivka bleek trouwens nogal mee te vallen. Ze was zo moe tijdens een congres van reisorganisaties in Mexico dat ze in slaap was gevallen toen ze zich had moeten verkleden voor een groot banket ter gelegenheid van een prijs die Max ontving wegens jarenlange verdienste. Ze moest wakker worden gemaakt en toen ze ontredderd aan het banket verscheen, zag ze er niet uit. Het bleek te worden opgevat als een regelrechte belediging aan het adres van Max, de reiswereld en Mexico. Tjonge jonge, alsof de Derde Wereldoorlog was uitgebroken!

Vergeleken bij wat mij overkwam, had het niets om het lijf. Of *nada*, zoals ze in Mexico zeggen.

Mijn lieve schoonzus vond het nodig om Declan te vertellen wat ze in ons medicijnkastje in de badkamer had gevonden, toen ze er 'per ongeluk' in keek. De arme Declan had geen idee dat ik pillen slikte die een *vruchtafdrijvende* werking hadden. Dat was het woord dat ze gebruikte: de pillen verhinderden de conceptie en doodden de baby in wording. Ze zouden het maar niet aan hun moeder vertellen, die zou wel eens zo geschokt kunnen zijn dat ze erin bleef. Declan was in alle staten. Hij zei dat ik hem bedrogen had. Ik zei dat mijn vruchtbaarheid een zaak van míj was, maar hij zei nee, dat was een zaak van óns. Ik had met hem moeten overleggen en wat bleef er van eerlijkheid en gelijkheid in ons huwelijk en in het leven over als ik dingen in het geheim deed?

Diep vanbinnen was ik het wel met hem eens, maar treurig genoeg zei ik dat niet. Wat ik wel zei, was dat zijn zussen bemoeizieke monsters waren en dat ik ze bíjna net zo haatte als zijn moeder. Dit was niet aardig en ook erg onverstandig van me en vanaf dat moment ging het een hele tijd erg slecht tussen ons. Zijn zussen liepen intussen met een zelfgenoegzame grijns op hun gezicht rond. Ik smeet de pillen in de haard, maar Declan zei dat hij me geen kind wilde opdringen en dus hadden we geen seks meer. De gezusters leken dit wel door te hebben en grijnsden zo mogelijk nog zelfgenoegzamer.

Ik bleef steeds langer met mijn bibliotheek in de heuvels rondrijden en Declan zat steeds langer in de kroeg van Callaghan waar hij over hurling zat te praten en bier zat te hijsen met de vreselijke Skunk Slattery. Het was alles bij elkaar geen fijne tijd, als ik eerlijk ben.

Ik probeerde Rivka van dit alles deelgenoot te maken, maar die dacht, niet geheel zonder reden, dat Declans zussen gewoon niet goed snik waren. Ook al probeerde ze het allemaal te begrijpen, om de een of andere reden lukte dat niet.

Intussen deed ik mijn best om te begrijpen waarom Rivka voortdurend naar allerlei chique evenementen moest als ze zo moe was. Blijkbaar paste het om een voor mij onnaspeurlijke reden in haar agenda. Ze probeerde het me wel uit te leggen, maar woorden schoten tekort.

Als we met elkaar belden, gaf ik haar de raad: 'Zeg toch tegen hem dat je er veel te moe voor bent.'

En zij gaf mij op haar beurt de raad: 'Zeg toch tegen hem dat het je spijt.'

Uiteindelijk kwam Declan 's nachts weer bij mij in bed. Het was niet meer zoals vroeger, maar het was in ieder geval minder eenzaam en er hing ook niet meer zo'n beklemmende sfeer in huis. Rivka had intussen een of ander geweldig vitaminepreparaat ontdekt waardoor ze meer energie kreeg en opmerkelijk genoeg werden we allebei ongeveer tegelijk zwanger.

Zij en Max kregen een dochter die ze Lida noemden, naar de moeder van Max, en ik hoopte dat wij ook een meisje zouden krijgen dat we Ruth zouden noemen; zij en Lida zouden vriendinnen voor het leven worden. Declan vond het nogal vergezocht om zo te denken. Hij wilde trouwens veel liever een zoon die een kei in hurling zou worden.

Brendan – genoemd naar Declans vader – werd twee weken na Lida geboren. Omdat Rivka niet meer op kantoor werkte, begonnen zij en ik elkaar weer lange brieven te schrijven: over de pijn bij de bevalling, over borstvoeding, over verstoorde nachtrust, over piepkleine vingertjes en teentjes. Op een versluierde manier leken we elkaar te vertellen dat het leven lang niet zo goed was als we gehoopt hadden dat het zou worden.

Maar dat schreven we niet met zoveel woorden. Waarom ook? We hadden onze kinderen.

Eigenlijk had ik natuurlijk moeten merken dat Declan steeds laat thuiskwam zonder dronken te zijn; want hij zou toch dronken moeten zijn als hij een uur of vier in de kroeg had gezeten. En ik had het op z'n minst vreemd moeten vinden dat Skunk Slattery zo vaak aan mij vroeg hoe het toch met Declan was, want die werd geacht met hem aan het zuipen te zijn. Maar ik had niets in de gaten omdat ik zo druk was met de kleine Brendan, mijn engel van een baby. Hele dagen croste ik met Brendan in de mobiele bibliotheek rond om hem door alle lezers in de dorpjes te laten bewonderen. Ik deed ook mijn uiterste best om hem bij zijn vreselijke tantes uit de buurt te houden.

De maanden gingen voorbij. Wij en Declans zussen gingen nog altijd iedere zondag bij Declans moeder op bezoek; we brachten dan allemaal iets te eten mee, want zij was onderhand te oud om nog lang in de keuken te staan. Ze vond het heerlijk om al haar kinderen om zich heen te hebben, dus ik verzette me er niet tegen. Rivka stuurde me vaak recepten toe vanuit Amerika. Declans moeder stierf uiteindelijk zeer vredig, ze glipte als het ware uit het leven weg.

Op de avond na haar begrafenis zei Declan uiterst beheerst

tegen me dat ik natuurlijk wel wist dat hij een ander had. Ze heette Eileen, ze was secretaresse op school en na afloop van het schooljaar wilden ze samen naar Engeland. Brendan was op dat moment zeven jaar oud. Oud genoeg om zijn vader regelmatig op te zoeken, zoals Declan langs zijn neus weg opmerkte. Hij voegde er ook nog eens geruststellend aan toe dat Eileen als een tweede moeder voor Brendan zou zijn.

Ik keek naar Declan alsof ik hem voor het eerst van mijn leven zag. Het voelde zo onwerkelijk, het was net zoiets als flauwvallen of onverhoeds keihard je kop stoten. Ik zei dat ik de volgende ochtend met Brendan met de trein naar Dublin moest en dat we maar over een bezoekregeling en meer van dat soort zaken moesten praten als we terug waren. Ik had Brendan twee jaar geleden in mijn paspoort laten bijschrijven; ik had toen het idee gehad om naar Amerika te gaan om Rivka en Lida op te zoeken, maar Max had juist in die tijd iets in de agenda staan zodat het niet was doorgegaan.

Ik liet voor Declan een briefje achter met de mededeling dat ik genoeg geld van onze bankrekening had opgenomen om naar New York te gaan en daar het een en ander te kunnen uitgeven; hij moest maar bedenken hoe het verder moest met het huis en hij moest iedereen maar van de situatie op de hoogte brengen. Hij hoefde niet bang te zijn dat ik hem zijn kind voor altijd ontnam, want ik zou weer terugkomen.

Interpol hoefde er niet aan te pas te komen.

Ik schreef maar niet dat hij een rotzak was, of dat ik in alle staten was, ik schreef zelfs geen letter over de mooie Eileen.

Rivka had gezegd dat ze het heerlijk zou vinden om me te zien.

'En Max dan?' had ik gevraagd.

'Ach, die is bijna nooit thuis, die merkt niet eens dat je er bent.'

Op het vliegveld stortten we ons in elkaars armen en plengden tranen met tuiten. Het was voor het eerst dat ik huilde sinds Declan me met zijn nieuws had overvallen. Ik huilde om alles wat we hadden kunnen hebben. Maar ik was niet van plan hem ooit nog terug te nemen, zelfs al zou hij me smeken. Misschien had hij wel gelijk. Ons huwelijk was voorbij, eigenlijk al heel lang.

De twee zevenjarigen speelden heel tevreden met Lida's speelgoed. Mijn blonde kereltje en haar prachtige dochtertje met haar donkere krulhaar. Rivka en ik overlaadden elkaar als vanouds met adviezen. Zij zei dat ik Declan ertoe moest bewegen het huis te verkopen en zelf moest verhuizen. Mijn vader was inmiddels gestorven, ik moest volgens Rivka maar weer bij mijn moeder gaan wonen.

'Maar ik kan niet naar haar terug, je weet toch hoe lang ik mijn best heb gedaan om uit huis weg te komen,' hoorde ik mezelf klagen.

'Nou, je kunt in ieder geval niet in dat gat blijven, met al die zusters van hem en die verschrikkelijke Eileen; iedereen praat daar natuurlijk over je. Je zult dapper moeten zijn, Malka, er zit niets anders op. Ga terug naar Ierland, ga desnoods in Dublin wonen en neem je moeder bij je in huis, vind een plekje voor jezelf. Je moet gewoon opnieuw beginnen.'

Ja, ja, zij had makkelijk praten. Amerikanen waren dat soort dingen gewend: in een huifkar grenzen verleggen. Maar wij in Ierland niet. Dus ik moest met mijn moeder in één huis gaan wonen, zodat ze voortdurend kon zeggen: 'Ik had het je toch gezegd?' Nou, mooi niet.

Ik gaf haar het advies haar baantje op kantoor eraan te geven en het net als Max hogerop te zoeken in de toeristenbusiness; misschien kon ze zich op een segment van de markt storten dat Max had laten liggen? En misschien moest ze haar moeder vaker inschakelen om op Lida te passen. Haar huwelijk was nog niet stukgelopen, maar gezien de situatie kon dat ieder moment gebeuren.

Natuurlijk ging ze heftig tegen me in, maar we hadden wel veel lol samen.

Met het verstrijken van de dagen begon ik me daar sterker en beter te voelen dan ik in jaren had gedaan. En Brendan had het geweldig naar zijn zin.

'Waarom noemen ze je daar allemaal Malka, mammie?' vroeg hij in het vliegtuig op weg naar huis.

'Dat is Amerikaans voor Maureen,' legde ik uit.

Hij was tevreden met dat antwoord. Zoals hij ook tevreden was toen we naar Dublin verhuisden en mijn moeder een heel best mens bleek te wezen, veel beter dan we allemaal hadden gedacht. Ze zei zelfs niet één keer: 'Ik had het je toch gezegd?'

Ik vond een baan op school waarbij ik een echte bibliotheek kon opzetten en Brendan groeide op tot een stevige knaap. Ik zag erop toe dat hij af en toe naar Engeland ging om zijn vader op te zoeken, en vernam niet geheel zonder leedvermaak dat Eileen nogal heetgebakerd was en Declan verweet dat hij te veel zoop. Na verloop van tijd kreeg hij van de rector van zijn school datzelfde verwijt.

Ik schreef Rivka iedere week. En toen kreeg ze een faxapparaat, waardoor het allemaal sneller ging.

En uiteindelijk gingen we over op e-mail.

Rivka kwam vier keer per jaar naar Europa, want ze had de afdeling kunstreizen van het bedrijf van Max onder haar hoede genomen; ze begeleidde groepen naar musea en tentoonstellingen. Ierland was in het reisschema opgenomen, zodat Rivka mij kon komen opzoeken. En er waren in Ierland heus ook mooie dingen op het gebied van kunst te zien, veronderstel ik.

Rivka praatte steeds minder vaak over Max, en steeds vaker over Lida. Max reisde heel wat zakelijke bijeenkomsten af en was maar zelden thuis. We dachten niet direct dat hij een andere vrouw had, maar we waren het er wel over eens dat hij voor Rivka geen interesse meer had. Op de een of andere manier deed het er niet eens zoveel toe, zoals Eileen met het korte lontje er eigenlijk ook niet toe deed, en het feit dat Declan in Engeland de zak had gekregen evenmin; hij was weer teruggekeerd naar zijn dorpje in de omgeving van Rossmore, waar hij bij zijn zwagers in dienst was, maar zo weinig verdiende dat hij Eileen om geld moest vragen om 's avonds naar de kroeg te kunnen. Lida en Brendan, die waren pas belangrijk voor ons.

Zij waren voor ons de toekomst.

Toen Lida zeventien was, kwam ze bij mij in Dublin vakantie vieren. Ze wilde haar moeder het liefst een tijdje niet zien, en Rivka en ik begrepen dat natuurlijk best. We zouden een heel boek over dit soort dingen kunnen schrijven als we wilden.

Lida vertelde dat haar vader en moeder nooit in dezelfde kamer hadden geslapen voor zover ze zich kon herinneren. Was dat nou normaal, vroeg ze zich af, was dat een natuurlijke situatie?

Ik zei dat ik geen idee had hoe het er in Amerika aan toe ging, waarschijnlijk anders dan in Ierland. En dat het misschien ook maar beter was zoals het was. Ik had jarenlang met mijn man in hetzelfde bed geslapen, maar erg veel goeds had het niet opgeleverd, want hij had me voor een andere vrouw laten zitten.

Lida toonde zich erg meelevend. Ze streelde mijn hand en zei dat mannen maar moeilijk te peilen waren. Zo was er een die tegen haar gezegd had dat ze frigide was omdat ze niet met hem naar bed wilde. En daarna had hij ook nog gezegd dat ze zeker lesbisch was, zoals haar vader homo. Dat had ze aan niemand verteld.

Ik zei dat ze groot gelijk had, dat ze het maar beter kon vergeten, dat die vent waarschijnlijk zó graag seks met haar wilde dat hij uit frustratie idiote dingen had gezegd.

We hielden door de jaren heen contact met elkaar, maar ze bracht het onderwerp nooit meer ter sprake en ik evenmin.

Nu was Lida in de twintig, een donkere schoonheid die precies wist wat ze wilde. Ze had rechten gestudeerd. En deze zomer had ze aangekondigd dat ze eerst twee weken naar Griekenland ging en daarna bij een groot advocatenkantoor zou beginnen. Haar moeder kon hoog of laag springen, maar ze peinsde er niet over om naar Israël te gaan. Lida had van alles en nog wat op dat land aan te merken.

Rivka en ik waren erg teleurgesteld.

Mijn Brendan was net als zij in de twintig: een blonde jongen die zich nergens druk om maakte en die heel erg knap was, dat vond ik althans.

Hij was bijna klaar met zijn ingenieursstudie en wilde voordat hij echt ging werken, een lange vakantie in Italië. Rivka en ik zouden het geweldig hebben gevonden als ze allebei naar de Negev-woestijn waren gegaan, naar 'onze' kibboets. Dan hadden ze kunnen kijken of het nog iets was geworden met die gladiolenkwekerij en met wat voor vrouwen Shimon en Dov uiteindelijk getrouwd waren. En uiteraard hadden we al helemaal voor ons gezien hoe ze verliefd op elkaar werden, onze Brendan en Lida, in het romantische decor van rode rotsen en valleien. Dan zouden ze trouwen en ons drie kleinkinderen schenken, die Rivka en ik dan konden delen. Het jonge stel zou met hun gezin zes maanden per jaar in Amerika wonen en de andere zes maanden in Ierland.

Zo gek was dat toch niet gedacht? Er gebeurden wel vreemdere dingen. Bijvoorbeeld dat onze moeders op hun ouwe dag heel goed te pruimen bleken, dat het ineens mensen waren geworden met wie je best kon praten in plaats van automatisch voor te liegen. Wie had dat kunnen denken?

Rivka en ik waren inmiddels vijftigers en we waren slanker en beter gekleed dan toen we vijfentwintig waren, en we zagen er al met al zo gek nog niet uit. Als we ons weer op de huwelijksmarkt zouden begeven, zouden we het waarschijnlijk heel aardig doen. Maar we hadden niet de behoefte, we hadden werk dat ons beviel, we hadden allebei een kind dat we verafgoodden en jarenlang waren we al bevriend met elkaar. Deze vriendschap kende geen geheimen of slinks gedoe en we realiseerden ons allebei terdege dat zoiets zeldzaam was.

Ik herinner me eens ergens gelezen te hebben dat je dubbel van iets geniet als je beseft hoe gelukkig je je mag prijzen dat je het hebt. Als iedereen een ring met een knots van een diamant aan zijn vinger had, of als de zon iedere dag in een weelde van rood en goud zou ondergaan, zouden we er nauwelijks meer waarde aan hechten. Wat wij hadden, was zeer bijzonder.

Deel 2 – Rivka

Af en toe moet ik ergens een praatje houden, niets bijzonders, hoor, maar je weet waarschijnlijk wel wat ik bedoel: een toe-spraakje om aandacht te vragen voor een liefdadig doel of voor Max' bedrijf. Of voor allebei tegelijk. Hoe dan ook, ik heb door de jaren heen gemerkt dat er twee onderwerpen zijn die het publiek altijd weer boeien. Het eerste is hoe je zonder een centje pijn twee kilogram kunt afvallen voor je op vakantie gaat, en het tweede is de positieve kracht die van vriendschap uitgaat.

Die twee kilo is een eitje: het komt erop neer dat je als ontbijt en avondeten exotisch fruit eet: mango's en papaja's en zo. En als lunch neem je kleine stukjes gegrilde kip of vis. Meestal kruid ik mijn praatje met wat grappige anekdotes over de keren dat het mis ging en ik een doos chocoladekoekjes of een giga bak met ijs verorberde. Dat vinden ze erg leuk.

Maar mijn verhalen over mijn vriendin Malka slaan nog het meest aan. Ik noem haar Malka, maar haar echte naam is Mau-reen. Ik vertel de mensen hoe we elkaar ontmoet hebben in een kibboets en ons hele leven vriendinnen zijn gebleven. Ik vertel ze dat het met de liefde wel eens slecht ging, maar dat onze vriendschap altijd overeind bleef. Vriendschap is op een bepaalde manier eigenlijk béter dan liefde, houd ik ze voor, omdat vriendschap edelmoediger is. Je hebt er geen probleem mee als je vriendin nog andere vrienden heeft, dat moedig je zelfs aan. Maar als je geliefde er andere liefdes op nahoudt, is het huis te klein en doe je al het mogelijke om er een eind aan te maken.

Het publiek zat instemmend te knikken als ik dat zei.

Als ik het over Malka had, was het altijd met een glimlach.

Nadat het lot ons in die kibboets had samengebracht, hebben we fantastische tijden met elkaar gehad. Mijn moeder dacht dat ze een keurig joods meisje was. Ze had niet het flauwste ver-moeden dat ze afkomstig was uit een Iers stadje waar van die rare katholieken woonden die een of andere bron in het woud vereerden. Je had het moeten zíén, echt. Vriendschap moet je koesteren, hield ik mijn toehoorders voor. En dan praatte ik ze een vakantie aan met vrienden, zonder echtgenoot.

Je echtgenoot had misschien geen zin om naar tentoonstellingen te gaan of te winkelen of gewoon op een pleintje naar vreemdelingen te zitten kijken en hun levensverhaal erbij te verzinnen, maar een vriendin waarschijnlijk wel.

Toen ik eenmaal voor het familiebedrijf van Max was komen werken, had hij grote bewondering voor de manier waarop ik deze tak ervan tot bloei bracht: de kunstreizen en schilderklasjes, de bridge- en leesclubs voor dames. Maar zijn bewondering hiervoor en ook voor mijn persoon was altijd nuchter en op afstand.

Zie je, als ik er nu zo op terugkijk, heeft Max nooit werkelijk van mij gehouden, in ieder geval niet op de manier waarover mensen lyrisch schrijven, zingen en dromen. Ik heb nooit gedacht dat hij van een ander hield. Ik hield mezelf voor dat zijn libido misschien niet erg ontwikkeld was, in ieder geval niet zo als bijvoorbeeld dat van Malka's man in Ierland. Nee, ik weet eigenlijk wel zeker dat hij niet van een ander hield. Hij zag wat wij hadden gewoon als een soort partnerschap in zaken. Zo zat hij nu eenmaal in elkaar.

Een tijdlang dacht ik dat hij, als ik maar beter mijn best deed, me beter kleedde, slanker werd, meer esprit toonde, meer van me zou gaan houden. Maar vreemd genoeg was het mijn vriendin Malka die me ervan doordrong dat het op die manier niet werkte. Anders zouden alle dunne, goedgeklede, sprankelende types erg gelukkig zijn en we wisten allemaal dat de meesten juist diep ongelukkig waren, want dat zagen we overal om ons heen.

Malka zei dat ik reteslim was, geweldig geestig en messcherp – ik weet niet meer wat voor eigenaardige Ierse uitdrukkingen ze allemaal gebruikte – en uiteindelijk begon ik het zelf te geloven. Ik blaakte op een zeker moment op vrijwel alle fronten van zelfvertrouwen. En als ik er nu op terugkijk, was ik het grootste deel van de tijd domweg gelukkig.

Ik was helemaal niet gelukkig in de tijd dat mijn moeder me

voortdurend op mijn huid zat omdat ze vond dat ik moest trouwen. En de periode dat ik mezelf uitputte, bijna niets at, lange dagen op kantoor maakte en ook nog eens allerlei sociale verplichtingen had, was ook niet bijster plezierig.

Maar toen Lida geboren was, mijn prachtige dochter, toen was ik wel gelukkig en dat ging ook niet meer over. Ik schafte een zakboekje aan waarin ik alles opschreef wat mijn moeder allemaal had gedaan om me het leven zuur te maken en mijn hart te breken, vastbesloten het haar niet na te doen.

Maar de wereld was intussen erg veranderd.

Geen denken aan dat ik Lida zou zeggen dat ze haar huwelijkskansen moest pakken zolang ze haar uiterlijk nog mee had. Nee, zeg, stel je voor! Alsof je van een andere planeet kwam!

En raar maar waar, mijn moeder was tegen die tijd zelf veranderd, ze werd een heel normaal mens. En ze had een hoop levenswijsheid bijeengesprokkeld. Toen ik nog jong was en er iets aan gehad zou hebben, was ze allesbehalve normaal of wijs, maar goed, het was toch prettig dat ze op latere leeftijd bij zinnen kwam.

Malka vertelde ongeveer hetzelfde over haar moeder; die was sinds ze een kleinkind had een stuk rustiger geworden. Maar ik had mevrouw O'Brien eigenlijk nooit zo'n eng mens gevonden. Ze was erg bijgelovig natuurlijk en ze zat erg in over wat andere mensen in Rossmore over haar dachten of te zeggen hadden, zoals alle mensen van haar leeftijd. Maar in wezen was ze best een aardig iemand.

Toch zei Malka dat mevrouw O'Brien vroeger, toen ze nog een stuk jonger was, echt verschrikkelijk was geweest. Misschien zou je daarom kunnen zeggen dat haar generatie er met de leeftijd op vooruitging.

Malka's zoontje Brendan was een schat, wat maar goed was ook, want haar man bleek achteraf veel minder leuk te zijn dan we aanvankelijk dachten. Ik vond het heerlijk toen ze een paar weken met hem bij mij kwam logeren in de tijd dat Declan, haar ontrouwe echtgenoot, haar in de steek liet voor de secretaresse van zijn school. Toen ze kwam, was Malka erg terneergeslagen en huilde ze wat af. Ze zei dat ze thuis helemaal niet gehuild had, dat ze het haar schoonzusters en haar moeder niet gunde om haar ellende te zien. Maar in mijn keuken huilde ze wel, en ook in mijn tuin toen we naar onze kinderen zaten te kijken die in het zwembad speelden. En ze huilde ook toen we op een avond in een bar zaten en de pianist 'Blue Moon' begon te spelen, want dat was hún liedje geweest, van haar en Declan. 'Ik had nooit gedacht dat hij voor een andere vrouw zou vallen,' snikte ze. 'Hij zei altijd dat ik voor hem de enige was. Ik dacht dat áls ik hem kwijt zou raken, het aan de drank zou zijn, ik dacht echt dat de kroeg en ik om de voorrang streden.'

In die bar gaf ik voortdurend klopjes op haar hand en ik gaf haar tissues. Het was niet het geschikte moment om Malka te vertellen dat haar verloofde voor hun bruiloft drie avonden achtereen geprobeerd had mij te bespringen.

Ik had het haar aan de vooravond van haar huwelijk niet verteld, terwijl het toen misschien hulpvaardig, nuttig en verstandig had kunnen zijn, dus was er naderhand geen enkele reden om het haar alsnog te vertellen.

Ik had bedacht dat het gewoon een uiting van zijn vurige karakter was geweest. Ik kende deze mensen en hun cultuur immers niet? Misschien vonden hij en zijn vrienden het de normaalste zaak van de wereld om de beste vriendin van de bruid tegen een muur aan te drukken zodat ze geen kant op kon, en haar te kussen. Ik had slechts de keuze om mijn mond open te doen en hun huwelijk en onze vriendschap naar de knoppen te helpen, of om niets te zeggen.

Misschien dat jullie iets anders gedaan zouden hebben, maar ik heb voor het laatste gekozen en ben niet meer op die keuze teruggekomen.

Ik heb mezelf altijd voorgehouden dat als ik toen iets had gezegd, Brendan waarschijnlijk niet geboren zou zijn en dat Malka's leven dan een stuk minder goed zou hebben uitgepakt.

Brendan is altijd een prima zoon geweest. Niet dat hij ooit haar raad opvolgt, natuurlijk, maar welke jonge knaap doet dat vandaag de dag nog wel? Hij heeft het haar nooit lastig gemaakt in de tijd dat hij bij haar in Dublin opgroeide, nadat zijn vader was weggegaan. In de vakanties werkte hij altijd om mee te kunnen betalen aan zijn studie. Max gaf hem een keer in de zomer een baantje in een van zijn reisbureaus en Brendan werkte toen zo hard dat ze hem een vaste baan wilden geven. Maar daar heb ik een stokje voor gestoken. Stel je voor, zei ik, dan zou mijn vriendin Malka nooit de kans krijgen om het over 'mijn zoon de ingenieur' te hebben!

Jammer genoeg heeft hij mijn Lida die zomer niet beter leren kennen, want die zat toen – nota bene – in Ierland. Zij en Malka waren van het begin af dol op elkaar, maar ja, ik had ook niet anders verwacht. Ik was ook erg gek op haar Brendan; in de weekends logeerde hij toen bij ons. Hij was een goedmoedig, ontspannen type en koesterde geen wrok tegen zijn vader.

'Pa had altijd al buitengewoon veel interesse in vrouwen,' zei Brendan tegen mij. 'Eentje was nooit genoeg voor hem. Volgens mij wilde hij het aanleggen met elke vrouw die hij tegenkwam, om te bewijzen dat hij leefde, zoiets.'

Ik knikte instemmend. Hij had helemaal gelijk. Dat was precies wat Declan deed: iets bewijzen.

'Ben jij ook zo?' vroeg ik, min of meer voor de grap.

Blijkbaar was dat niet het geval. Het was een beetje zoals met kinderen van een dronkenlap: die drinken vaak geen druppel. Brendan vertelde dat zijn vrienden van hem zeiden dat hij niet vooruit te branden was.

'Mijn vader heeft vast ook iets met jou geprobeerd, Rivka,' zei hij.

'Ja, maar het was toen niet zo belangrijk,' hoorde ik mezelf zeggen.

'Heb je het tegen mijn moeder gezegd? Ik bedoel later, toen ze uit elkaar waren?' vroeg hij.

'Nee,' zei ik, 'zoals ik al zei, leek het toen niet van belang.'

Hij knikte goedkeurend.

Het was het enige geheim dat ik voor Malka had, echt waar. We vertelden elkaar verder alles. Ik geloof niet dat ze voor mij iets verborgen hield. Nee, dat denk ik echt niet. En stel dat iemand haar zou vragen of ze dacht dat ik geheimen voor haar had, dan zou ze ongetwijfeld antwoorden van niet.

Wat kon zij trouwens weten of hebben meegemaakt dat ze niet aan mij had kunnen vertellen? Max had zich beslist niet aan Malka opgedrongen zoals haar verloofde zich aan mij had opgedrongen. Max' libido is zwak, zoals mijn moeder altijd zegt als verklaring van het feit dat hij zo vaak van huis is. Misschien is dat ook wel zo. Ze zegt dat ik dankbaar zou moeten zijn. Dat zegt waarschijnlijk meer over haar eigen leven met mijn vader dan ik wil weten.

Zoals ik het zie, was de seks met Max nooit geweldig, maar ik realiseer me heel goed dat hij er met mij ook niet veel aan vond.

Malka vertelde dat ze seks met Declan altijd heerlijk had gevonden, maar dat ze wel altijd bang was geweest om zwanger te worden. Zijn zussen hadden ieder vijf kinderen en in haar omgeving gold dat als een klein gezinnetje.

Malka is de enige persoon met wie ik ooit over seks heb gepraat, en dan ook nog maar zelden. Als je toch bedenkt dat er om seks oorlogen uitbreken, moorden worden gepleegd, gezinnen uit elkaar vallen en mensen publiekelijk te schande worden gemaakt, dan is dat eigenlijk maar moeilijk te bevatten.

Ik heb begrepen dat Lida in haar jonge leven al heel wat aan seks heeft gedaan. Ze vertelde me een hele tijd geleden dat ze naar een vrouwenkliniek was geweest om zich iets te laten aanmeten. Stel je toch eens voor dat ik zoiets tegen míjn moeder had gezegd... Ik krijg het Spaans benauwd als ik er alleen maar aan denk. Maar de tijden veranderen.

Wie zou bijvoorbeeld gedacht hebben dat ik, Rivka Fine-Levy, mijn eigen specialistische reisbureau zou krijgen en groot aanzien zou genieten als de vrouw van de grote Max Levy? Anders dan zoveel andere vrouwen uit mijn omgeving heb ik er nooit een ogenblik over ingezeten of mijn man ontrouw was; ik wist op een of andere manier dat het niet zo was. Ik zag het aan de manier waarop hij met vrouwen omging, totaal niet geinteresseerd, heel anders dan Declan, die altijd achter vrouwen aanliep, zoals zijn eigen zoon ook zag.

Wie had ooit kunnen denken dat ik nog eens van mijn moeder zou houden in plaats van haar te haten, dat ik het nog eens leuk zou gaan vinden om met haar te shoppen? Dat ik met hart en ziel van mijn eigen dochter zou houden? Dat ik mijn leven lang bevriend zou blijven met Malka, die ik had leren kennen toen we samen kippen plukten, zoveel jaren geleden nu al? De Malka die zich tot het jodendom wilde bekeren, met Shimon wilde trouwen en met hem een gladiolenkwekerij zou beginnen? En dat in de tijd dat ik veel te bang was om die Algerijnse jongen, Dov, zijn gang te laten gaan.

Ik zou willen dat Lida naar Israël was gegaan, maar uiteraard had het geen zin om erop aan te dringen.

Ze was trots op Israël, legde ze uit, maar ze was het niet eens met bepaalde dingen die ze daar nu aan het doen waren; ze wilde daaraan geen steun verlenen door erheen te gaan.

Zo is Lida, die neemt standpunten in, maakt zich druk om dingen, komt voor haar mening uit en wil graag meetellen.

Ik vind dat heel loffelijk en zelfs bewonderenswaardig. Maar het maakt het leven met haar niet altijd even gemakkelijk.

Met Max kon ik dit soort dingen nauwelijks bespreken omdat hij er bijna nooit was. Als ik een poging deed, bleef hij maar herhalen dat het hem sowieso verbaasde dat hij een dochter had. Daar had ik weinig aan en bovendien werd het eentonig.

Na bijna een kwarteeuw zou je toch denken dat hij onderhand aan het idee gewend moest zijn.

De afgelopen zomer had ik voor Malka en mij een reisje voorbereid. De bedoeling was een weekje naar Florence te gaan en daarna een weekje naar zee, op Sicilië, om bij te komen van alle toeristische uitstapjes en het museumbezoek. Het was een ontzettend raar idee dat onze kinderen ook ergens aan de Middellandse Zee zouden zijn, dat ze in dezelfde zee zouden zwemmen als wij. Maar we beseften wel dat we geen plannen moesten maken om hen te treffen, want dan zouden we ze een gevoel van verplichting opdringen en dat zouden ze ons niet in dank afnemen. We hadden allebei in onze eigen jeugd genoeg meegemaakt met onze eigen slechte, verstikkende moeders. We wisten alles van de teugels die gevierd dienden te worden. Je moest je kinderen nooit laten weten dat je ze miste.

Ik werd zo in beslag genomen door de voorbereidingen voor de reis dat ik Lida niet eens miste. Ik kan in een mum van tijd twee koffers op wetenschappelijk verantwoorde wijze inpakken. Een van de praatjes die ik bij het ontbijt of de lunch wel eens voor dames houd, gaat over 'intelligent pakken'. Iedereen vindt het altijd geweldig.

Ik vertel ze over het typen van een paklijst en over nuttige dingen om mee te nemen zoals een kleine zaklamp, je eigen favoriete kussensloop, en een kleine houten wig om deuren open te houden; vooral dat laatste is echt ontzettend handig.

Welnu, terwijl ik mijn jurken tussen vellen vloeipapier in mijn koffer stond te pakken, verscheen er een jonge man aan de deur, een man van ergens in de dertig. Ik vroeg me af of hij soms voor Lida kwam. Maar dat was niet zo, hij kwam voor Max.

'Max is weg,' zei ik, 'die komt vanavond pas thuis. Ik vertrek morgen naar Europa en vanavond eten we bij hoge uitzondering een keer samen thuis.' Ik kon hem wel een boodschap doorgeven. Wat was zijn naam?

De man zei dat ik tegen Max moest zeggen dat Alexander langs was gekomen en dat het hem erg speet. Dat hij dacht dat ik vandaag al naar Florence was en niet morgen.

Hij wist dus dat ik die week naar Florence zou gaan, maar ik had nog nooit van hem gehoord. Ik schrok er een beetje van. Hij wilde geen thee, zei verder niets over wat hij van Max wilde, maar verdween schielijk.

Die avond zei ik tegen Max: 'Alexander is langs geweest. Hij dacht dat ik al naar Florence zou zijn.'

Max keek me doordringend aan.

'Het spijt me ontzettend dat je er op deze manier achter moest komen,' zei hij.

Ik had geen idee waar ik achter was gekomen. Ik had totaal

geen sjoege, zoals Malka zou zeggen. Ik keek hem niet-begrijpend aan.

'Achter Alexander,' zei hij.

En toen was alles in één klap helder. Alles viel ineens op z'n plek. Dat Max aldoor weg was, zijn discrete houding tegenover vrouwen, de manier waarop hij me bij speciale gelegenheden aan zijn arm meevoerde, de aparte slaapkamers.

Malka vroeg me later of ik me goed geweerd had. Of ik gereageerd had zoals ik had gewild.

Het antwoord luidt ja. Ik reageerde voorbeeldig, want ik was volledig verbijsterd. De hele nacht heb ik in mijn slaapkamer klaarwakker alle stukjes van de puzzel in elkaar zitten passen. Natuurlijk was dit de verklaring. Hoe had ik zo blind kunnen zijn? Maar het is ook niet iets wat je verwacht.

Ik vrees dat ik me vervolgens ongerust begon af te vragen of verder iedereen het wél geweten had. Was ik de enige die zo onnozel was geweest om niet door te hebben dat Max van de verkeerde kant was? Terwijl de klok maar doortikte en de dageraad naderde, kwam ik tot de conclusie dat niet iedereen het wist, dat ik niet voor aap stond. Dat hielp. Misschien had dat niet gemoeten, maar het was wel zo. Ik was in ieder geval niet de risee van de hele gemeenschap.

Ik kleedde me zorgvuldig en maakte mijn gezicht op. Er zou om tien uur een auto komen om me naar het vliegveld te brengen.

Max zag er verschrikkelijk uit. Hij was heel bleek en zijn haar zat in de war. Hij had ook geen oog dichtgedaan. Hij keek naar me als een jong hondje dat weet dat hij straf gaat krijgen.

'Wat ben je van plan?' vroeg hij angstig.

'Ik zal je wel vertellen wat mijn plannen zijn als ik weer terug ben,' zei ik, koel en beleefd, een tikje afstandelijk.

De rest – het janken, het schelden, de vragen en de woede – bewaarde ik tot ik in Florence was en Malka ontmoette.

Ze wist meteen wat er aan de hand was. Malka kun je niet voor de gek houden. Ze schonk een straffe taxfree borrel in en ik vertelde haar alles, zonder ook maar iets over te slaan. Ik kan me van die vakantie weinig anders herinneren dan dat we samen aan het schreeuwen en janken waren; we zwoeren Max te zullen vermoorden, hem voor het gerecht te slepen, hem volledig kaal te plukken. We gingen hem kapotmaken, we zouden hem voor schut zetten, en op andere momenten besloten we dat we ons nobel zouden opstellen en zeiden we dat het er eigenlijk allemaal niet toe deed.

Tegen de tijd dat we naar Sicilië gingen, waren we volledig gesloopt. We huurden een auto en reden het eiland rond. We zwommen in de stralend blauwe zee en we dronken meer wijn dan ik ooit voor mogelijk had gehouden.

'Ik zal moeten afkicken als we weer in de gewone wereld terug zijn,' zei ik, hoewel ik er niet aan moest denken om mijn gewone leven weer op te pakken.

'Moet je niet eens contact opnemen met je kantoor?' vroeg Malka.

Normaal gesproken hang ik tijden aan mijn mobieltje en haal ik geregeld mijn e-mail op, waar ik ook ben. Op kantoor liep alles uiteraard ook zonder mij prima, wat me behoorlijk irriteerde.

Er was een e-mail van Lida.

Pa zegt dat hij niet weet waar je ergens zit in Italië en op kantoor zeggen ze dat je contact zou houden maar dat niet gedaan hebt, dus míjn schuld is het niet. Ik heb je overal geprobeerd te vinden, want ik wilde je vertellen dat ik mijn plannen heb veranderd en toch naar Israël ga. Ik heb Brendan in Rome ontmoet. We hadden altijd al het plan gehad elkaar daar te treffen, we hebben al twee jaar contact met elkaar en we zien elkaar geregeld. We hebben jou en Malka niks gezegd, want dan zouden jullie je er voortdurend mee bemoeien. We wilden eerst zeker zijn voordat we jullie iets zouden vertellen. En nu is het zo ver. We weten het allebei heel zeker.

Hij heeft me gevraagd of jij het aan zijn moeder wil doorgeven, want blijkbaar is ze hopeloos op technologisch gebied en verwacht ze een duif of zo met een brief in zijn snavel. O, en we willen niks horen over culturele achtergronden, traditie, geschiedenis, verschillen en meer van dat soort bullshit. Zorg jij maar dat alles goed komt tussen jou en oma en papa. Dat doe je toch wel, alsjeblieft? Je bent altijd een geweldige moeder geweest, echt waar. Brendan vindt hetzelfde van zijn moeder. Mail ons alsjeblieft waar die verdomde gladiolenkwekerij is, dan gaan wij die twee kerels opzoeken die onze vaders hadden kunnen zijn als alles anders gelopen was.

Malka en ik kennen deze brief uit ons hoofd. En zeg nu zelf, jullie zouden 'm ook uit je hoofd leren, toch? Zo'n brief die alles, maar dan ook alles rondbreit?

5

Het plan

Deel 1 – Becca

Moeder zei altijd tegen me: 'Becca, als je altijd maar een plan achter de hand hebt, kun je alles voor elkaar krijgen.' Dat zei ze bijvoorbeeld als we samen boodschappen deden in Castle Street of als we in Wasserette Fris als een Hoentje zaten te wachten tot de lakens en handdoeken droog waren, of als we koffie dronken in 't Heilig Boontje.

Moeder bedacht haar leven lang het ene plan na het andere. Zoals toen ik eenentwintig werd en mijn vader er niet over piekerde te betalen voor een groot feest. Ze ging naar het nieuwe hotel in Rossmore dat nog maar pas geopend was en wapperde daar met onze gastenlijst; er stonden een hoop belangrijke mensen op. Ze stond erop dat de hotelmanager haar niet meer dan de helft van de normale prijs zou rekenen voor het feest van haar dochter Becca, omdat ze hiermee een hoop potentiële klanten binnenbracht. En ze wist mijn vader stukje bij beetje het benodigde geld uit zijn zak te kloppen. En kijk aan: een grandioos feest voor mijn eenentwintigste verjaardag, werkelijk *iedereen* was er! Alleen maar omdat zij een plan had bedacht.

Mijn lieve moeder had het vrijwel altijd bij het rechte eind. Ze bleek zich alleen wel vergist te hebben in mijn vader. Maar wie had ooit kunnen bedenken wat die zou gaan doen? Daarvoor had je een soort helderziende moeten zijn. Vader ging ervandoor met Iris, een vreselijk ordinair mens, toen ik vijfentwintig was en mijn moeder bijna vijftig. Die vreselijke Iris was niet eens jong. Het was gewoon een lelijk vrouwspersoon in een achterlijk dik vest die in het Meidoornbos haar mormel van een hond uitliet. Moeder zei dat het minder erg was geweest als het een onnozel wicht met enorme borsten was geweest. Maar nee hoor, het mens was nota bene net zo oud als zij. Ontzettend vernederend.

Ik was zo dwaas moeder voor te stellen om naar de bron van de heilige Anna te gaan, omdat de wensen van een heleboel mensen daar verhoord werden. Ze werd niet goed bij het idee alleen al: zo'n idioot oord, daar gingen toch alleen dienstmeiden en plattelandsvrouwen naartoe? Ik moest het niet wagen er nog eens over te beginnen.

Moeder zei dat ze Iris zou vermoorden als ze de energie ervoor kon opbrengen.

Ik smeekte haar het niet te doen. 'Alstublieft, moeder, vermoord Iris nou niet. Dan wordt u gepakt en moet u de gevangenis in.'

'Niet als ik het goed aanpak.'

'Maar zoiets zou u helemaal niet goed aanpakken, moeder. En stel nu eens even dat het zou lukken. Vader zou dan alleen maar zitten treuren om Iris en daar moet u toch ook niet aan denken? Dat zou toch ook vreselijk zijn.'

Dat moest moeder met tegenzin toegeven. 'Als ik jonger was en een goed plan zou kunnen bedenken, dan zou ik Iris met gemak kunnen vermoorden,' zei ze bedaard. 'Maar ach, Becca, lieverd, ik had er veel eerder mee moeten beginnen, dan zou het wel gelukt zijn. Ik geloof dat je wel gelijk hebt, dat het waarschijnlijk verstandiger is als ik het er maar bij laat zitten.'

En gelukkig deed ze dat ook.

Vader hield nauwelijks contact. Af en toe schreef hij dat moeder hem volledig kaal plukte. Maar moeder zei dat hij en die afgrijselijke Iris elke cent hadden ingepikt waar zij recht op had en dat ons bouwvallige huis in Rossmore nog het enige was dat ze bezat. Ze zuchtte dat het een aard had en zei dat het zonde van het geld was om naast Myles Barry nóg een advocaat in de arm te nemen.

'Alsjeblieft, Becca, liever, zorg dat je een plan hebt als je ouder wordt. Doe nooit iets zonder eerst een plan te maken en begin er liefst zo vroeg mogelijk mee.'

Dat leek me inderdaad wel een goed idee, want alles wat moeder op latere leeftijd deed na een hoop getreuzel, pakte verkeerd uit, terwijl het met alles wat ze eerder had gedaan goed was afgelopen.

En dus probeerde ik bij vrijwel alles wat ik deed weloverwogen plannen te ontwikkelen. Ik werkte in de nieuwe modezaak van Rossmore, die een rijk cliënteel aantrok, en een van mijn plannen was om deze mensen op het sociale vlak beter te leren kennen. Soms lukte het, soms niet. Ik sloot ook vriendschap met Kevin, een vrachtwagenchauffeur die in zijn vrije tijd een taxi reed. Hij gaf me vaak een lift – wat erg prettig was omdat ik bijna blut was en geen geld had voor taxi's.

Kevin was een aardige vent. Hij hoestte verschrikkelijk en was een afgrijselijke hypochonder – bij een beetje hoofdpijn dacht hij altijd meteen dat hij hersenvliesontsteking had of zo – maar hij was erg gek op mij en zei dat ik hem altijd mocht bellen als ik 's avonds ergens heen moest en het regende. Ik maakte er geen misbruik maar wel gebruik van, zo af en toe.

Met moeder ging het over het algemeen niet zo best, maar eerlijk gezegd trok ik me niet al te veel van haar en haar problemen aan, omdat ikzelf door van alles en nog wat in beslag werd genomen. Want zie je, ik had net Franklin ontmoet en daardoor was alles anders geworden.

Mensen hebben altijd de grootste moeite een beschrijving te geven van iets geweldig belangrijks dat hun is overkomen, bijvoorbeeld als ze een filmster hebben gezien, of de koningin, of de president van de Verenigde Staten, of als ze iets wereldschokkends hebben meegemaakt. Ze herinneren zich wel allerlei nietige details, maar niet het hele gebeuren waar het om draait.

Alsof het veel te groot is om het te kunnen bevatten.

Iets dergelijks overkwam mij toen ik Franklin ontmoette.

Ik weet nog welke jurk ik aan had: een halterjurkje van rode zijde dat ik in een uitdragerij had opgescharreld. Ik weet ook nog het parfum dat ik op had: Obsession van Calvin Klein. Ik kon me dat merk zelf niet veroorloven, maar raar maar waar, een klant had het flesje in een paskamer achtergelaten.

Ik weet niet meer waarom ik naar het feest in kwestie was gegaan. Het was ter gelegenheid van de opening van een nieuw restaurant in Rossmore. De stad was fors uitgebreid en erg veranderd sinds mijn moeders jeugd. Er werden om de haverklap nieuwe restaurants, hotels en galeries geopend. Ik was niet uitgenodigd of zo, maar ik wist dat ze je altijd binnenlieten als je in een nette jurk kwam aanzetten. Dus ging ik een keer of twee, drie per maand naar zo'n feest en probeerde dan met deze en gene een gesprekje aan te knopen. Het was een manier om aan mijn moeder te ontsnappen en wie weet ontmoette ik op deze manier wel een bijzonder iemand.

Blond, blauwe ogen, warrig haar, een perfect gebit. Ik vond hem verbazingwekkend knap. En hij was zo aardig en relaxed. We hadden vrijwel onmiddellijk iets met elkaar. We ontdekten dat we letterlijk alles met elkaar gemeen hadden. We waren allebei dol op Griekenland en Italië, we hielden allebei van Thais eten en van skiën, en we keken allebei graag naar oude films op televisie. We waren allebei gek op grote honden, en op tapdansen, en op uitgebreide brunches op zondag.

Moeder verkeerde in een depressieve fase op dat moment en deed erg sceptisch over mijn nieuwe romance.

'Iedereen houdt toch van die dingen, Becca, onnozel kind. Ik zou me er maar niet te veel van voorstellen, lieverd, want wat hij allemaal vertelt, ligt zó voor de hand. Wie houdt er nu niet van Italië, of van *Sergeant Bilko*, of van *Dad's Army*, of van skiën! Wees toch verstandig, lieverd, laat je niet zo gaan. Alsjeblieft!'

Maar toen ze Franklin ontmoette, was ze ogenblikkelijk diep van hem onder de indruk, net als iedereen.

Hij was erg charmant tegen haar. Ze vond alles wat hij zei even heerlijk.

'Nu zie ik van wie Becca die prachtige jukbeenderen heeft.'
'U moet wel heel erg intelligent zijn, u bridget zo goed.' 'Alstublieft, mag ik u niet Gabrielle noemen? U bent nog zo jong, ik kan u toch moeilijk "mevrouw King" noemen.'

Als ik cynisch was geweest, had ik tegen haar gezegd dat het niets te betekenen had, dat hij alleen maar heel goed wist hoe hij oudere vrouwen moest vleien. Maar ik ben niet cynisch. Ik heb een zonnig, optimistisch karakter en ik zei niets. Ik glimlachte alleen maar.

En omdat Franklin, arm schaap, op dat moment geen geschikte woonruimte had, trok hij bij ons in. Een tijdje deden we alsof de logeerkamer de zijne was, maar de waarheid was dat we deze kamer heel hard nodig hadden voor al zijn spullen en dus kwam hij bij mij op de kamer.

Franklin had niet wat je noemt een echte baan, maar hij was samen met een andere man, Wilfred, een vriend van hem, een idee aan het ontwikkelen, een concept aan het uitwerken. Ze wilden samen een bedrijf beginnen. Het had iets met mobiele telefonie te maken, maar het was erg moeilijk uit te leggen. En inderdaad, erg moeilijk te begrijpen ook. Maar Franklin en Wilfred waren net twee schooljongens die met een lievelingsproject bezig waren. Ze liepen over van enthousiasme.

Moeder zei heel wat keren tegen me dat ik een plan moest bedenken om hem te behouden, want dat Franklin een parel was die je niet iedere dag tegenkwam. Ik moest me om te beginnen wat huiselijker opstellen en voor hem koken. Ik moest me ook vaker opdoffen. Als ik nu eens kleren leende uit de boetiek? Ik kon ze na gebruik toch laten stomen en weer terugbrengen? Ik moest Franklin immers laten zien dat ik een echte aanwinst voor zijn leven kon betekenen?

We waren ontzettend gelukkig met z'n allen. Moeder leerde ons – Franklin, Wilfred en mij – bridgen, en iedere avond kookte ik voor ons allemaal. Het waren vier heerlijke maanden.

Franklin en ik konden het geweldig met elkaar vinden. We waren allebei negenentwintig en hadden dus al allebei wat je noemt een verleden, maar we hadden nog nooit zo van iemand gehouden als van elkaar, op geen stukken na. Mocht het zo zijn dat onze liefde minder zou worden of we iemand anders tegenkwamen, dan zouden we niet tegen elkaar liegen, maar het meteen zeggen, zo spraken we af. Bij de gedachte alleen al schaterden we het uit! Het was zo onwaarschijnlijk dat dit ooit zou gebeuren!

Maar op een avond vertelde Franklin dat hij een meisje had ontmoet dat Janice heette en dat ze iets voor elkaar voelden. Hij vertelde het me maar meteen, want dat hadden we immers zo afgesproken. Hij keek me aan met die glimlach van hem die harten brak.

Hij keek alsof hij eigenlijk verwachtte dat ik hem zou prijzen omdat hij me over die rottige Janice had verteld. Alsof hij hiermee zijn oprechtheid en betrouwbaarheid bewees. Ik klemde mijn tanden op elkaar en forceerde een glimlach. Mijn kakement, dat schijnbaar zoveel weg had van dat van mijn moeder, deed er pijn van.

'Misschien denk je alleen maar dat je iets voor haar voelt,' zei ik. 'Als je haar beter leert kennen, merk je misschien dat het heel anders ligt.' Ik bewonderde mezelf heel erg om de manier waarop ik mijn kalmte wist te bewaren.

Maar toen zei hij dat hij het zeker wist. Hij wist het zelfs heel zeker.

'Zou je niet wachten met zoiets te zeggen tot je met haar naar bed bent geweest?' vroeg ik. Ik was ontzettend trots op mezelf vanwege mijn aanpak.

'O, maar dat ben ik al,' zei hij.

'Dat was niet precies wat we hadden afgesproken... al seks hebben voordat je het hebt verteld?' Ik hoopte dat mijn stem minder kwaad klonk dan ik me vanbinnen voelde.

'Maar ik kon het toch niet aan je vragen? Je was er immers niet,' zei hij, alsof het de normaalste zaak van de wereld was.

'Waar precies was ik niet?'

'In het hotel. Wilfred en ik hadden daar een afspraak met investeerders en er werd daar gebridget, dus hebben we meegedaan en zo ontmoette ik Janice.'

Ik besefte dat mijn bloedeigen moeder hem dit vernietigings-wapen had aangereikt. Waarom had ze Franklin verdorie leren bridgen? Als ze dat niet had gedaan, had Franklin Janice nooit ontmoet, en dan hadden we nog steeds een prachtig leven samen gehad.

Ik wist dat ik een plan moest bedenken. En dat ik mijn kalmte moest bewaren tot het zover was.

'Nou, als het zo zit, dan is het niet anders, Franklin,' zei ik met een stralende glimlach. 'Ik hoop echt dat jij en Janice heel gelukkig worden samen.'

'Je bent geweldig!' riep hij uit. 'Weet je, ik vertelde Janice dat wij die afspraak hadden, en zij zei dat jij het nooit zou pikken. Maar ik wist dat het wel zo was, dat je je aan onze afspraak zou houden. Ik had dus gelijk.' Hij stond me met een opgetogen gezicht aan te kijken, helemaal blij dat zijn vertrouwen niet beschaamd was.

Was hij gek of zo? Kon hij niet zien wat er met mij aan de hand was, dat het licht uit mijn leven verdwenen was? Hoorde hij dat klikgeluid niet in mijn hoofd, de storm die leek op te steken en die me in een werveling meevoerde? Misschien was het de schok. Misschien was ik aan het instorten. Of werd ik gek. Ik had me nog nooit eerder zo gevoeld, het leek op het gevoel dat voorafgaat aan flauwvallen. Alsof de wereld om me heen op me af kwam en zich weer verwijderde.

Maar ik mocht niet flauwvallen, ik mocht niets van zwakte laten merken. Dit was een keerpunt in mijn leven. Ik moest een plan bedenken om hem terug te krijgen, hij mocht er geen idee van hebben dat mijn wereld aan het instorten was.

Ik zei tegen Franklin dat ik me moest haasten, dat er iets onvoorziens aan de hand was in de boetiek, dat ik meteen weg moest. Ik wenste hem alle geluk van de wereld met Janice en maakte me uit de voeten. Ik had al vijf jaar niet gerookt, maar kocht een pakje sigaretten. Ik ging in de winkel aan een tafeltje zitten huilen.

Kevin kwam binnen. Hij was een zware roker en kwam bij me zitten. Hij begon mijn hand te strelen.

Maar voordat ik kon vertellen wat er aan de hand was, begon hij over zijn eigen sores te vertellen.

'Met mij gaat het ook niet zo best, hoor, Becca,' zei hij. Ik zag hoe bleek en afgetrokken hij eruitzag.

'Wat scheelt er dan aan, Kevin?' vroeg ik beleefd, al interesseerde het me geen donder.

Er zou wel iets mis zijn met de vrachtwagen, of misschien had hij te weinig werk als taxichauffeur, of wie weet had hij de lotto nét niet gewonnen – wat maakte het uit? Waarom zou het me ene moer kunnen schelen nu Franklin mij voor Janice had verlaten en de wereld voor mij had opgehouden te bestaan?

'Ik heb heel erge kanker, Becca. Ze zeggen dat opereren geen zin heeft. Ik heb op z'n hoogst nog twee maanden te leven.'

'O, Kevin, wat vind ik dat erg voor je,' zei ik, en ik meende het ook. Dertig seconden lang vergat ik Franklin en Janice en mijn plan. 'Ze zijn erg goed in het ziekenhuis tegenwoordig,' stelde ik hem gerust. 'Ze geven je vast een hele berg pijnstillers.'

'Ik ga het niet afwachten, Becca. Ik wil me niet iedere ochtend bij het wakker worden afvragen of dat mijn laatste dag zal zijn.'

'Wat wil je dan?'

'Ik knal met mijn vrachtwagen tegen een muur. Splatsj,' zei hij. 'Zo gebeurd. Dan hoef ik me tenminste niet meer druk te maken. Ik heb geen zin om rond te blijven hangen, me steeds maar afvragend wanneer het gaat gebeuren.'

Op dat moment begon mijn plan gestalte te krijgen.

Ineens werkte mijn brein op volle toeren en had ik het gevoel dat ik honderd dingen tegelijk aankon. Het was een erg gewaagd en krankzinnig plan. Maar het had een hoop aantrekkelijks. Alles zou in één klap worden opgelost.

Als hij zichzelf de dood in ging jagen, kon hij Janice mooi met zich meenemen.

Hij zou hoe dan ook doodgaan en hij was bang om de dood af te wachten, dus waarom niet gezorgd dat hij en Janice tegelijk uit het leven stapten?

Ik moest ontzettend slim te werk gaan en hij mocht het niet

weten. Hij mocht niet het geringste vermoeden krijgen van wat ik zat uit te denken.

'Ik vind dat je helemaal gelijk hebt, Kevin. Als zoiets mij zou overkomen, zou ik precies hetzelfde doen. Op een dag is het natuurlijk ook mijn beurt. En dan zal ik precies zo doen als jij. Eruit stappen wanneer ik vind dat het tijd is, niet wanneer iemand anders dat vindt.'

Hij was volledig overdonderd. Hij had verwacht dat ik hem zou smeken het alsjeblieft niet te doen.

'Maar weet je wat ik denk, Kevin? Volgens mij kun je het beter met een taxi doen dan met je eigen vrachtwagen. Taxi's verongelukken aan de lopende band. Het zou er natuurlijker uitzien als er een onderzoek wordt ingesteld. En dat is dus beter voor je levensverzekering. Beter voor je moeder of zo.'

'Ik snap het,' zei hij langzaam. 'Ze betalen zeker niet uit als ze denken dat het zelfmoord is?'

'Het schijnt van niet.'

'Wat lief van je, Becca, dat je zo geïnteresseerd bent. Maar waarom zit je zelf zo in de put?'

'O, er is niks aan de hand, Kevin, vergeleken met jouw problemen is er helemaal niks aan de hand. Ik heb ruzie gehad met mijn moeder, maar dat komt vanzelf wel weer goed.'

'Maar met jou en Franklin is alles in orde?' vroeg hij.

Ik geloof dat Kevin altijd een oogje op me heeft gehad. Natuurlijk heb ik nooit laten merken dat ik dat wel in de gaten had. Maar hij mocht beslist niet weten wat Franklin had gedaan.

Ik stelde hem gerust. 'O, met Franklin en mij gaat het geweldig, geen vuiltje aan de lucht,' zei ik. Alleen die gedachte al maakte dat ik ophield met sniffen. Kevin gaf me een papieren zakdoekje en ik veegde mijn ogen droog. Alles zou weer in orde komen.

Ik had alle tijd om me met Kevin te bemoeien. 'Kom mee, Kevin, dan trakteer ik je op Chinees,' zei ik. Hij keek zo dankbaar, zielig gewoon.

'Vindt Franklin dat wel goed?' vroeg hij.

'Franklin laat me doen waar ik zin in heb,' antwoordde ik.

'Als je mijn meisje was, zou ik precies hetzelfde doen,' zei Kevin.

Het werd een ellenlange, vreselijk deprimerende maaltijd; Kevin vertelde me alles over zijn ziekte en zijn wens om dood te gaan. Ik zei dat hij groot gelijk had en knikte maar steeds meelevend. Intussen hoorde ik geen woord van wat hij zei, ik zat maar te broeden. Kevin zou het voor me opknappen. Kevin zou mijn plan uitvoeren.

Ik zou net doen alsof ik erg enthousiast was over die rottige Janice, ik zou haar vriendin worden.

En dan zou ik haar het nummer geven van Kevin, omdat hij zo'n betrouwbare taxichauffeur was. Natuurlijk zou Kevin geen nietsvermoedende passagier willen meenemen, of liever gezegd doodmaken. Dus moest ik hem wijsmaken dat Janice ook aan een verschrikkelijke ongeneeslijke ziekte leed en mij gevraagd had haar te helpen een snelle methode te vinden om uit het leven te stappen. Ik had een uitdagende rol te spelen. Ik moest hem niet alleen schrijven maar zelf ook nog acteren. Maar het moest gewoon gebeuren. Het was een perfect plan. Niemand zou me ooit verdenken, want ik zou me gedragen als de goedheid zelve, als iemand die overliep van menselijkheid en naastenliefde.

'Ik weet niet wat ik zonder jou zou moeten, Becca,' zei Kevin wel tien keer tegen me tijdens het eten.

'En ik weet niet wat ik zonder jou had moeten beginnen, Kevin,' antwoordde ik, geheel naar waarheid.

Wilfred, Franklins vriend en zakenpartner, stond paf van mijn houding.

'Jij bent werkelijk een vat vol verrassingen,' zei hij. 'Ik dacht dat je als een duivelin tekeer zou gaan, maar ik zat er helemaal naast.'

Ik liet een tinkelende lach horen. 'Franklin en ik hadden een afspraak met elkaar, Wilfred,' zei ik en ik zag met hoeveel ontzag hij naar me keek. Ik schonk hem een glimlach waarvan ik hoopte dat zijn hart zou breken en dat van Franklin op de koop toe.

Mijn moeder was verbijsterd toen ik tegen haar zei dat het geen enkele zin had om me aan Franklin vast te klampen als hij niet vastgehouden wilde worden. Ze schudde verwonderd haar hoofd en zei dat ik altijd nog veel onevenwichtiger dan zijzelf was geweest en dat het dan ook onbegrijpelijk was dat ik zo rationeel reageerde.

Ik zei tegen Franklin dat hij geen haast hoefde te maken met verhuizen. Maar dat hij wel in de logeerkamer moest gaan slapen, omdat de dingen nu zo anders waren. Zelf ging ik vaak uit. Meestal met Kevin. Dat leek me wel zo aardig. Maar het belangrijkste onderdeel van mijn hele plan was natuurlijk om Janice te leren kennen.

Ze bleek pas negentien te zijn, dat was de eerste klap die ik te verwerken kreeg.

Bovendien was ze niet in kleren geïnteresseerd, dus hoefde ik ook niet te proberen haar te lokken met koopjes uit de boetiek. Ze hield niet van koken, dus met recepten hoefde ik dus ook niet aan te komen. Maar hóé moest ik dan met haar in contact komen?

Zoals zo vaak in het leven lag de oplossing in het bridgespel. Ik vroeg de weerzinwekkende Janice of ze me een plezier wilde doen: wilde ze mijn bridgepartner zijn op een damesavondje voor het goede doel? Omdat ik zo aardig tegen haar was geweest en me zo ontzettend welopgevoed had gedragen door haar Franklin zonder mopperen af te staan, kon ze eigenlijk niet anders dan ja zeggen.

We gingen die eerste avond heel prettig met elkaar om en ze zei meer dan eens dat ze mij en mijn generatie zo bewonderde om onze opvattingen over de liefde. Ze hoopte dat ze zelf op dat terrein ook zo zou groeien.

Ik weerhield mezelf ervan haar aan de bridgetafel eigenhandig de keel dicht te knijpen. Ik had immers een veel beter plan.

We wonnen het toernooi en spraken af de week erop weer samen te spelen tijdens een ander liefdadigheidsavondje in het Rossmore Hotel. In veel opzichten was ze heel leuk om mee om te gaan. Ze studeerde aan de universiteit, maar had een overvloed aan geld en tijd tot haar beschikking. Ze gedroeg zich welopgevoed en speelde een goed partijtje bridge, ik kan niet anders zeggen. Ze was wel erg jong en puberaal uiteraard, ze leek nog het meest op een nichtje of buurmeisje.

Natuurlijk voelde ik af en toe wel iets van berouw; je zou kunnen zeggen dat het me een beetje dwars zat dat ik een negentienjarig meisje de dood in wilde drijven. Ik ben tenslotte ook maar een mens. Wie zou zoiets niet voelen? Maar ja, ze was tussen mij en mijn enige grote liefde gekomen, en er was geen sprake van dat iemand haar hem of hem haar uit het hoofd kon praten.

Er zat gewoon niets anders op.

Dus bleven Janice en ik samen bridge spelen. We hadden al verscheidene keren samen gespeeld toen ik. de avond uitkoos waarop het moest gebeuren.

Franklin had het er namelijk over om te verhuizen. Ik smeekte hem om nog een paar dagen te blijven. 'Je kunt toch gewoon bij Janice blijven slapen,' zei ik liefjes. 'Je hoeft echt al je spullen niet nu al te verhuizen.'

Mijn plan kon alleen slagen als hij nog bij ons woonde als Janice stierf.

Kevin was onderhand behoorlijk lastig aan het worden.

Hij begon bedenkingen te krijgen. Hij zat er nog het meest mee dat hij een passagier met zich mee de dood in zou nemen. Hij vond dat hij er eigenlijk eerst met haar over zou moeten praten, hij wilde haar vragen hoe ze het 't liefst had. Zo vroeg hij zich af of ze misschien niet voor de crash een slaapmiddel wilde nemen.

Ik zei dat er geen denken aan was dat ze van gedachten zou veranderen. Wanneer Kevin en ik alle details doornamen, was dit voor hem steeds weer het struikelblok. Stel dat ze zich op het allerlaatste moment bedacht. Dan kon hij niet meer stoppen. Dan zou het te laat zijn.

Nee, zei ik, dit zou beslist niet gebeuren. Steeds weer legde ik uit dat Janice een verschrikkelijke ziekte had die nu al zijn tol eiste en die haar uiteindelijk ondraaglijke pijn zou bezorgen.

Montag 2.30 Messe

SIST

Washington
Vaccine

154 Heppekailin

Freddie 28 Febr.
Vienna 19 Febr.

Maar behalve deze vernietigende ziekte had zich bij haar ook een persoonlijkheidsstoornis geopenbaard. Ze had mij gevraagd alles zo te regelen dat ze nergens meer over zou hoeven denken of praten.

Kevin zei dat hij alleen maar het beste wilde. Hij was echt een aardige, empathische man. Soms stond ik mezelf toe te bedenken hoeveel gemakkelijker mijn leven zou zijn geweest als ik van iemand als hij had gehouden. Maar ik wilde geen tijd verdoen met dit soort speculaties. Sinds het moment dat Franklin me over Janice had verteld, was ik extreem gefocust.

Soms vroeg Kevin zich af of hij er wel goed aan deed zichzelf van het leven te beroven. Kon hij eigenlijk wel over zijn eigen leven beschikken? Ook daar had ik een antwoord op. Er werd altijd gepreekt over een liefhebbende God die alles begreep. Dus zou deze God ook begrijpen dat Kevin niet lijdzaam wilde wachten op wat onvermijdelijk gebeuren ging. Dat hij de zaken alleen maar wat bespoedigde. Voor iedereen. Meestal had mijn gepraat na tien tot vijftien minuten het gewenste effect, maar het was wel ontzettend vermoeiend.

In die periode zeiden moeder, Franklin, Wilfred, de mensen van mijn werk en zelfs die arme Kevin dat ik niet helemaal mezelf leek. Ik zag er nogal verwilderd uit, vonden ze. Uit het lood geslagen, zei moeder. Maar ik deed extra make-up op en grijnsde spookachtig.

Eindelijk brak de grote dag aan, de dag waarop het autoongeluk zou plaatsvinden. Ik sprak Kevin die ochtend en verzekerde hem dat het echt het beste voor hem zou zijn en dat wat wij samen voor Janice deden ook het enig juiste was. Hij kwam precies volgens planning aanrijden op het moment dat Janice en ik op de stoep van het hotel stonden waar het bridgeevenement voor het goede doel had plaatsgevonden.

'O, kijk, Janice,' zei ik opgetogen. 'Daar is een taxi voor je.'

'Geweldig, Becca, iedereen moet altijd heel lang zoeken naar een taxi, maar jij vindt er meteen een.' Ze keek me met oprechte bewondering aan.

Kevin stapte uit en kwam omlopen om de deur voor zijn passagier open te maken. Hij en ik grepen elkaars handen.

Janice zou teruggaan naar haar flat, waar Franklin zich later bij haar zou voegen. Hij en Wilfred hadden weer eens een zakelijke afspraak. Ik zei dat ik moest rennen omdat mijn bus eraan kwam en we gingen immers allebei een andere kant op.

'Dag, lieve Becca, je bent geweldig,' zei Kevin.

'Zie je nu wel, Becca, iedereen is dol op jou,' zei Janice jaloers terwijl ze ten afscheid naar me zwaaide.

Ik ging naar huis, praatte een hele poos met mijn moeder en ging toen naar bed. Franklin belde op om te vragen hoe laat we van het bridgen waren weggegaan, omdat Janice nog niet terug was. Ik zei dat ik het niet begreep, want een heleboel mensen hadden haar al uren geleden in een taxi zien stappen. De volgende ochtend belde hij weer. Ze was nog steeds niet thuisgekomen.

Ik leefde erg mee en zei dat ik geen idee had van wat er kon zijn gebeurd.

Die middag belde Franklin opnieuw op om te vertellen dat de lieve kleine Janice dood was, net als de taxichauffeur. Ze waren tegen een muur gereden. Iedereen was verbijsterd. Franklin verhuisde niet, omdat hij volledig verpletterd was, maar weldra begon hij weer van mij te houden. Het had allemaal volmaakt kunnen aflopen maar dat gebeurde niet, en dat was de schuld van Kevin.

Ik had gelijk gehad.

Hij hield van me.

Hij had een levensverzekering afgesloten met mij als begunstigde. Ik zou een klein fortuin krijgen. Maar dit haalde mijn hele plan onderuit. Niemand zou me ooit met de hele toestand in verband hebben gebracht als die polis er niet was geweest.

Die polis en de brief die Kevin had achtergelaten. Hij bedankte me voor alles wat ik voor hem had gedaan.

Nu wordt de zaak van alle kanten onderzocht. Door de verzekeringsmensen, de politie, iedereen. Heel Rossmore praat nu over mij. Ze zeggen dat de moeder en zussen van Janice naar die idiote bron in het bos zijn gegaan en dat er een soort processie achter hen aan liep. Alsof ze daardoor terug zou komen! De mensen zeggen dat ik spijkerhard ben. Dat ben ik nooit geweest, ik was altijd zo lief als een klein katje.

Natuurlijk hoeft het niet zo te zijn dat ik van iets beschuldigd word. Maar Franklin is een beetje bang van me. Hij zei er niets over, maar vorige week is hij begonnen met verhuizen.

En het was zo'n schitterend plan. Was Kevin maar niet zo genereus geweest. Hij probeerde me iets na te laten toen hij een eind aan zijn leven maakte.

In plaats daarvan ontnam hij me alles waarvoor ik leefde.

Deel 2 – Gabrielle

Al mijn vrienden van de bridgeclub zijn ontzettend aardig voor me. Echt waar.

Ze kijken elkaar woedend aan als iemand per ongeluk iets zegt over de gevangenis, moord en doodslag, veroordeelden of dat soort dingen. Ze vinden het erg dapper van me dat ik Becca iedere week in de gevangenis ga opzoeken en dat ik met opgeheven hoofd door Rossmore loop. Maar het is helemaal niet zo moeilijk zelfverzekerdheid uit te stralen. Het heeft voornamelijk te maken met hoe je eruitziet. Ik heb dat altijd al geweten, maar ik had nooit genoeg geld om er op mijn best te kunnen uitzien.

Mijn ex Eamon, die rotzak, heeft me zonder een cent laten zitten toen hij er met die ordinaire Iris, dat afgrijselijke mens, vandoor ging. Niet te geloven hoeveel geld ik steeds weer kwijt was aan het onderhoud van het huis... Ik zat voortdurend in geldnood. Om die reden ben ik nu ook zo blij met de roddelpers.

Ik weet wel dat we roddelblaadjes vreselijk horen te vinden en dat je ze alleen maar in huis haalt voor de meid of zo, maar ze waren enorm geïnteresseerd in wat de arme Becca had gedaan en stiekem was ik daar erg blij mee. Eén blad kocht het verhaal over Becca's jeugd en schreef erover onder de kop 'Wat maakte haar tot de vrouw die ze geworden is?' Een ander blad kocht materiaal over haar leven als verkoopster in die chique boetiek. Ik had eigenlijk een smak geld van die arrogante madam van de winkel moeten krijgen, want ik wed dat haar omzet sindsdien verdubbeld is.

Er verscheen ook een verhaal over hoe Becca veranderd was sinds haar vader, die rotzak van een Eamon, uit huis was gegaan. Ik vond het heerlijk om te helpen bij het schrijven. Ze zeiden nergens dat ik eraan had meegewerkt, maar ik heb ze alle informatie en alle foto's verstrekt. Ze konden er verscheidene artikelen mee vullen.

Natuurlijk vond ik voorpaginakoppen als 'Wat er omging in het hoofd van de moordenares' niet prettig, maar aan de andere kant verkochten deze kranten er erg goed door, en veel mensen vonden toch al dat die arme sufferd van een Becca een moordenares was.

Iedere keer als ik bij haar langskwam, vroeg ze hoe de verslaggevers al die details toch te weten waren gekomen. Ik verzekerde haar dat ik ze niets nieuws had verteld, dat ze alles al wisten. En wat ze niet wisten, verzonnen ze er gewoon bij. Zoals dat idiote verhaal dat de arme Becca naar de bron in het Meidoornbos was gegaan om de heilige Anna te smeken dat die ervoor zou zorgen dat Franklin van haar hield.

'Dat heb ik nooit gedaan, moeder, dat weet u ook wel,' snikte ze.

Ik gaf klopjes op haar schouder om haar te troosten. Natuurlijk wist iedereen dat het onzin was. Ze verzonnen van alles bij elkaar...

Speciaal voor dat verhaal hadden ze me erg veel geld geboden. Het gaf de pers een goede reden om naar hartenlust bij die vreselijke bron te fotograferen. Nou, dat verkocht me een kranten! Uiteraard wist Becca hier niets van en ik stelde haar gerust en bracht haar in herinnering dat ik erin geslaagd was Franklin niet in het verhaal te betrekken. Natuurlijk was ze daar erg dankbaar voor. Als ze uit de gevangenis kwam, zou ze natuurlijk met hem gaan trouwen en ze wilde niet dat hij tot die tijd op een onprettige manier in de belangstelling zou staan.

Ze had hem gesmeekt haar te komen opzoeken, en ik vertelde haar uiteindelijk maar dat er voortdurend verslaggevers om de gevangenis heen hingen en dat die hem in de peiling zouden krijgen. Dan zou het gedaan zijn met de privacy die we met zoveel moeite hadden weten te bewaren. Ze zag wel in hoe belangrijk dat was.

In de gevangenis waren ze best aardig eigenlijk. Ze deden echt hun best voor de gevangenen, wat een hele toer moet zijn gezien het soort mensen met wie ze meestal te maken hebben. Becca is natuurlijk heel anders en dat zien zij ook, maar dat kan toch ook niet anders? Becca is een echte dame en bovendien is haar karakter niet misdadig. Ze staat mijlenver boven alle anderen, maar gaat niettemin heel prettig met ze om, wat een onmiskenbaar teken van beschaving is.

Tijdens recreatie leert ze borduren van een van de cipiers, een heel aardige vrouw die Kate heet. Becca zegt dat het een rustgevende bezigheid is. Ze noemt het zelfs therapeutisch. Ze heeft me een werkelijk afzichtelijk kussensloopje gegeven en ik heb haar wijsgemaakt dat het een ereplekje in de salon heeft gekregen. Die arme, lieve Becca! Ze denkt dat ze al heel gauw thuis zal zijn om het zelf te zien. Ze overleeft deze uitzichtloze toestand door alles compleet te ontkennen. Het is een manier om het allemaal aan te kunnen en bij Becca werkt het erg goed. Ze is aan een grote sprei voor haar bed begonnen met de namen 'Franklin' en 'Rebecca' door elkaar geborduurd.

Ik moet mezelf er steeds aan herinneren dat ik geen dure kleren aantrek als ik Becca opzoek, want die ziet haute couture al van kilometers afstand. Dat komt door al die jaren in de boetiek. Ze weet dat ik me normaal gesproken geen Prada- of Joseph-jasje kan permitteren. Dus draag ik wat ik mijn gevangeniskloffie noem als ik naar haar toe ga, anders zou ze wel eens verband kunnen gaan leggen tussen de verhalen in de roddelpers en de nieuwe garderobe van haar moeder.

Becca is er met het verstrijken van de weken en maanden een

stuk beter uit gaan zien. Ze loopt goed rechtop en ze zit niet meer steeds aan haar haren te frunniken. Het is recht afgeknipt, en zit goed in model. Een van de cipiers, Gwen, een vriendin van Kate, die aardige, heeft blijkbaar een kappersopleiding gehad en zij knipt alle gevangenen regelmatig. Ze mogen zelf geen schaar vasthouden, uiteraard. Wat in Becca's geval natuurlijk belachelijk is. Alsof ze ooit iemand met een schaar te lijf zou gaan.

De laatste tijd lijkt het wel alsof ze veel rustiger is dan toen ze nog in de echte wereld leefde, alsof ze een bepaald soort vrede gevonden heeft. Ze is erg druk met het uitzoeken van de juiste kleurnuances voor haar borduurwerk en ook de vraag of ze gekozen zal worden voor een netbalteam houdt haar erg bezig. Becca! Wie had ooit kunnen denken dat ze zich nog eens voor sport of borduren zou interesseren? Maar ja, wie had ook maar iets van deze hele toestand kunnen voorzien?

Soms vragen de persmuskieten mij of ik geen medelijden heb met de arme Janice die door toedoen van Becca nietsvermoedend haar dood tegemoet ging, maar dan herinner ik ze eraan dat ze mij niet mogen citeren; ze kunnen dus niet ingaan op mijn meningen en mijn verdriet dat natuurlijk heel erg groot is. Maar als ze zich tegen me dreigen te keren, voer ik ze weer een foto van Becca of een kruimeltje nieuws over de feestjes, openingen en recepties waar ze vroeger onuitgenodigd naartoe ging. En dan komt er weer een verhaal over haar in de krant waarin ze als een partybeest wordt neergezet.

Het idee!

Jullie weten toch wel wat er allemaal gezegd wordt over mensen die achter de tralies verdwijnen? Nou, volgens mij kloppen die verhalen allemaal wel. Becca interesseert zich nog nauwelijks voor wat er allemaal gebeurt buiten dat vreselijke oord waar ze zit opgesloten. Ze vertelt vreselijke verhalen over lesbische verhoudingen tussen gevangenen, en zelfs tussen gevangenen en bewaarders. Het enige wat haar nog met de buitenwereld verbindt, is haar toekomst met Franklin.

Het is natuurlijk fantastisch dat ze zo positief is over alles, maar het lijkt erop dat ze alle contact met de werkelijkheid kwijt is, want ze realiseert zich blijkbaar niet hoelang ze nog vast zal zitten. En ze heeft het ook nog geen enkele keer gehad over wat voor afschuwelijks ze heeft gedaan. Ze wuift het min of meer weg.

En het was toch verschrikkelijk. Franklins verloofde vermoorden, of haar laten vermoorden, wat minstens even erg is. 'Een vooropgezette moord in koelen bloede,' zei de rechter toen hij na het unanieme oordeel van de jury het vonnis uitsprak. Ze heeft het niet één keer gehad over Janice, en zelfs niet over die zielige knaap, die Kevin, die achter het stuur zat. Nee, ze heeft helemaal niets losgelaten over die bewuste avond.

En ik wilde haar niet van streek maken. Het arme schaap, haar leven had een geheel andere wending genomen dan ze zich had voorgesteld.

Dus als ze over Franklin en hun gezamenlijke toekomst praatte, deed ik geen enkele poging haar daarvan te weerhouden. Toen ze eenmaal had ingezien dat hij haar niet kon komen opzoeken, hield ze op met naar hem te vragen of naar wat hij aan het doen was.

Dat was een opluchting.

Het was zelfs een geweldige opluchting. Want ik vond het steeds moeilijker om antwoord te geven op haar vragen. Ik probeerde haar te vertellen over de bridgeclub, maar daarvoor kon Becca totaal geen belangstelling meer opbrengen; ze reageerde nauwelijks toen ik haar vertelde over mijn grand slam. Ik geloof dat het eigenlijk niet eens tot haar is doorgedrongen dat ik tegenwoordig meestal met Wilfred en Franklin speel, met steeds iemand anders als vierde speler. Maar ja, bridge is misschien ook een beetje een teer onderwerp voor haar, omdat Janice Franklin bij het bridgen heeft ontmoet en zij en Janice samen bridgeden.

Dus misschien is het maar het beste om het niet meer over bridge te hebben.

Het probleem is dat er eigenlijk zoveel dingen zijn waarover ik het maar beter niet kan hebben. Ik praat tegenwoordig met haar over welke kleur een draad heeft, cerise of fuchsia. Of we hebben het erover dat het voor cipier Kate met haar salaris zo moeilijk is om haar twee kinderen te onderhouden. Of ik luister naar haar verhalen over Gloria's aflopende romance met Ailis, of over het netbalteam: dat de toelating onderhand echt een politiek spelletje is geworden.

Of ik hoor verhalen aan over prostituees, drugsverslaafden of vrouwen die hun man uit zelfverweer hebben vermoord. Wat een griezelige toestand toch in zo'n gevangenis. Mijn ex Eamon, die rotzak, heeft gevraagd of Becca het prettig zou vinden als hij haar kwam opzoeken. Geen denken aan, zei ik. Voordat deze hele toestand er was, keek hij ook niet naar haar om, en nu zou hij haar alleen nog maar meer van slag brengen. Zo, daar kon hij het mee doen.

Kate neemt me wel eens apart als ik op bezoek kom, om me te vertellen hoe goed Becca zich heeft aangepast en hoe geliefd ze is bij de andere gevangenen. Alsof het mij plezier doet dat die verschrikkelijke vrouwen mijn Becca aardig vinden. Maar Kate bedoelt het goed. Ze kan het ook niet helpen dat ze geen bevoorrechte jeugd heeft gehad, en zoals ik van Becca gehoord heb, is Kate net als ik een slachtoffer: haar man heeft haar laten zitten. Welbeschouwd zijn het allemaal schoften, stuk voor stuk.

Dus begon ik voor Kate ook kleine cadeautjes mee te nemen als ik op bezoek kwam. Niks bijzonders, hoor, gewoon een lekker zeepje of een glossy. Of een potje tapenade. Ik geloof dat ze niet eens wist wat het was, de arme schat, maar toch was ze er blij mee. En zoals ik al zei, ze kan er ook niets aan doen dat ze niet zo'n goede opvoeding heeft gehad. Ze was in ieder geval erg goed voor mijn Becca.

Franklin was opgelucht dat ik voor hem geregeld had dat hij niet op bezoek hoefde te gaan. Het was echt een pak van zijn hart, denk ik. Maar Wilfred, die altijd zo beleefd was en bang om iets verkeerd te doen, vroeg of hij niet bij Becca langs zou moeten. Ik heb er een poosje over nagedacht, maar toen heb ik tegen hem gezegd dat het misschien maar beter was van niet. Wat zou hij haar te zeggen hebben? Ook hij was toen enorm opgelucht. Ik wilde Wilfred daar ook helemaal niet hebben met zijn geblabla... Hij had er een handje van om de verkeerde dingen te zeggen. En trouwens, hij wilde alleen maar beleefd zijn.

Hij was nog altijd Franklins partner in die mysterieuze mobieltjesbusiness, ze waren bezig iets te downloaden, of uploaden, of offloaden op draagbare telefoons van klanten, zoiets. Toen vroeg de moeder van die arme Janice of ze Becca mocht bezoeken, maar ik zei tegen Kate dat ze tegen de autoriteiten moest zeggen dat ze daar verkeerd aan zouden doen. Die arme vrouw is zo'n dubieuze wedergeboren christen of zoiets. Ze dacht dat Becca vrede zou vinden als ze haar ging vertellen dat ze haar vergeven had, maar ik geloof eerlijk gezegd dat Becca Janice compleet vergeten is, en dus heb ik gezegd dat de moeder van Janice maar beter niet kon komen. Blijkbaar heeft Kate die boodschap goed doorgespeeld, want ze is uiteindelijk niet gegaan.

Het leven ging dus weer zijn gangetje, en raar maar waar: alles was anders, maar toch bleef er wel een normaal ritme. We bleven twee keer per week bridgen. En Becca's vader, Eamon, die rotzak, belde me steeds op als er weer eens iets nieuws in de roddelbladen stond – blijkbaar leest die vreselijke vrouw van hem niets anders.

'Hoe weten ze dit toch allemaal?' schreeuwde hij dan weer in de telefoon.

Dan haalde ik mijn schouders op en zei ik dat ik geen idee had. We zagen elkaar nooit en dus kon hij niet weten wat voor dure kleren ik tegenwoordig draag of dat ik een sportauto heb aangeschaft. Of dat ik iedere dag een werkster over de vloer heb en dat iedere week de tuinman komt. Daar heeft hij ook niets mee te maken. Hij had zich immers nergens iets van aangetrokken toen hij zijn vrouw en kind in de steek liet?

Iedere week nam ik een taxi naar de gevangenis en dan vroeg ik de chauffeur te blijven wachten bij de bushalte om de hoek. Daarna sloot ik me aan bij de andere bezoekers, opende mijn tas ter controle en liet me visiteren voordat ik naar mijn dochter ging. Ik wilde niet dat iemand Becca vertelde dat er een taxi op me wachtte. Ze zou zich dan afvragen waar ik het geld vandaan haalde. Uiteindelijk deed ik het alleen maar voor haar gemoedsrust en voor haarzelf; ik kon haar op deze manier iedere week bezoeken zonder al te veel stress en gedoe.

'Kate is erg goed voor me, moeder,' zei ze op een dag.

'Ja, inderdaad,' zei ik. Ik vroeg me af waar ze heen wilde.

'Ik vroeg me af of u haar op haar vrije dag niet een keertje op de thee zou kunnen vragen, moeder.'

'Nee, lieverd, geen sprake van,' zei ik.

'Alstublieft, moeder.'

Becca wist totaal niet meer hoe het er in het normale leven aan toeging. Hoe kon ik zo'n armoeiig vrouwspersoon die in een flatje van de gemeente woonde en als cipier in de gevangenis werkte, nu bij mij thuis uitnodigen?

'Het spijt me, Becca, maar daar is geen denken aan,' zei ik kortaf.

Becca was erg teleurgesteld, dat kon ik aan haar gezicht zien. Maar ik piekerde er niet over. Ze zei niets meer, maar ging als een razende verder met borduren. Toen ik terugliep naar mijn taxi vroeg ik me af waarom ik in godsnaam de moeite had genomen haar op te zoeken. Ze was toch zo ondankbaar voor alles wat ik voor haar deed! Was het dan nog niet genoeg dat ik al die presentjes voor Kate had meegenomen? Maar nee, bij Becca kon er nog geen bedankje af. Maar misschien had die vrouw er wel niets over gezegd.

Hè, wat lastig toch allemaal! Ik bedoel maar, die Kate was maar gewoon gevangenbewaarster. Hoe kwam Becca toch op het idee dat ik haar bij me thuis zou willen ontvangen? Ik kon haar onmogelijk laten zien hoe wij woonden.

Terwijl de taxi wegreed, meende ik Kate te zien die bedachtzaam naar me keek, maar dat moet verbeelding zijn geweest. Als ze me gezien had, zou ze wel naar me toe gekomen zijn om een praatje te maken, ze zou daar niet zo zijn blijven staan. Ik hoopte in ieder geval maar dat ze niet tegen Becca zou vertellen dat ik een taxi had genomen. Maar toen schudde ik mezelf eens flink door elkaar en zei tegen mezelf dat ik me geen muizenis-

sen in mijn hoofd moest halen. Dat kreeg je nu eenmaal als je in die afgrijselijke gevangenis op bezoek moest.

Toen ik thuiskwam, zaten de jongens me al op te wachten met een groot glas whisky met ginger ale. De schatten! Als ik uit de gevangenis kom, vragen ze altijd naar Becca en dan zeg ik altijd dat het te verschrikkelijk is om over te praten en dat ik behoefte heb om een hele tijd in bad te liggen. Je hoeft maar even in de gevangenis te zijn of je gaat je erg vies voelen. Het was heerlijk om te midden van de geurige bubbels van mijn borrel te genieten. Het leven was zoveel beter dan het geweest was. Verbluffend werkelijk. Dat het bezit van voldoende geld alles zoveel plezieriger kan maken.

Ik maak me tegenwoordig nooit meer druk over reparaties aan het dak, over de aanschaf van een handtas bij een nieuwe jurk, over een goed wijntje in een restaurant. Ik vind het onderhand niet meer dan normaal dat mijn ochtendjas van zijde is en dat ik mijn slaapkamer opnieuw heb laten inrichten. Die avond zou ik de fantastische nieuwe avondjurk dragen, die ongeveer evenveel gekost had als onze eerste auto. Heel erg mooi, maar eigenlijk had ik er ook nieuwe schoenen bij nodig. Misschien kon ik een nieuw verhaaltje bedenken voor die weerzinwekkende pers. Iets in de trant van 'Becca, bordurend aan een nieuwe toekomst', met een beschrijving van de beddensprei die ze aan het maken was. Ja, dat was een goed idee, een aantal mensen in de gevangenis zou hierdoor in een bedenkelijk daglicht komen te staan. Kate bijvoorbeeld, met haar uitgestreken gezicht.

Ik keek naar mezelf in de spiegel.

Helemaal niet gek voor mijn leeftijd. Alleen nog nieuwe schoenen, dan was het volmaakt.

Franklin stond onder aan de trap. Wilfred was al vooruit gegaan naar het restaurant en zou daar aan een tafeltje op ons wachten. Een speciaal dineetje in een nieuw restaurant. Ik trakteerde. Ik trakteerde altijd. Maar, zei ik bestraffend tegen mezelf, niet zo bitter, Gabrielle, doe daar nu niet moeilijk over. De jongens zijn nog maar net in zaken, ze bereiken de top heus nog

wel. Ze hebben alleen op dit moment nog geen geld, de arme schatten.

'Je ziet er prachtig uit,' zei Franklin. Het was echt plezierig om je op te doffen voor mensen die het wisten te waarderen. Eamon, die rotzak, zag nooit wat ik aanhad.

'Dank je,' zei ik, spinnend van genoegen.

'Vraagt ze helemaal nooit naar mij?' vroeg hij onverwachts.

'Nee, nu ja, eh, we hadden toch met z'n allen bedacht dat het beter voor haar was als je geen contact met haar had tot... ach, je weet wel, tot ze er weer uitkomt.'

'Maar, Gabrielle...' Hij keek me onthutst aan. 'Dat duurt nog járen!'

'Dat weet ik,' zei ik. 'Maar ze is geweldig sterk, daar zou je nog van staan te kijken. Jij en ik zouden er helemaal aan onderdoor gaan als we daar zouden zitten, maar Becca niet, die beschikt over leeuwenmoed.'

Hij keek me liefhebbend aan.

'Jij maakt alles voor mij zoveel draaglijker,' zei hij, met een dankbare blik in zijn ogen.

'Kom op, Franklin, anders zijn we te laat,' zei ik. We liepen de trap voor ons huis af en langs het nieuwe smeedijzeren hek met de verstrengelde lathyrus en kamperfoelie. Net voordat we de auto in stapten meende ik Kate te zien die op straat naar ons stond te kijken.

Maar dat moest een hallucinatie zijn.

Wat had die nu in onze buurt te zoeken?

De volgende dag meende ik haar alweer te zien. Maar dat was toch onmogelijk? Om de een of andere reden werd ik er toch onrustig van en ik besloot een cadeautje voor haar te kopen en bij mijn volgende bezoek aan de gevangenis een praatje met haar aan te knopen. Wie weet was Becca zo stom geweest om haar uit te nodigen voor een kopje thee bij mij thuis. En misschien had ze nu de smoor in omdat er van die uitnodiging niets gekomen was.

Belachelijk, natuurlijk, maar wie weet nu wat voor gedachten dat soort mensen erop nahouden?

Ik nam voor Becca wat rozen uit de tuin mee en voor Kate een bosje lathyrus. En ook nog een onnozel, met zijde afgezet zakdoekje met de letter K erop geborduurd. Ze nam de bloemen en het zakdoekje met een knikje in ontvangst, zonder iets te zeggen, en verdween vrijwel onmiddellijk weer, zonder dat we aan een praatje toe kwamen.

'Is alles goed met je, Kate?'

'Beter dan ooit,' zei ze. Ze reikte achter de deur van haar kantoortje naar haar jas en ging weg. Ik vond het erg vreemd.

Becca zag er net zo uit als anders, maar ze leek een beetje op haar hoede. Het was alsof ze me aan een inspectie onderwierp.

'We hebben het altijd alleen maar over mij,' zei ze. 'Maar hier verandert er nauwelijks iets. Vertel me nu maar eens hoe u uw dagen en nachten doorbrengt, moeder.'

Ik werd hierdoor nogal overvallen. Deze vraag had ik niet verwacht. Tot dan toe had ik steeds erg vaag over mijn leven gedaan en ze had nooit doorgevraagd.

'Ach, je kent me, Becca, lieverd, ik doe nu eens dit en dan weer dat. Ik speel zo nu en dan een partijtje bridge, of ik zit die akelige vader van je weer eens achter zijn vodden om me ondersteuning te geven. Zo kom ik mijn dagen wel door.' Ze pakte mijn hand en tilde hem een eindje op om mijn nagels te bewonderen.

'Blijkbaar breng je ook aardig wat tijd in de schoonheidssalon door,' zei ze.

'Ach, was het maar waar, lieverd. Die goedkope nagellak heb ik zelf opgedaan.'

'O. En je haar dan? Dat knip je zeker ook zelf? Met de keukenschaar soms?'

Ik raakte erg geïrriteerd. Dit soort dingen kon ik voor haar niet verbergen. Ik liet mijn haar om de vijf weken door de duurste kapper, Fabian, onderhanden nemen en ik ging iedere week naar Studio Pompadour voor een manicure.

'Wat wil je nou precies zeggen?' vroeg ik.

'O, niet zoveel, hoor, moeder. Je leert hier erg goed om gewoon je mond te houden tot je heel zeker weet wat je wilt zeggen.'

'Als iedereen dat deed, zou het een dooie boel worden,' zei ik gekscherend.

'Nou, mensen zouden er een stuk betrouwbaarder door worden.'

Ik probeerde het gesprek een andere wending te geven. 'Kate had blijkbaar haast vandaag. Ze wist niet hoe gauw ze langs me heen moest komen.'

'Het is haar vrije middag,' zei Becca.

'Tja, ik weet dat jij graag zou willen dat ik haar op de thee uitnodigde, lieverd, maar je weet kennelijk niet meer zo goed hoe het in de buitenwereld toegaat, Becca. Het zou werkelijk ontzettend ongepast zijn. Ik hoop dat je het niet erg vindt.'

'Nee, nee, het is best, ik heb het begrepen en zij ook.'

'Nou, dat is mooi dan,' zei ik weifelend.

'Bent u nooit eenzaam, moeder? Vader heeft u in de steek gelaten en ik zit nu hier, dus zult u wel eenzaam zijn, toch?'

Ik begreep werkelijk niet waarom ze deze vraag stelde. 'Ach, eenzaam is niet het goede woord. Ik denk tegenwoordig nooit meer aan Eamon, die rotzak. Maar ik mis jou, natuurlijk, lieverd, ik zou willen dat je weer thuis was. Maar je komt ook weer thuis. Op een goeie dag.'

'Dat duurt nog jaren en jaren, moeder.' Ze zei het nuchter.

'Ik zal er voor je zijn,' zei ik ferm.

'Dat betwijfel ik heel erg, moeder. Echt waar.'

Ze zag er heel rustig uit, maar de manier waarop ze sprak was anders dan anders. Er viel een stilte. En toen, na wat een heel lange tijd leek, vroeg ze: 'Waarom hebt u het gedaan, moeder?'

'Ik weet niet waar je het over hebt,' begon ik. En dat was ook zo, ze kon zoveel dingen bedoelen. Ging het over de taxi? Was het toch Kate geweest die bij mij in de straat had gestaan en had doorgebriefd dat het huis keurig in de verf zat? Dat er aan dat huis van alles te zien was waaruit bleek dat er met geld was gestrooid? Met geld dat op een foute manier verkregen was? Of had ze nog iets anders verteld?

Ik stond op om weg te gaan, maar haar hand schoot naar voren en ze klemde mijn pols tegen de tafel tussen ons in. Een

van de bewaarders kwam onze kant op, maar Becca glimlachte tegen haar en zei dat alles in orde was. 'Mijn moeder staat op het punt me iets te vertellen. Ze heeft moeite om de juiste woorden te vinden, maar het gaat haar wel lukken.'

Ik wreef over mijn pols. 'Eh, nou, je moet begrijpen dat...' begon ik.

'Nee, moeder, ik hoef helemaal niks te begrijpen. Ik heb gehoord dat Franklin bij u woont. Dat is wat ik gehoord heb.'

Ik begon te stamelen. 'Maar Becca, lieverd, Wilfred en Franklin wonen allebei bij mij. Ze moeten toch ergens wonen. Ik doe het alleen maar voor jou. Ik woon in een groot, vervallen huis, waarom zouden ze daar geen kamer mogen hebben?'

'Zo vervallen is het anders niet meer, heb ik begrepen,' zei Becca.

'Maar, lieverd, ze wonen toch zeker gewoon op kamers bij mij. Doe niet zo idioot.'

'Ga je met Franklin naar bed?' vroeg ze bedaard.

'Hoe kun je zoiets nou denken?' zei ik.

'Kate vertelde dat. En Gwen ook.'

'Gwen?'

'Een van de bewaarsters. Je komt iedere week bij haar voor een manicure. En dan ben je heel anders gekleed dan nu...'

Ik was sprakeloos, geheel tegen mijn gewoonte in. Maar Becca was bepaald niet sprakeloos.

'Walgelijk toch? Hij is dertig jaar jonger dan u.'

'Negentien maar,' zei ik verontwaardigd.

'Hij gaat bij je weg,' zei ze.

'Misschien,' gaf ik toe. 'Ooit.'

'Sneller dan jij denkt,' zei mijn dochter.

En toen vertelde Becca me over het plan dat ze bedacht had. Ze wees me erop dat ik altijd gezegd had dat je een plan achter de hand moet hebben. Becca's plan was om Kate contact te laten leggen met de roddelpers. Kate en Gwen vonden het niet eerlijk zoals Becca behandeld was en hadden de paparazzi de tip gegeven om Franklin en mij te betrappen.

'Moordenares verraden door haar eigen moeder', zou een

veel beter verhaal zijn dan alles wat ik tot dan toe voor geld had verkocht. Ze zouden Kate heel veel geld betalen.

Ze zag er heel kalm en beheerst uit terwijl ze sprak. Ik vroeg me plotseling af of dit alles niet gebeurd zou zijn als ik al mijn principes opzij had gezet en die vervloekte vrouw op de thee had uitgenodigd. Maar dat zullen we nooit weten...

6

Een weekendje weg met collega's

Deel 1 – Barbara

Ja, weet je, met mij kon je altijd lachen, ik was op kantoor altijd de gangmaker en dus nam ik vanzelfsprekend aan dat ik mee zou gaan op dat weekendje. Het kwam zelfs geen seconde bij me op dat ze zonder mij zouden gaan. Toch niet zonder Barbara, het bruisende middelpunt van elk feestje? Ik was nota bene degene die ze attent had gemaakt op dat hotel in Rossmore, mijlenver weg op het platteland, met een groot zwembad en een patio waar je je eigen steaks of kipkluifjes mocht grillen. Ik zocht de website op, printte alles uit en liet het aan iedereen zien.

Dus natuurlijk dacht ik dat ik ook van de partij zou zijn.

Maar toen hoorde ik ze er allemaal over praten: wie bij wie op de kamer zou gaan en hoe laat ze samen iets gingen drinken voordat ze met z'n allen de trein zouden pakken. En ze hadden het over een soort wensput in het bos waar geregeld een heilige verschenen was en waar ze ook naartoe zouden gaan om te kijken of ze de heilige misschien tijdens zo'n verschijning konden verrassen.

En toen begon het me ineens te dagen dat het niet de bedoeling was dat ik meeging.

In het begin dacht ik nog dat het een vergissing was zoals die zo vaak gemaakt wordt. Dat de een dacht dat de ander het al tegen mij gezegd had. Ze konden toch niet zomaar zonder mij op pad gaan? Maar, als je ergens buiten wordt gehouden, dan voel je dat op een gegeven moment aan je water en dat was bij mij ook het geval. In het begin was ik natuurlijk razend. Hoe durfden ze mijn idee in te pikken en mij er niet bij te betrekken? Toen werd het me droef te moede. Waarom moesten ze me niet? Wat voor reden konden ze hebben om mij erbuiten te houden? Ik had de grootste moeite om niet in huilen uit te barsten, zo'n medelijden had ik met mezelf. Maar vervolgens begon ik ze te haten. Al die mensen van wie ik dacht dat het mijn vrienden waren. Ik hoopte dat het een afgrijselijk weekend zou worden en dat het hotel een ramp zou zijn. Ik wenste ze het allerverschrikkelijkste pokkenweer toe en hoopte dat het op die patio zou krioelen van enge beestjes die in hun haren en kleren kropen.

Ze vertrokken op vrijdag in de lunchpauze en namen de trein van twee uur. Ze waren allemaal 's ochtends met hun weekendtas naar kantoor gekomen. Wat me nog het meest verbijsterde, was dat ze er in mijn bijzijn zo openlijk over praatten. Ze geneerden zich er totaal niet voor dat ze het idee voor dit weekendje van mij gestolen hadden en mij niet eens lieten meegaan. Ze gingen bij mij in de buurt niet zachter praten, ze wendden zich niet eens af, ze praatten erover alsof ik er zonder meer van uit was gegaan dat ik niet meeging.

Op die vrijdagochtend vertrouwde Rosie, een van de aardigsten van het stel, me toe dat ze heel erg hoopte in het weekend te kunnen aanpappen met Martin van Verkoop.

'Denk jij dat ik een kans bij hem maak, Bar?' vroeg ze.

'Waarom vraag je dat aan mij?' vroeg ik bits.

Rosie leek verbaasd. 'Nou, omdat jij zo *cool* bent, Bar, jij weet alles,' zei ze. Voor zover ik kon zien, nam ze me niet in de maling. Maar dat maakte het des te vreemder dat zij me er niet bij had willen hebben.

'Ik denk dat je heel veel kans hebt om Martin voor je te winnen,' zei ik. 'Maar als ik jou was, zou ik hem uit de buurt van Sandra zien te houden, want dat is een echte mannenverslindster als je het mij vraagt.'

'O, Bar, je bent fantastisch, ik wou dat je met ons meeging, dan kon je me nog meer adviezen geven. Waarom ga je niet mee? Voor deze ene keer?'

'Ik ben niet gevraagd,' zei ik schouderophalend. Ik wilde niet laten merken hoe belangrijk het voor me was.

Rosie schaterde het uit. 'Alsof we jou dat hadden moeten vragen,' zei ze. 'Je wilde gewoon niet mee, dat wisten we al meteen. Je zat die plaats zo af te kraken. We wisten heus wel dat je iets beters te doen zou hebben.'

'Ik heb Rossmore helemaal niet afgekraakt, ik heb nota bene voorgesteld om daarheen te gaan!' riep ik barstend van verontwaardiging.

'Nou, ja, je hebt het misschien niet direct afgekraakt, Bar, maar we wisten allemaal dat het voor jou niks zou wezen. Dat je er een beetje boven stond. Niet op zo'n snobachtige manier, hoor, maar toch.'

'Ik geloof je niet,' zei ik.

'Nou, vraag het maar aan iedereen,' zei Rosie. En dat deed ik.

Ik vroeg het mannenverslindster Sandra.

'Ik denk niet dat het een plek voor jou is,' zei Sandra. 'Voor ons gewone luitjes is het prima, maar niet voor jou, Bar.'

'Waarom niet?' vroeg ik met een bikkelharde stem.

'Jij hebt toch veel meer klasse dan wij, Bar. Kom, dat weet je ook best. Wou jij in een spijkerbroek worstjes grillen...? Daar kan geen mens zich toch zeker iets bij voorstellen?'

Ik was volledig overdonderd.

Ja, natuurlijk, ik heb altijd mooie kleren aan. Ik let heel goed op mijn uiterlijk. Ik vind ook dat ik er zeer verzorgd uitzie. Ik heb spraaklessen gevolgd om mijn uitspraak te verbeteren. Maar zo arrogant dat ik niet een weekend weg wilde met collega's? Kom nou toch... Keken ze dan zo tegen me op? Hadden ze zo veel ontzag voor me dat ze me niet mee wilden hebben? Nee toch zeker?

Maar ik zou ze niet laten merken hoe onthutst en bedroefd ik was. Geen denken aan.

'Nou, ik hoop dat het leuk wordt, Sandra,' zei ik opgewekt. 'Heb je al een speciaal iemand op het oog om je in het weekend mee te vermaken?'

'Nee, niet echt. Die Martin van Verkoop ziet er niet slecht uit. Maar we zien wel.'

Sandra kon elke man krijgen die ze wilde, maar Rosie was minder gezegend. Ik besloot iets voor Rosie te doen, hoe teleurgesteld ik ook was.

'Ik zou geen tijd aan hem verspillen, ik heb gehoord dat hij oersaai is als je hem wat beter kent,' zei ik.

'Bedankt, Bar,' zei Sandra. Ze deed nog wat lipgloss op. 'Dan zoek ik mijn heil wel elders. Wat ga jij dit weekend trouwens doen?'

'Ik? O, niet zoveel bijzonders,' zei ik, ten prooi aan verwarring.

'Ja, vast,' zei Sandra.

'Ik geef een lunch,' hoorde ik mezelf zeggen.

'Tjee, Barbara, je bent echt een klasse apart. Hoeveel mensen komen er?'

'Twaalf als ik mezelf meereken.' Was ik gek geworden? Ik kende niet eens twaalf mensen. En als ik ze wel kende, dan kon ik nog niet voor ze koken.

'Twaalf! Wat ben jij goed, Bar. Neem je volgende week de foto's mee?'

'Vast wel,' zei ik, diep ongelukkig. Ik kon altijd zeggen dat mijn camera weigerde. Ik was niet alleen een impopulaire zielenpoot, ik was ook nog eens gek en oneerlijk. Wat een geweldig begin van een weekend!

Ik zwaaide ze allemaal na toen ze het kantoor uit gingen om de trein van twee uur te nemen. Mensen van wie ik gedacht had dat het vrienden waren – de sexy Sandra, de naïeve Rosie, die aardige Martin van Verkoop en nog een stuk of zes anderen die mij allemaal arrogant en blasé vonden. Ik bekeek mezelf in de spiegel op het damestoilet. Een bleek gezicht, omlijst door een prijzig kapsel, een jasje en rok van zeer goede snit, die ik iedere avond met een sponsje bewerkte en borstelde. Eronder droeg ik een goedkoop T-shirt, iedere dag een andere kleur. Daar was niks snobistisch aan en ik was ook helemaal niet verwaand, toch? Twee schoonmaaksters kwamen met hun emmers en dweilen het toilet binnen. Ze begroetten me met een stralende glimlach, een en al blikkering van gouden tanden. Het waren geen Ierse vrouwen, maar ik had geen idee waar ze dan wel vandaan kwamen, want er werkten de laatste tijd zóveel buitenlanders in Ierland. Ze hadden drie uur poetsen en boenen voor de boeg, maar ze waren opvallend goedgehumeurd.

En ik waagde het om medelijden met mezelf te hebben. Ik die een goede marketingbaan had, een groot appartement met een tuin, een flatscreen televisie en een designeroutfit!

'Hebben jullie zin in het weekend?' vroeg ik.

'Niet zo erg,' zei de ene vrouw.

'Zondag vaak treurige dag in grote stad,' zei de andere.

Ik wist hoe ze zich voelde.

'Hebben jullie soms zin om bij mij te komen lunchen?' hoorde ik mezelf vragen.

Ze keken me met open mond aan.

'Lunch eten met jou?' vroegen ze verbijsterd.

'Eh, ja. Zondag om één uur bij mij thuis. Ik zal het adres even voor jullie opschrijven.'

Ik haalde mijn in leer gebonden adresboekje tevoorschijn. De twee vrouwen in hun gele werkjassen keken toe alsof ik ze uitnodigde voor een maanvlucht.

'O, ik wil nog graag jullie namen weten, zodat ik jullie aan de anderen kan voorstellen,' zei ik.

'Komen ook andere mensen?' Ze keken verschrikt.

'Ja zeker, we zijn ongeveer met z'n twaalven,' zei ik vrolijk.

Ze kwamen uit Cyprus en waren zussen, vertelden ze, en ze hadden Griekse namen: Magda en Eleni.

Hier in Ierland had nog nooit iemand hen bij zich thuis uitgenodigd, vertelde Eleni opgewonden.

Magda zat er een beetje mee. 'Jij wil wij jouw huis schoonmaken?' vroeg ze.

Ik geneerde me zo vreselijk dat ik bijna geen woorden wist te vinden. 'Nee, nee, jullie zijn mijn gasten,' mompelde ik. 'Wij baklava maken... mooi Grieks toetje,' zei Magda, nu alles duidelijk was.

Ik ging weg terwijl ze opgewonden met elkaar in het Grieks praatten; in hun nieuwe land was hen nog niet eerder zoiets leuks overkomen.

Toen ik terugliep naar mijn kamer, en nog nauwelijks tijd had gehad om na te denken over wat ik zojuist had gedaan, kwam ik mijn baas tegen, Alan, een gestreste workaholic van een jaar of vijfenveertig. Dat was althans het idee dat ik van hem had. We wisten geen van allen veel over zijn privéleven, maar van tijd tot tijd kon hij ineens uitbarsten in een tirade tegen zijn ex, die hij uit het diepst van zijn hart haatte. Hij had nu een van die uitbarstingen.

'In en in gemeen is ze,' zei Alan tegen me in de gang. 'Wat een ongelofelijk kreng is het toch.'

'Wat heeft ze nou weer gedaan?' vroeg ik. Alan was best aantrekkelijk en heel goed te pruimen. Dat wil zeggen op de momenten dat hij niet zo over zijn vrouw tekeerging.

'O, ze gaat het hele weekend weg en ze heeft mij opgescheept met Harry en twee van zijn tienjarige vriendjes, mét de mededeling dat ik ze geen fastfood mocht voeren. Ik moet dus echt voor ze gaan koken blijkbaar.'

'Ach, kom zondagmiddag maar bij mij eten met ze,' zei ik. 'Om een uur of een.' Nonchalant schreef ik mijn adres voor hem op.

'Dat kan ik toch niet doen, Bar,' zei hij, al was duidelijk dat hij het maar wat graag zou willen.

'Ach, waarom niet?' zei ik schouderophalend. 'Dan zijn we met ons twaalven. En we eten heel gezond.' Ik begon me af te vragen of ik echt gek aan het worden was.

'Dan breng ik wel wijn mee,' zei Alan, overlopend van dankbaarheid.

Toen ik terug was op mijn kamer en mijn spullen bij elkaar zocht, wierp ik nog een laatste blik in mijn agenda. Ik kwam dinsdag pas weer op kantoor, dus ik kon maar beter even kijken of er nog iets was wat ik moest onthouden. Op zondag was mijn tante Dorothy jarig, mijn vaders oudste zus. Ze had altijd van alles op iedereen aan te merken en werd maar zelden betrapt op vriendelijkheid.

Ik kon nog net een kaart op de bus doen, zodat ze me niet van verwaarlozing zou kunnen beschuldigen als ze mijn ouders op bezoek had. Weet je wat, dacht ik toen, het is nog beter als ik ook haar te eten vraag. Het beloofde toch al een bizarre toestand te worden en zelfs zij zou het er nauwelijks erger op kunnen maken.

Tante Dorothy was ontzettend chagrijnig toen ik haar belde. Haar drie bridgevriendinnen waren haar verjaardag vergeten, terwijl zíj hun verjaardag altijd wel onthield. Ze hadden er met geen woord over gerept dat ze haar verjaardag zouden komen vieren.

'Tante Dorothy, wat dacht u ervan om kwaad een keer met goed te vergelden? Vraag ze maar of ze samen met u bij mij willen lunchen zondag,' stelde ik voor. Ik constateerde dat ik onderhand volslagen idioot aan het worden was. Tante Dorothy vond het een geweldig idee. Ze zou haar vriendinnen voor schut zetten en zelfs vernederen, ze zouden zich heel erg schamen.

'Zal ik ook iets te eten meebrengen, lieverd?' vroeg ze op een toon die bijna hoffelijk klonk. Ik dacht even na. Ik had nog geen idee wat we zouden gaan eten, maar een salade hoorde er in ieder geval bij. Dus stelde ik haar voor een salade te maken.

'Voor vijf personen?' vroeg tante Dorothy.

'Nee, voor twaalf,' zei ik verontschuldigend.

'Je kunt geen twaalf man aan tafel kwijt,' bitste ze meteen.

'We eten in de tuin,' zei ik en hing op.

Ik maakte een optelsom. We waren nu met elf. Nog maar eentje. Larry, de beveiligingsman, kwam mijn kamer binnen. Hij wilde alles gaan afsluiten voor het weekend. En natuurlijk vroeg ik hem toen of hij zondag wilde komen eten. Hij zei dat hij heel graag zou komen. En hij beloofde wat vroeger dan de anderen te komen. In zijn bestelbus zou hij wat planken meenemen om in de tuin een tafel van te maken.

Ik had mijn gezelschap dus compleet.

Op weg naar huis ging ik een boekwinkel binnen om een boek te zoeken met tips voor de gemakkelijkste manier om gasten te ontvangen. Op zaterdag deed ik boodschappen. Ik kocht drie goedkope tafelkleden, zakken chips en dipsaus, kleurige ballonnen en de ingrediënten voor Kippenpastei-à-la-minute en Snelle-Vegetarische-Schotel-Extra-Speciaal. Met het Griekse toetje, de salade van tante Dorothy en Alans wijn erbij moest er voor iedereen genoeg zijn.

In de nacht van zaterdag op zondag sliep ik als een roos en ik dacht geen moment aan mijn collega's in Rossmore, die lamskoteletjes en worstjes roosterden op de patio of op zoek gingen naar wandelende beelden in een of ander bos.

Larry hield zich aan zijn woord en bracht de planken, plus zes vouwstoelen die hij voor de gelegenheid van kantoor had meegenomen. Ik had geen tafelschikking gemaakt, ze moesten zelf maar zien waar ze gingen zitten.

Om halfeen begon ik me af te vragen of er wel iemand zou komen. Maar om één uur kwamen ze allemaal tegelijk. Alan had genoeg wijn voor de hele buurt meegenomen. En vanaf het ogenblik dat iedereen er was, werd er druk gepraat.

Magda en Eleni hadden behalve het toetje ook nog olijven meegebracht.

Alans zoon Harry en zijn twee vriendjes bleken enorm in geld geïnteresseerd. 'Hoeveel betaal je ons als wij bedienen?' vroegen ze zodra ze binnen waren.

Ik keek Alan hulpeloos aan. 'Ze zijn ieder twee euro waard, en geen cent meer,' zei hij.

'Ik geef jullie vijf,' zei ik en ik ging achteroverzitten terwijl zij al het werk deden.

Tante Dorothy speelde vergenoegd de baas over haar vriendinnen. 'O, Barbara heeft zoveel kennissen en vrienden,' zei ze trots en ze pinkte zowaar een traantje weg toen ik iedereen 'Happy Birthday' voor haar liet zingen.

Magda zei dat Eleni altijd op zoek was geweest naar een sterke, gedienstige man zoals Larry en ze deed er alles aan om hen te koppelen. Harry en zijn vriendjes vroegen zich na de afwas af of ik hun zou betalen voor het wieden van de bloembedden.

'Een euro de man,' zei Alan.

'Drie,' zei ik.

Magda en Eleni leerden Larry de dans van Zorba; tante Dorothy en haar vriendinnen zongen 'By the Light of a Silvery Moon'.

Alan zei tegen me: 'Weet je, ik ben altijd al een beetje verkikkerd op je geweest, maar ik vond je wel een beetje bekakt. Ik had nooit kunnen denken dat je bent zoals je bent. Ik vind je helemaal geweldig.'

En dus vergat ik de mensen die me niet hadden uitgenodigd om met hen op een patio dingen te grillen tijdens een weekendje uit dat ik min of meer had bedacht, en Alan vergat zijn ex.

Ik geloof dat er iemand foto's heeft gemaakt, maar het deed er eigenlijk niet toe. Iedereen zou zich deze dag toch wel herinneren.

Deel 2 – Iemand van papa's kantoor

Een heleboel kinderen op school hebben ouders die gescheiden zijn. Dat is toch ook logisch, je wilt toch zeker niet altijd maar hetzelfde? Kijk naar mij, ik ben nu tien, maar de dingen die ik leuk vond toen ik zeven was, daar vind ik nu niks meer aan. Ik vond toen van die stomme spelletjes op de Playstation leuk, en toen waren ze ook wel leuk nog, maar ze zijn nu zóóó saai.

Dus begrijp ik best dat papa en mama genoeg van elkaar hadden en allebei iets anders wilden. Het was niks persoonlijks. Of dat zou het niet moeten zijn, bedoel ik eigenlijk. Want bij ons gaat het niet zoals het zou moeten. Mama zegt steeds dat papa heel gemeen is, dat hij ons niks geeft en dat we daarom zo arm zijn.

Ik geloof niet dat wij arm zijn, maar dat kan ik maar beter niet zeggen. Dus zeg ik helemaal niets eigenlijk.

Papa zegt altijd dat die moeder van mij ons allemaal nog eens in de bijstand doet belanden, maar dat kan ook niet waar zijn, want hij rijdt in een vette auto en is iets heel hoogs op kantoor. Maar het is ook niet zo'n goed idee om te zeggen dat we er niet bijlopen als de mensen die je op de plaatjes in de boeken van Charles Dickens ziet. Dus zeg ik dat ook maar niet.

Ze zeggen allebei steeds weer tegen me dat ze erg veel van me houden. Te veel zelfs.

Mama zegt: 'Het enige goede wat je van die superegoïst kunt zeggen, is dat hij me jou heeft gegeven, Harry...'

En papa zegt: 'Eén ding moet ik haar nageven, die malle vrouw die alleen maar met zichzelf bezig is: ze heeft me een prachtige zoon geschonken.'

Ik weet niet waarom ze dat zeggen, want ik ben altijd een probleem voor ze, of ik ben de persoon die voortdurend ergens gestald of opgehaald moet worden.

George ziet zijn vader helemaal nooit, dus zegt hij dat ik nog geluk heb vergeleken met hem. Wes zegt dat ze bij hem thuis alleen maar ruziemaken en dat wij allebei geluk hebben vergeleken met hem. Dus dat hele gedoe met een gezin werkt toch nooit.

Mama heeft trouwens een nieuwe vent. Hij is natuurlijk vreselijk, hij wil maar steeds aardig tegen me zijn en doet net alsof hij in me geïnteresseerd is, al is dat helemaal niet zo. Hij heet Kent. Niet dat hij uit Kent in Engeland komt of zo. Kent is gewoon zijn naam.

George zegt dat Kent een heel dure auto heeft en dus wel heel rijk zal zijn. Hij zegt dat we zolang als het duurt een hoop geld van hem moeten zien los te krijgen. Hij zegt dat ik tegen hem moet zeggen dat ik voor een nieuwe iPod spaar, of voor een mobieltje, of voor computersoftware. Hij zegt dat ik het zo moet doen dat het net is alsof ik Kent met rust zal laten als ik zoiets krijg, en dat Kent me dan zo een briefje van tien of zo geeft.

In het begin durfde ik niet zo goed, maar het werkte perfect. Ik hield me aan mijn deel van de afspraak: ik bleef bij hem uit de buurt en was heel beleefd tegen hem als we met elkaar aan tafel zaten of zo. Mama vroeg of ik Kent aardig vond en toen sperde ik mijn ogen wijd open, want dat is heel goed als je iets gaat vertellen wat niet helemaal waar is, en toen zei ik dat Kent wel oké was. En toen zei mama dat ik de beste zoon was op de hele wereld. Ze kreeg tranen in haar ogen en dus was ik meteen weg.

George zegt dat moeders toch wel met dit soort kerels trouwen, of wij ze nu leuk vinden of niet. Zijn moeder had het in ieder geval wel gedaan. Dus kun je het jezelf maar het beste zo gemakkelijk mogelijk maken, zegt George, je moet gewoon zeggen dat hij de meest bijzondere persoon op aarde is en je moet ervoor zorgen dat hij je geld blijft geven voor van alles en nog wat. Wes zei dat hij het fantastisch zou vinden als zijn ouders uit elkaar gingen en iemand hem dan een MP3-speler zou geven.

We hadden Kent eigenlijk zover willen krijgen dat hij ons dit lange weekend alle drie meenam naar een pretpark. Er was daar van alles te doen voor oude mensen, zoals in een restaurant zitten, en dan konden wij alle attracties doen. Ik had het allemaal al helemaal uitgedacht, maar toen zei hij ineens heel serieus dat hij met mijn moeder naar een prachtig hotel bij een groot meidoornbos wilde. Ik wilde niet naar een prachtig hotel in een bos. Getver. Maar ik dacht er op tijd aan dat ik beleefd moest blijven. Ik hoorde Georges stem even duidelijk alsof hij pal naast me waarschuwingen in mijn oren stond te sissen.

'Is dat dan niet heel duur als wij allemaal meegaan, Wes, George en ik?' vroeg ik.

Er trok een soort rilling door hem heen bij de gedachte dat hij ons allemaal moest meenemen naar een mooi hotel bij een rivier en een meidoornbos.

'Nee, Harry, ik ben van plan alleen je moeder mee te nemen; ik wil haar namelijk iets vragen, zie je.'

Ik zei dat ze in de keuken was en dat hij zijn vraag nu ook wel kon stellen, maar nee, zei hij, het was een vraag die hij haar alleen in een passend decor kon stellen. Ik zag het pretparkvisioen al vervagen, want een pretpark was blijkbaar niet geschikt om een vraag te stellen.

Maar ik had Wes en George al gevraagd om te komen logeren. Daar moesten we iets op verzinnen. Mochten we niet gewoon met ons drieën thuisblijven, probeerde ik. Nee, geen sprake van. We moesten maar naar papa.

'Maar hij is dit weekend niet aan de beurt,' zei ik.

'Zo meteen wel,' zei Kent.

Ik hoorde moeder in de keuken in de telefoon schreeuwen. 'Je bent je hele leven al een pure egoïst geweest, Alan, daar was al geen twijfel aan, maar dat je je eigen zoon niet eens een extra weekend bij je wil hebben... De meeste mannen zouden het fantastisch vinden, maar nee, hoor, jij niet natuurlijk. Het doet er niet toe waar ik heen ga of met wie. Ik ben niet meer met je getrouwd, Alan Black, en daar dank ik de Lieve Heer nog elke dag voor op mijn blote knieën. Het huwelijk kan me gestolen worden. Dus luister even goed naar me. Op vrijdag worden Harry en zijn vriendjes bij jou afgeleverd. Het maakt niet uit dat er niet genoeg bedden zijn. Ze hebben slaapzakken bij zich en hoor eens, ik wil dat ze goed te eten krijgen, ik wil niet dat je pizza of patat laat komen. Heb je me gehoord?!'

De hele buurt moet haar gehoord hebben.

Kent wachtte zenuwachtig af tot mama uitgeraasd zou zijn. Hij geneerde zich. 'Het maakt niet uit, Kent, zo doen ze altijd tegen elkaar, het is niet belangrijk,' lichtte ik toe.

'Maar ik vind het vervelend... Ze zegt dat het huwelijk haar gestolen kan worden. Dat vind ik helemaal niet leuk om te horen,' zei hij ongerust. Ineens meende ik te begrijpen wat dat weekend in een godvergeten gat te betekenen had.

Ik dacht er een poosje over na. Kent was in ieder geval beter dan de anderen.

'O, maar ze bedoelt haar huwelijk met papa alleen maar, volgens mij. Ik geloof niet dat ze er verder op tegen is.' Ik knikte wijs alsof ik alle problemen op de hele wereld doorgrondde.

'Rossmore zou met dit weer juist zo'n prima plek zijn... Ik

wil alles op de best mogelijke manier aanpakken.' Hij beet op zijn lip.

'Rossmore? Is dat die stad waar ze zo'n ruzie maken over een weg door het bos?' We moesten er van de juf op school over debatteren: sommigen moesten voor de weg zijn en de anderen tegen.' Ik zei het alleen maar om hem af te leiden, maar het leek hem plezier te doen.

'Ja, er is een documentaire over op de televisie gewest. Je moeder vond het zo'n romantische plaats en daarom hoopte ik...'

'Oké, Kent, geef die hoop niet op. Ik weet zeker dat het allemaal goed komt,' zei ik monter. 'Geniet van het hotel en van het bos en van je vraag en zo. Vergeleken met ons zul je het erg naar je zin hebben. Ik zit het hele weekend met een chagrijnige pa die alleen maar kan klagen.' Dat laatste zei ik met een treurige hondenuitdrukking op mijn gezicht.

Kent gaf me uit puur schuldgevoel twintig euro waar ik mee mocht doen wat ik maar wilde.

Toen we bij papa waren, vond ik dat hij er heel oud, grijs en moe uitzag vergeleken bij Kent. Kent ziet er altijd bruin uit, alsof hij niets anders doet dan in de zon liggen, terwijl papa eruitziet alsof iemand hem met een grasmaaier overreden heeft. Hij braadde een kip en we aten diepvrieserwten.

'Er staat vérse erwten op het pak,' zei hij om zich te verdedigen en we zeiden allemaal dat het lekker was.

Als toetje hadden we ijs en appeltaart die de bakker vers gebakken had, zoals hij zei.

De volgende dag stemde hij erin toe om met ons naar een pretpark te gaan.

'Hebt u geen chickie om mee te nemen, meneer Black?' vroeg Wes beleefd. 'Dan hoeft u zich niet zo te vervelen.'

'Geen wát?' vroeg papa verwonderd.

'Wes bedoelt een vriendin,' legde George uit.

'Nee, nee, dat niet,' zei mijn vader gegeneerd.

'Geeft niet, misschien vindt u er daar wel een,' zei Wes troostend.

We klopten mijn vader niet zoveel geld uit zijn zak als we bij Kent gedaan zouden hebben, maar hij was best wel gul. En natuurlijk had ik het geld dat ik onverwachts van Kent had gekregen, en dus werd het een toffe dag. Maar op zondag bleek dat we moesten gaan eten bij iemand van papa's kantoor. Ik vroeg of hij een groot huis had, die man die ons had uitgenodigd, maar toen zei papa dat het een vrouw was. Wes en George keken elkaar veelbetekenend aan. Maar ik wist bijna zeker dat ze er helemaal naast zaten. Papa gaat naar zijn werk, komt weer thuis en doet verder niets dan simmen en met mama ruziën aan de telefoon. Papa heeft geen vriendinnen. Het zou wel iets zakelijks zijn.

We vroegen ons af of we die lunch niet mochten overslaan, maar blijkbaar mocht dat niet. We vroegen of die vrouw kinderen had, of er misschien leuke meiden zouden zijn, maar papa zei dat hij niet wist wie er kwamen, maar sterk betwijfelde of er meisjes bij waren. Dus hadden we niet echt zin om er heen te gaan.

Papa nam alle wijn mee, dozen vol. Daardoor kregen we het idee dat het wel een stelletje zuipschuiten zouden zijn. Ik zag een vreselijke ouwe tang op een stoel zitten toen we aankwamen en dat maakte het er ook niet beter op. Ze heette Dorothy en had een gezicht als een handtas die aldoor open- en dichtklikt. Er zaten nog meer ouwe mensen naast haar die heel lelijk keken. Er waren ook twee buitenlandse vrouwen die schaaltjes met olijven neerzetten en een man die Larry heette en met stoelen liep te sjouwen; hij zei steeds: 'O, mijn god, meneer Black is er ook. Nou ziet hij de stoelen.' Snap jij het? Waarom zou mijn vader de stoelen niet zien, net als ieder ander? Waar moest hij anders op gaan zitten? Het waren echt een hoop rare snijbonen bij elkaar.

Papa maakte met Larry een soort bar op een bijzettafel en Larry zei maar steeds dat hij zo verrast was om meneer Black daar te zien.

'Hoe krijgen we het voor elkaar om een hele middag beleefd te zijn?' vroeg ik aan George, die altijd heel goed wist hoe je iets moest aanpakken.

'Laten we de gastvrouw maar gaan zoeken, dan beginnen we met haar,' zei George.

Ze was in de keuken. Ze was veel jonger dan alle anderen die daar waren, maar toch ook oud, als je begrijpt wat ik bedoel. Ze zag er erg zorgelijk uit. Ze heette Barbara.

'We willen graag helpen,' zei George.

'We zijn niet duur,' voegde Wes eraan toe.

'Ik dacht dat jullie gasten waren,' zei Barbara verward.

'Wat mijn vrienden bedoelen, is dat we natuurlijk gasten zijn en het heel leuk vinden om hier te zijn, maar we vroegen ons af of u misschien graag geholpen wilt worden met de bediening en zo, want daar hebben we al heel wat ervaring mee.' Ik zag dat George rare gezichten naar me stond te trekken maar ik begreep het niet: ik dacht dat hij me aanmoedigde om door te gaan. 'We hebben al heel vaak bedienwerk gedaan...' vervolgde ik, maar toen besefte ik dat mijn vader ook in de keuken stond.

'Illegaal zeker,' zei hij.

'Onofficieel, meneer Black,' verbeterde George hem.

'Goed, maar voor niet meer dan twee euro de man,' zei papa, 'en dan moeten jullie heel goed je best doen.' Barbara stelde vijf euro de man voor. Ze zei dat we als slaven zouden moeten werken. Papa ging weer naar buiten om wijn voor iedereen in te schenken en wij kregen onze instructies.

We moesten het die vrouw die zo stijf rechtop in haar stoel zat heel erg naar de zin proberen te maken. We moesten tegen haar zeggen dat dit etentje ter ere van haar was en we moesten haar tante Dorothy noemen.

'Maar ze is onze tante helemaal niet,' zei George, en dat was ook zo.

'Dat weet ik wel, George, maar het is een soort beleefdheidstitel,' zei Barbara. Daar werden we niet wijzer van.

'Maar ze wil toch zeker niet dat Wes haar tante noemt,' zei ik. Ik wilde duidelijkheid scheppen, Wes is namelijk zwart.

Barbara leek dit niet te zijn opgevallen, of misschien vond ze dat het er niet toe deed.

'Ik zie er niet echt uit als een neef van haar,' zei Wes.

147

'Jullie zijn geen van drieën neven van haar. Ik zei toch dat het een beleefdheidstitel is? Gaan jullie over van alles en nog wat soebatten of willen jullie helpen?'

Tante Dorothy vond ons buitengewoon aardige, behulpzame jongens, we waren echt een heerlijke uitzondering op de rest van de jeugd van tegenwoordig. Wes zei dat we het fijn vonden dat we op dit feest mochten zijn en de eregast mochten leren kennen, waarop die verschrikkelijke vriendinnen van tante Dorothy heel jaloers en boos door elkaar begonnen te kwetteren. In de keuken bracht ik Barbara verslag uit en ik vroeg of er nog iets was wat we voor haar konden opknappen. Toen vroeg ze of ik Magda en Eleni ervan wilde overtuigen dat wij die dag de betaalde krachten waren en niet zij.

'Waarom doen ze zo?' vroeg ik wrokkig.

'Omdat mensen nu eenmaal gek zijn, Harry, de meesten zijn zelfs knettergek. Als je ouder bent kom je daar wel achter.'

'Ik ben er nu al achter,' zei ik en toen lachte ze met me mee alsof we vrienden waren.

Ik ging naar die twee gekke vrouwen uit Griekenland of waar ze ook vandaan kwamen toe. Ik zei dat ze moesten gaan zitten en schonk hun glazen vol.

'Jullie niet werken vandaag, wíj werken,' herhaalde ik tot ik dacht dat ze het begrepen hadden.

George vond een atlas en liet hen aanwijzen waar ze woonden op Cyprus. Blijkbaar had nog niemand hun dat gevraagd en ze waren heel blij. Niemand van de gasten bleek vegetariër te wezen en Barbara was hierdoor nogal aangeslagen, omdat ze gedacht had dat de helft dat wel zou zijn. Maar toen zei ik dat we gewoon op elk bord een beetje van beide gerechten zouden scheppen, zodat er meer dan genoeg voor iedereen was en toen was ze weer blij.

'Je bent een geweldige aanwinst,' zei ze. 'Waarom kon je moeder je dit weekend eigenlijk niet hebben? Ik ben er overigens erg blij om, maar ik vroeg het me gewoon af.'

'Ze is naar een stadje dat Rossmore heet, zodat Kent haar daar een vraag kan stellen,' legde ik uit. 'Ik weet niet wat voor vraag het is, maar het schijnt dat je hem alleen in de buurt van een rivier en een bos kunt stellen.'

Ze knikte alsof ze het begreep.

'Misschien vraagt hij haar wel met hem te trouwen,' opperde ze. 'Dat is wel iets om bij een rivier te vragen.'

'Ik heb er wel aan gedacht dat het dat zou kunnen zijn, maar als dat alles is, had hij het haar toch ook gewoon thuis in de keuken kunnen vragen?' zei ik. Ik vond eigenlijk dat Barbara wel gelijk had: iedereen werd met het moment gekker en gekker.

'Harry, zou je me nog een plezier willen doen? Kun je tegen Larry zeggen dat meneer Black, ik bedoel je vader, die stoelen nog niet zou herkennen als ze hem in zijn neus zouden bijten? Zeg maar dat hij moet ophouden zich zo druk te maken.'

'Het is niet zo gemakkelijk om tegen een volwassene te zeggen dat hij moet ophouden met zich druk te maken,' zei ik. 'Ik probeer mijn vader dat al jaren duidelijk te maken, maar hij denkt er niet over om ermee op te houden en hij vindt het zelfs erg brutaal van me dat ik het tegen hem zeg.'

'Nou goed, als jij nou doorgaat met peterselie hakken en die verdeelt over deze borden, dan zeg ik tegen iedereen dat ze moeten gaan zitten en dan praat ik ook wel even met Larry.'

Wes en George kwamen de keuken in. 'Ze zijn allemaal gek,' zei Wes.

'Dat is de bedoeling ook, dat zegt Barbara tenminste, ze had het er net over. Blijf van die peterselie af,' zei ik.

'Misschien komen ze uit een tehuis,' zei George peinzend.

'Wat doen wij dan hier? En jouw vader?' vroeg Wes zich af.

Die vraag viel niet te beantwoorden.

De kippenpastei was echt heerlijk, dat zei iedereen, en ook dat de saus zo lekker was. Barbara zei dat het niets voorstelde. Ik wist dat er blikken champignonsoep, een halve fles wijn en diepvriesbladerdeeg aan te pas waren gekomen, want ik had haar geholpen om de hele zooi in elkaar te flansen. Maar ik zei niets. Papa liep steeds heen en weer om de glazen bij te vullen en stelde voor dat hij en Larry hun jasje uittrokken als de dames er geen bezwaar tegen hadden. Larry maakte zich niet druk meer, en had alleen nog maar aandacht voor een van de Cypriotische dames. Tante Dorothy was aardig losgekomen en vertelde iedereen dat de liedjes van vroeger veel beter waren dan die van tegenwoordig. En toen we de dessertbordjes in de keuken zetten, zei George – die altijd precies de goeie dingen wist te zeggen – tegen Barbara dat het allemaal zo goed ging en dat ze wel trots zou zijn op zichzelf.

Hij vertelde later dat ze hem bij de revers van zijn jasje omhoog had getild en hij heel even misselijk werd bij de gedachte dat ze hem misschien ging kussen en dat hij daarom maar heel hard had geschreeuwd dat haar tuin er niet uitzag, dat wij voor een paar eurootjes extra het onkruid er wel uit wilden halen. Toen liet ze hem los en zei dat dat goed was.

Wes zei dat al deze mensen in een of andere inrichting thuishoorden, Barbara incluis, dat kon niet anders, en dat het ontzettend aardig van mijn vader was dat hij een dagje op ze paste. Maar ik zag hoe mijn vader met opgestroopte mouwen aan tafel het lied 'Mad Dogs and Englishmen Go Out in the Midday Sun' zat te zingen en dat gaf me niet echt het gevoel dat het allemaal om groots liefdadigheidswerk ging.

Toen gingen de gekke vrouwen Griekse dansen voordoen en begon tante Dorothy oude liedjes te zingen terwijl haar vriendinnen het refrein meezongen. Intussen waren wij met de troffels en schoffels die Barbara voor ons had opgeduikeld de bloemperken aan het wieden. Het was alles bij elkaar behoorlijk erg, als ik eerlijk moet zijn.

Maar we hadden lekker gegeten, we hadden stiekem alle restjes witte wijn opgedronken toen ze op de rode wijn overgingen, en bovendien hielden we er nog een aardig centje aan over. Papa maakte zich eindelijk eens een keertje nergens druk om en die vrouw, die blijkbaar Bar heette en niet Barbara, was heel erg aardig. Ze was ladderzat, natuurlijk, maar erg vrolijk. Ik zag dat ze mijn vaders hand vasthield toen die aan een volgend lied begon: 'Bye Bye, Miss American Pie'. Iedereen zong mee.

Ik zei tegen Wes dat mijn moeder me nooit zou geloven als ik haar alles vertelde.

'Ik denk niet dat het haar interesseert,' zei Wes. Dat vond ik raar, want ze was altijd hevig geïnteresseerd in wat papa, of Alan die schoft, zoals zij hem noemde, zei of deed.

'Omdat ze nu die vraag heeft gekregen,' lichtte George toe. Om de een of andere reden gaf me dat een heerlijk gevoel. Het kan ook te maken hebben gehad met alle witte wijn die we hadden gedronken. Of misschien kwam het doordat we zo goed hadden afgewassen en de keuken weer zo netjes was. En we ook nog eens het onkruid hadden gewied. Maar ik geloof dat de andere twee misschien toch wel gelijk hadden dat ze dachten dat Bar mijn vaders chickie was.

Ik zou dat in ieder geval heel erg fijn vinden.

7

Het laatste woord

Deel 1 – Dokter Dermot

Ik ken werkelijk iedereen hier, dat kun je gerust zeggen. Als ze vijfendertig of jonger zijn heb ik geholpen ze ter wereld te brengen en als ze ouder zijn heb ik hun longen en gehoest beluisterd, hun mazelen of rodehond behandeld, hun ingescheurde oren gehecht of glas uit hun kapotte knieën verwijderd.

Doon is niet meer dan een gehucht en het ligt zo'n dertig kilometer bij Rossmore vandaan, aan een smalle weg vol kuilen. Maar we hebben toch niet zo de behoefte om vaak naar de stad te gaan. We hebben hier alles wat we nodig hebben; dit is gewoon een rustig plattelandsdorpje waar ik het verhaal van elke man, elke vrouw en elk kind ken.

Ik heb de ogen van hun moeders, vaders en grootouders gesloten, ik heb hun goed en slecht nieuws verteld, ik heb hier woorden voor die anderen niet weten te vinden. Deze mensen hebben van alles aan mij te danken, verdorie. Daarom was ik ook zo treurig en voelde ik me zo verraden toen ze massaal naar die nieuwe jonge dokter overstapten.

Dókter Jimmy White.

Zo'n jonge snotaap die me al bij onze eerste kennismaking Dermot noemde. Iedereen hier noemt me dokter Dermot, maar hij niet, hoor, daar voelt dókter Jimmy White zich te goed voor. Wat een uitslover! Hij vliegt van hot naar her en bakt overal zoete broodjes. Natuurlijk legt hij op elk uur van de dag en de nacht visites af, en natuurlijk heeft hij zo'n mobiele telefoon zodat hij altijd te vinden is. En hij gaat erg grondig te werk. Hij stuurt mensen het halve land door voor echo's, scans, röntgenfoto's, bloedonderzoek en wat al niet meer. De mensen hier zijn simpele zielen, ze vinden dit soort dingen op zichzelf al tovenarij.

Zelfs het ziekenhuis in Rossmore is voor dókter Jimmy White nog niet goed genoeg. Nee, hoor, hij stuurt mensen naar specialisten in academische ziekenhuizen, hij stuurt ze naar Dublin godbetert. In plaats van te vertrouwen op mensen die een jarenlange ervaring hebben en iedereen hier vanbinnen en vanbuiten kennen, generaties lang.

Zoals ik.

Niet dat ik iemand hier heb laten merken dat ik boos was of zo. Integendeel. Ik heb altijd alleen maar goeie dingen over dókter Jimmy White gezegd. Een erg pientere jonge vent, zei ik over hem, hij werkt echt volgens het boekje. Want inderdaad, hij raadpleegt voortdurend zijn medische handboeken. Als hij ouder is en meer ervaring heeft, dan hoeft hij dat natuurlijk niet meer te doen. Hij gaat echt grondig te werk, hij kijkt altijd van alles na als hij iets niet zeker weet.

Iedereen dacht dat ik hem aardig vond en bewonderde, terwijl ik erin slaagde het zaad van de twijfel te zaaien, door er steeds aan te herinneren dat hij voortdurend in de boeken zat, collega's om raad vroeg, bloedmonsters voor onderzoek opstuurde en mensen naar elders stuurde om scans en zo te laten maken.

Er was een praatzieke Amerikaan, Chester Kovac, die in het hotel verbleef; blijkbaar barstte hij van het geld. Zijn grootvader heette O'Neill en was uit deze contreien afkomstig. Niet dat iemand zich hem nog herinnerde of zo. Het hele land barst trouwens van de O'Neills. Ik vertelde die man verschillende keren dat de jonge dokter zich érgens in zijn vak moest bekwamen, maar dat ik het wel zuur vond dat hij zijn fouten op de mensen van deze parochie uitprobeerde. Dan zei Chester dat de dokter toch in ieder geval zijn papieren moest hebben, waarop ik antwoordde: 'Ja, maar er is een verschil tussen gekwalificeerd zijn en ervaring hebben.' Chester zat dan te knikken, alsof wat ik eigenlijk bedoelde heel goed tot hem doordrong. En dan begon hij op zijn beurt te vertellen dat hij bouwgrond wilde kopen in Doon. Hij wilde van mij weten aan wat voor soort voorzieningen deze kleine gemeenschap behoefte had. Wat ontbrak er allemaal, wat waren de knelpunten... Dat zei hij met zo'n overbezorgde uitdrukking op zijn gezicht. Om misselijk van te worden. Op soft geneuzel zit niemand hier te wachten. Ik deed altijd net alsof het me interesseerde, je weet wel, zoals je dat in een gat als dit eigenlijk wel verplicht bent. En hij maar drammen over sociale woningbouw, over betaalbare huizenprijzen. Je kent het gezeur wel, een en al nostalgisch gemekker over het verleden. Zijn grootvader had nooit hoeven emigreren als hij een eigen woning had gehad, zei Chester dan.

Knikkend nam ik dan een slok van mijn bier en dacht bij mezelf dat Chester nu niet in dure pakken en handgemaakte schoenen zou rondlopen als zijn opa op zijn luie reet was blijven zitten in plaats van ergens naartoe te gaan waar hij een goede boterham kon verdienen. Maar het was beter om dat niet te zeggen. Ik liet hem maar dromen. O, en hij zou hier ook een groot gebouw gaan neerzetten, een of ander centrum. Hier in Doon! Geweldig, zei ik dan, om vervolgens de draad van ons gesprek weer op te pakken over dókter Jimmy White en de lacunes in diens kennis.

Een tijdlang werkte mijn methode om mijn rivaal de grond in te boren redelijk en hadden we allebei voldoende te doen. Ik in ieder geval wel. Maar toen keerden de zaken zich ten kwade.

Het kwam allemaal door dat domme mens, Maggie Kiernan, die in verwachting was. Tjonge jonge, het leek wel alsof zij de enige op de hele wereld was die een kind kreeg. Haar zwangerschap duurde eindeloos, een olifant heeft nog niet zo'n lange draagtijd. Ze kwam twee keer per week bij me. Nu eens was ze misselijk. En dan was ze weer niet misselijk, was dat erg? De ene keer bewoog de baby – was dat wel zoals het hoorde? En dan bewoog de baby weer niet, betekende dat dat hij dood was? Een compleet team, dat was wat zij nodig had, een heel team van gynaecologen en vroedvrouwen dat haar elke seconde moest bijstaan.

Drie weken voordat ze was uitgerekend, belde ze me om twee uur 's nachts op om te vertellen dat de baby eraan kwam. Dus zei ik tegen haar dat ze maar een lekkere kop thee moest nemen en dat we er in de ochtend wel verder over zouden praten. Ze bleef maar zeuren dat de baby er echt aankwam en dat ik moest komen. Kom zeg, ze woonde zes kilometer weg en nog halverwege een berg ook! Was ze gek geworden? Ik probeerde echt haar te kalmeren, maar ze smeet de hoorn op de haak.

Pas in de loop van de volgende ochtend hoorde ik het verhaal: ze had dókter Jimmy White gebeld en natuurlijk was die meteen naar haar toe gegaan. En wat dacht je? Het kind was al half geboren en er waren complicaties en dus had hij een ambulance de slingerende weg tegen die heuvel op laten klimmen. Als hij niet met haar mee was gegaan naar de eerste hulpafdeling van het ziekenhuis van Rossmore, dan zou de baby gestorven zijn, en Maggie ook, en de halve bevolking van dit dorp erbij, puur uit medeleven.

Ik heb het die ochtend wel vijftien keer moeten aanhoren: hoe bang die arme Maggie Kiernan wel niet moest zijn geweest, en dat het zo'n zegen was dat de jonge dokter White haar had kunnen helpen. En natuurlijk liet iedereen steeds doorschemeren dat ik Maggie Kiernan had laten zitten.

Ik was natuurlijk geïrriteerd, maar ik liet het niet merken. In plaats daarvan sprak ik alleen maar lovende woorden over dókter Jimmy White en toonde ik me zeer bezorgd om Maggie. Ik zei heel wat keren dat baby's nu eenmaal een eigen willetje hebben en dat het leven er heel wat makkelijker op zou worden als ze konden praten. Ik heb nooit een verklaring afgelegd of mijn verontschuldigingen aangeboden. En ik dacht dat mijn boodschap uiteindelijk wel tot iedereen was doorgedrongen, dat ik nog altijd hun oude wijze dokter Dermot was.

Maar iedere zaterdagmiddag komt Hannah Harty, een alleenstaande dame, rond het middaguur bij mij de boekhouding doen. Ze is gediplomeerd en een toonbeeld van discretie. Ze doet de boekhouding voor heel veel mensen hier. Op de vijfde zaterdag na al het gedoe rond Maggie Kiernan schraapte Hannah haar keel en vertelde me toen zonder omhaal dat ik een groot aantal patiënten verloren had aan de nieuwe jonge dókter Jimmy White. En dat dit een forse aanslag op mijn inkomen betekende.

Eerst geloofde ik haar niet. Hannah heeft altijd al iets van een onheilsprofeet gehad. Lang geleden zeiden ze over haar dat ze een oogje op mij had. Maar dat kan ik me niet voorstellen.

Ik heb haar in ieder geval nooit aangemoedigd. Ik heb jarenlang voor haar oude moeder gezorgd. Of liever gezegd, het was Hannah die haar oude moeder verzorgde, maar ik bracht ze heel vaak geruststellende bezoekjes en als ze toevallig net gingen eten, schoof ik altijd bij ze aan.

Ik ben nooit getrouwd geweest. Ik was ooit verliefd op een vrouw, maar die zei tegen me dat ik te weinig ambitie had, dat ze het nooit met een plattelandsdokter zou uithouden. Nou, ik ben toevallig zoals ik ben en ik ben nooit van plan geweest om voor iemand anders te veranderen en dus heb ik nauwelijks nog aan haar of aan haar woorden teruggedacht.

Ik luisterde vol aandacht naar wat Hannah te vertellen had en nog geen halfuur nadat ze me had ingelicht over de teruggelopen inkomsten, ondernam ik al actie.

Ik ging bij de Foleys langs om een praatje te maken. De oude Foley liep op zijn laatste benen; hij zou het niet lang meer maken. Maar ik deed uiterst opgewekt over zijn toestand, ik zei dat hij het hart en de constitutie van een leeuw bezat en dat hij in een uitstekende conditie verkeerde. Toen ik wegging, voelde de hele familie Foley zich erg opgemonterd. Ik zei als zo vaak tegen mezelf dat dít de taak van een dokter is: de mensen opvrolijken, ze moed inspreken en op de been houden. Je moet ze niet de schrik op het lijf jagen met allerlei onderzoeken, scans en cijfertjes.

Op de terugweg liep ik dókter Jimmy White tegen het lijf.

'Zeg, die toestand met Maggie Kiernan...' begon hij onhandig.

'Ja?' zei ik ijzig.

'Eh, je moet niet denken dat ik jouw territorium probeerde binnen te dringen of zoiets...' zei hij, zijn gewicht afwisselend van de ene op de andere voet verplaatsend.

'Had u dat gevoel dan?' vroeg ik, nog steeds ijzig.

'Nou ja, eigenlijk was ze jouw patiënte natuurlijk, maar ik moest beslissen of het een noodsituatie was of niet. Ik vond van wel.'

'Dus volgens u hebt u alleen maar gedaan wat u moest doen, dókter White?'

'Ik wou dat je me Jim noemde, ik noem jou toch Dermot?'

'Ja, dat heb ik gemerkt,' zei ik met zo'n speciale glimlach van mij.

'Er is meer dan genoeg werk voor ons allebei, Dermot,' zei hij met een joviale grijns. 'We hoeven hier geen van tweeën armoe te lijden.'

'O, dat weet ik wel zeker, dókter White,' zei ik en ging mijns weegs.

Toen ik thuis was, bleef ik een hele tijd diep zitten peinzen. Hannah Harty belde op met het voorstel mij de vleespastei te komen brengen die ze had gemaakt. Sinds de dood van haar moeder had ze me niet meer bij haar thuis te eten gevraagd en ik miste die etentjes, vooral in de weekends, die vaak behoorlijk eenzaam zijn.

Ik heb een huishoudster, dat wel, een vrouw met een tamelijk treurige uitstraling. Ze houdt de boel schoon en ze wast en ze strijkt voor me. En ze doet boodschappen, natuurlijk, en ze kookt, maar nooit zo lekker als Hannah. Dus zei ik dat het me een eer zou zijn om de vleespastei samen met haar te nuttigen en dat ik een fles bordeaux zou opentrekken. Toen Hannah met het eten aankwam, was wel duidelijk dat ze die ochtend naar de kapper was geweest. Ze droeg een mooie witte blouse met een camee erop. Ze had zelfs make-up opgedaan, wat hoogst ongebruikelijk was.

Het zou toch niet waar zijn dat ze nog altijd bepaalde ideeën had over ons tweeën?

Het beste wat ik kon doen, was geen aandacht schenken aan haar fraaie uiterlijk, voor het geval dit op de achtergrond toch meespeelde. Het zou niet verstandig zijn haar een complimentje te maken of zoiets. Dat was vragen om moeilijkheden. We praatten over de ringweg van Rossmore. Zou die er ooit komen? Er werd al jaren over gesoebat. Zou het voor ons stille gehucht iets uitmaken, of zou iedereen de hobbelweg tussen hier en Rossmore gewoon negeren? Niemand scheen het te weten.

We aten heel plezierig samen en omdat Hannah ook nog een selectie van goede kaassoorten had meegebracht, trok ik nog een tweede fles open.

'Wat wil je in godsnaam tegen die jonge dokter White beginnen, Dermot?' vroeg ze me op de man af. Ze keek er zorgelijk bij. Háár kon het werkelijk iets schelen wat er met mij gebeurde, terwijl de rest van het dorp zo'n beetje en masse naar de tegenpartij was overgelopen. Ik boog me naar haar toe en klopte haar op haar hand.

'Ik zou me maar helemaal geen zorgen maken, lieve Hannah,' stelde ik haar gerust. 'Het is altijd belangrijk om in situaties als deze je kalmte te bewaren en te wachten tot de bui is overgedreven.'

'Maar misschien gebeurt dat wel niet, Dermot. Weet je, ik werk voor heel wat mensen hier in de buurt en veel van hen maken de overstap. Meneer Brown van de bank wil bij dokter White langs vanwege zijn vaders longontsteking. Meneer Kenny, de advocaat, zit erover in dat zijn moeder niet goed meer kan lopen en denkt dat de jonge dokter White haar misschien betere medicijnen kan voorschrijven en modernere behandelmethoden heeft. Dermot, je kunt toch niet werkeloos toezien hoe al je geploeter, de praktijk die je hebt opgezet, als sneeuw voor de zon verdwijnt?' Ze was blijkbaar erg begaan met mijn lot. Of misschien was het meer in haar eigen belang en zag ze werkelijk een toekomst met mij voor zich.

'Nee, nee, Hannah, ik zal hier niet gaan zitten toekijken. Ik dacht er eigenlijk over om maar eens een poosje met vakantie te gaan.'

'Wou je met vakantie? Nu? Nu het er zo miserabel voor je uitziet? Dermot, je lijkt wel compleet krankzinnig!' Ze hijgde bijna.

Maar ik weigerde op wat voor manier dan ook te reageren. Ik glimlachte haar alleen maar toe.

In de week die volgde legde ik verscheidene visites af. Ik concludeerde dat de oude meneer Foley nog ongeveer twee weken te leven had; dat de moeder van meneer Kenny haar laatste maanden vredig moest kunnen slijten, zonder nieuwe medicijnen omdat ze daardoor alleen maar uit haar gewone doen zou raken; dat de vader van meneer Brown de laatste fase van zijn longontsteking inging, waardoor hij op een vredige manier deze wereld vaarwel zou zeggen.

Toen kondigde ik aan dat ik een korte vakantie zou nemen. Ik moedigde de Browns, de Foleys en de Kenny's aan om tijdens mijn afwezigheid die aardige jonge dokter White te consulteren. Nee, natúúrlijk vond ik dat geen punt, je moest in het leven nu eenmaal kunnen geven en nemen, en de jongeman was zeer goed op zijn taak berekend. Ze zouden bij hem in capabele handen zijn.

Toen legde ik mijn golfclubs in de kofferbak van mijn auto en reed naar een heerlijk rustig hotel aan zee, op zo'n tweehonderd kilometer afstand gelegen. Het was geen enkel probleem om golfkameraden te vinden. Iedere dag speelde ik achttien holes.

En iedere avond speelde ik bridge in de lounge van het hotel en iedere ochtend bij het ontbijt sloeg ik bij mijn tweede kopje thee de krant op om de overlijdensberichten te lezen.

Het overlijdensbericht van de oude Foley verscheen het eerst, dat van mevrouw Kenny een aantal dagen later en dat van meneer Brown het laatst. Ik nam nogal gehaast afscheid van mijn nieuwe golf- en bridgevrienden en reed toen linea recta terug naar Doon.

Ik bezocht de nabestaanden van de gestorvenen, mijn hoofd

schuddend om hun grote verlies. Ik zei dat ik er niets van begreep: de oude Foley was nog zo flink geweest toen ik wegging, hij liep nog over van leven, net als mevrouw Kenny en meneer Brown trouwens. Was het niet ontzettend triest en ook ironisch dat ik, die de overledenen tijdens hun leven zo lang had gekend, er net niet was toen ze de geest gaven? Dan schudde ik mijn oude, wijze hoofd weer en zei dat het een volslagen mysterie was.

Ik hoefde niet lang te wachten. Het gebeurde allemaal zelfs veel sneller dan ik had verwacht. De mensen begonnen te praten.

Ze zeiden dat het wel erg vreemd was dat drie volkomen gezonde mensen gestorven waren in de tijd dat dokter Dermot op vakantie was. Eigenlijk was het niet zo'n goed idee om meteen naar de nieuwe dokter te vliegen in plaats van bij de oude, vertrouwde te blijven, de man die alle mensen al jaren kende, of ze nu oud, jong, ziek of gezond waren. De een na de ander kwam weer bij me terug, zelfs degenen die me om hun medisch dossier hadden gevraagd voordat ze naar dokter White overstapten. Sommigen hadden gemopperd dat het dossier zo weinig voorstelde, ze wilden er niet aan dat ik alles in mijn hoofd had zitten. Ik wist toch zeker best welk kind de bof had gehad en welk kind de mazelen, verdorie nog toe. Ik had een computer met printer helemaal niet nodig.

Ik trad iedereen zeer edelmoedig tegemoet. Ik liet niets van gekwetstheid blijken, mijn gezicht vertoonde nog niet het minste spoortje van wrok. Ze waren allemaal enorm opgelucht dat ik hen terugnam en ze begonnen op dokter White af te geven. Maar ook wat dit betrof, toonde ik me edelmoedig. Ik wilde geen kwaad woord horen over de jonge knul. Als ik hem 'jonge knul' noemde, glimlachte ik toegeeflijk. Ja, zei ik dan, hij was nog erg jong en dus moest hij ergens zijn fouten kunnen maken. Iedereen stond versteld van mijn ruimhartigheid.

Voordat hij uit het dorp wegging, kwam dokter White bij me langs. Het was een beleefdheidsbezoekje, zei hij, om me te laten weten dat hij vertrok. Dat wist ik allang, maar ik deed net alsof het me verbaasde. Ik wenste hem alle goeds en zei dat ik het jammer vond hem als collega te moeten missen.

'U vindt ergens anders vast wel iets beters,' zei ik.

'Ja, daar twijfel ik niet aan,' zei hij.

'U bent een erg aardige dokter, dat is waar het allemaal om draait,' voegde ik er als loftuiting aan toe.

'Daar draait het gedééltelijk om, Dermot, zeker,' zei hij.

Ik kromp ineen, zoals steeds als hij zo familiair deed. Maar ik geloof niet dat hij het zag. Ik bood hem een drankje aan, maar dat sloeg hij af.

'Een volgende keer kom je er niet zo goed af, Dermot. Mag ik je een goede raad geven voordat ik vertrek?'

Om hem ter wille te zijn zei ik ja. Ik had hem tenslotte het dorp uit gewerkt. Ik kon het me veroorloven om hoffelijk te zijn.

'Als de volgende jonge knul naar het dorp komt, Dermot, maak hem dan tot partner, verkoop dit huis, neem een spreekkamer in Chesters kliniek, ga korter werken, trouw met Hannah Harty en ga bij haar in dat grote huis wonen. Dat is veel beter dan een proces aan je broek krijgen wegens een grove medische fout. Je wilt toch niet dat je oude vrienden je gaan verdenken van nalatigheid?'

Hij stond op, de brutale jonge hond, en liep weg zonder nog een blik achterom.

Ik dacht een tijdje na over wat hij gezegd had. Allemaal onwijze dingen. En wat bazelde hij nu over een kliniek van Chester? Chester had een soort medisch centrum opgezet, een idioot oord met dure apparatuur waar mensen tijd en geld konden verspillen. Er zouden zelfs ruimten komen voor aromatherapie en meer van dat soort newagenonsens. En wat had hij een achterlijke tijd uitgekozen! Net nu er een nieuwe weg kwam waardoor patiënten van hier het centrum van Rossmore gemakkelijk konden bereiken. Het project was van het begin af gedoemd te mislukken. Dus hoefde ik me hierover geen zorgen te maken.

De mensen hier stonden met beide benen op de grond, ze

zouden niets willen weten van al die onzin ter ere van ene Danny O'Neill, een ouwe *loser* die ze zich geen van allen konden herinneren. Maar één ding was zo helder als wat en van veel groter belang: blijkbaar werd mijn naam nu alom gekoppeld aan die van de arme Hannah Harty. Dit diende in de kiem gesmoord te worden. Ze zou de volgende dag zalm in bladerdeeg voor me maken, zo'n fancy recept van haar. Ik moest haar maar meteen bellen om te zeggen dat ik niet kon. Alles ging nu van een leien dakje, het zou zonde zijn om de dingen ingewikkelder te maken dan ze waren.

Deel 2 – Chesters plan

Ik had mijn Ierse grootvader Danny O'Neill altijd beloofd dat ik nog eens naar Ierland zou gaan, maar bij zijn leven was het er niet van gekomen. Hij vertelde altijd verhalen over het huis van zijn ouders in Doon, een eindje van Rossmore. En over het uitgestrekte Meidoornbos en de heilige bron die zich daar bevond en waar wonderen waren gebeurd. Op een of andere manier kwam het er niet van om naar Ierland te gaan toen hij nog leefde. Er was zoveel dat ik moest doen. Ik moest om te beginnen naar school en daarna moest ik in mijn levensonderhoud voorzien.

Mijn eigen vader, Mark Kovac, uit Polen afkomstig, was timmerman, maar hij had tbc en was toch al niet sterk, en dus moest ik als oudste mijn bijdrage leveren aan het onderhoud van ons gezin. Ik zei vaak tegen mijn moeder dat het leven misschien een stuk gemakkelijker zou zijn als ze het niet nodig hadden gevonden om negen kinderen op de wereld te zetten. Maar dan lachte ze alleen maar en vroeg welke van de negen ik wilde terugsturen. We werkten allemaal hard, we haalden goede cijfers op school en we kregen allemaal een baan vanaf het moment dat we groot genoeg waren om schappen te vullen in een supermarkt of karton te verzamelen en er nette stapels van te maken.

Ik had het geluk een vent bij de bank te ontmoeten die me geld wilde lenen voor het starten van een eigen bouwbedrijf, en toen was ik in staat al mijn broers en zussen een baan te geven. Mijn vader kwam in de directie. 'Aannemersbedrijf Mark Kovac & Familie' kwam op onze vrachtwagens te staan en daar was hij geweldig trots op.

Ik hoefde mijn eigen naam niet zo nodig aan het bedrijf te koppelen, ik wist zo ook wel dat het van mij was, en op een of andere manier verleende de naam van mijn vader iets eerbiedwaardigs aan het bedrijf, alsof het al heel lang bestond. Het straalde betrouwbaarheid en continuïteit uit.

De familie van mijn vader kwam uit een Pools dorpje dat niet meer bestond, maar de vader van mijn moeder hield niet op over het prachtige gehucht in Ierland waar hij vandaan kwam. Dus toen ik vijftig werd, besloot ik mezelf te belonen met drie maanden vakantie.

Ik was niet getrouwd. Ik had nooit tijd gehad voor zoiets. Dat klinkt misschien een beetje zielig, maar zo heb ik het nooit gezien. Ik had het veel te druk met het opzetten en runnen van mijn bedrijf en toen alles uiteindelijk op rolletjes liep, vond ik dat ik er eigenlijk al een beetje te oud voor was. Mijn broers en zussen waren allemaal getrouwd en hadden allemaal kinderen, dus als ik behoefte had aan een gezin om me heen, waren de mogelijkheden legio.

Maar toen zei mijn arts dat ik het rustig aan moest gaan doen, omdat mijn bloeddruk veel te hoog was. Mijn grootvader stierf. Op zijn begrafenis werd Ierse muziek gespeeld en werd er veel gepraat over zijn dorp, het bos en Rossmore en zo meer. Daardoor begon ik weer te denken aan zijn geboorteland en toen besloot ik dat het misschien wel een goed moment was om het bedrijf te laten voor wat het was en naar Ierland te gaan om uit te rusten.

En omdat ik nu eenmaal niet gewend was aan nietsdoen, kon ik mooi gaan uitzoeken of er iets te doen was met een ideetje dat ik al langer had: een gebouw neerzetten ter nagedachtenis van opa O'Neill. Een gebouw dat de mensen uit zijn geboortedorp duidelijk zou maken dat zijn leven en zijn emigratie naar Amerika de moeite waard waren geweest.

Iedereen vond het een goed idee en mij werd verzekerd dat Aannemersbedrijf Mark Kovac & Familie het zonder mij ook wel zou redden.

'Misschien vind je daar ook wel een aardig Iers meisje,' zei mijn moeder. Ik dacht dat zo'n meisje dan wel een hoog ouwevrijstersgehalte zou hebben, maar ik zei het niet. Ik had in de loop der jaren wel geleerd dat het soms beter is om niet het laatste woord te willen hebben, maar gewoon te blijven glimlachen en de ander gelijk te geven. Het laatste woord hebben is echt niet zo belangrijk.

En zo belandde ik in het geboortedorp van mijn opa Danny O'Neill. Het bleek een prima plek om tot rust te komen. Niemand in Doon herinnerde zich mijn opa, en dat was wel een teleurstelling.

Ze herinnerden zich nog wel het buurtje met de kleine huisjes waar hij vandaan kwam, maar dat was allang tegen de vlakte gegaan omdat het één grote bouwval was. Het was allemaal al zo lang geleden en, trouwens, de naam O'Neill kwam zo vaak voor in Ierland.

Het sterkte me alleen maar in mijn besluit om zijn nagedachtenis in ere te houden. Ik zou een gedenkteken voor hem oprichten, maar het mocht niets ijdels hebben, het moest iets zijn waar de mensen in zijn geboortedorp echt iets aan hadden. Ik vroeg links en rechts of ze soms ideeën hadden. Nou, die hadden ze in overvloed. De een dacht aan een theaterzaal, de ander aan een tentoonstellingsruimte, een derde aan een parkje waar kinderen konden spelen en bejaarden op een bankje konden zitten. Iemand stelde een kerk voor en weer een ander een museum. Er waren net zoveel ideeën als er mensen waren.

Een oud vrouwtje zei tegen me dat ik bij de heilige bron in het Meidoornbos moest gaan bidden. Dan zou in alle helderheid tot mijn geest doordringen wat ik moest doen. Dus reed ik ernaartoe. Ik parkeerde mijn auto bij de rand van het bos en begon aan de wandeling naar de bron. Ik kwam een grote, vriendelijke hond tegen die met me mee liep en de weg naar de bron blijkbaar heel goed kende, want bij elke wegwijzer hield hij de juiste richting aan. Hij bleef respectvol buiten zitten toen ik de donkere vochtige grot binnenging.

De bron was buitengewoon. Een ander woord heb ik er niet voor. Ik ben net zo gelovig als ieder ander. Wat wil je, als zoon van een Ierse katholieke moeder en een Poolse katholieke vader, daar ontkom je toch niet aan? Maar iets als dit had ik nog nooit gezien.

Mensen hadden hun smeekbeden open en bloot aan de wanden van de grot opgehangen, er hingen kinderschoentjes en babysokjes met briefjes eraan, briefjes om de genezing van reuma af te smeken, rozenkransen met papiertjes waarop om het herstel van een geliefde moeder of een kind werd gebeden.

Het was grotesk, in allerlei opzichten, maar tegelijk ook erg ontroerend. Die kleine ruimte was één grote vergaarbak van breekbare verwachtingen. Het was geen plek die me een gevoel van welbevinden, van heiligheid bezorgde. En van het beeld dat er stond, straalde geen wijsheid op me af. Integendeel, ik voelde me heel slecht op mijn gemak en wilde zo gauw mogelijk weer weg. Maar toen ik weer buiten kwam, zat die grote hond daar nog... Het was een soort herdershond vermoed ik. Hij zat op me te wachten alsof ik een oude vriend van hem was die hij heel lang had moeten missen. Ik krabde hem achter zijn oren en liep in diep gepeins verzonken terug door het bos.

Toen begon een idee in mijn hoofd gestalte te krijgen.

Ik zou een gezondheidscentrum bouwen, dan hoefden de mensen uit deze omgeving tenminste niet meer op hun knieën in die kille grot te bidden tot een heilige die al tweeduizend jaar dood was om de genezing van een geliefde af te smeken. Misschien, zo dacht ik bij mezelf, was dit wel het effect van die bron: als je ervandaan kwam, werden je problemen opgelost.

De hond liep monter met me mee.

Ik raakte hem niet meer kwijt.

Ik nam hem mee naar de dichtstbijzijnde politiepost. Daar bekeken ze het dier aandachtig. Hij had geen band om en zag er verwaarloosd uit. Blijkbaar had iemand hem in het bos aan zijn lot overgelaten.

Ik was geschokt.

Zo'n mooie, lieve hond...

'Wilt u hem zelf niet houden?' opperde de jonge politie-
agent.

'Nou, vooruit, kom maar mee dan,' zei ik tegen de hond. Enthousiast sprong hij de auto in.

Ik besloot hem Zloty te noemen, naar de oude Poolse munt-
eenheid. Hij luisterde ernaar alsof hij nooit een andere naam
had gehad.

Eenmaal terug in Doon was ik vastbesloten er een soort medisch centrum neer te zetten. Als mensen hier de hulp van een
specialist nodig hadden, of een scan of röntgenfoto moesten
laten maken, moesten ze over die hobbelweg helemaal naar
Rossmore. Ik had heus wel gehoord van de ringweg die zou
worden aangelegd. Maar het was niet onwaarschijnlijk dat het
nog decennia zou duren voordat die er kwam. Bovendien hadden ze in Rossmore ook niet alle faciliteiten voor patiënten; die
moesten soms de lange reis naar Dublin maken, wat niet echt
bevorderlijk was voor hun gemoedsrust en hun toestand.
Zou het niet geweldig zijn als ze alle faciliteiten binnen
handbereik hadden?

De mensen hier waren allemaal erg gemoedelijk en vriendelijk. Ik logeerde in het plaatselijke hotel en Zloty bracht de
nacht door in een bijgebouw. Ik ontmoette Ciaran Brown van
de bank; Sean Kenny, de plaatselijke advocaat; de familie Foley;
Maggie Kiernan die iedereen die het maar horen wilde vertelde hoe graag ze een baby wilde en die er uiteindelijk ook een
kreeg. Ik ontmoette ook een echte dame, Hannah Harty. Ze
was boekhouder en een eiland van discretie in een zee van ge-
roddel. Dus toen ik via Sean Kenny een lap grond aankocht,
stelde hij voor dat ik Hannah zou vragen alle papierwerk te verzorgen, want dan zou niemand te horen krijgen wat mijn plannen waren.

Er waren twee dokters in het dorp, een geweldige zuurpruim
die Dermot heette en de veel jongere Jimmy White die veel
meer in zijn mars had. Jammer genoeg had ik me bij de prak-

tijk van dokter Dermot gemeld voordat Jimmy White naar het dorp kwam en dus moest ik wel bij hem blijven. Dermot was een luie, gezapige vent die alleen maar even vluchtig keek wat voor medicijnen ik gebruikte en toen zei dat ik daarmee door moest gaan. Toen ging hij met vakantie. Na een tijdje kreeg ik last van kortademigheid. Ik ging naar Jimmy White die me doorverwees voor een stressonderzoek en een echo. De hartspecialist schreef een andere bètablokker voor en toen ging het meteen een stuk beter met me.

Het was geen beste tijd voor de mensen in het dorp. De oude Foley, de moeder van Sean Kenny en de vader van Ciaran Brown stierven heel kort na elkaar, binnen tien dagen. Het pad naar het kerkhof raakte er uitgesleten van.

Die arme Jimmy White was ten einde raad.

'Natuurlijk moest dit gebeuren terwijl ik er hier alleen voor stond,' vertrouwde hij me op een avond toe. 'De mensen hier hebben een heilig ontzag voor Dermot, die ouwe stinkerd. Ze denken dat die drie oudjes niet dood zouden zijn gegaan als hij er was geweest.'

'Maar dat is toch belachelijk,' zei ik. 'Ze waren toch heel oud en zwak, het was gewoon hun tijd.'

'Vertel dat maar eens aan de Foleys, de Browns en de Kenny's,' zei Jimmy somber.

'Het was al met al een erg beroerde samenloop van omstandigheden,' zei ik meelevend.

'Ja, of misschien... Af en toe raak ik een beetje paranoïde en dan denk ik dat het allemaal gepland was,' zei Jimmy.

Ik keek hem vreemd aan en onmiddellijk begon Jimmy White zich te verontschuldigen. Nee, nee, natuurlijk was dat een rare gedachte. Dokter Dermot had die oudjes niet door voodoo of zoiets vanaf zijn vakantieadres de dood in kunnen jagen.

Ik bleef er zelf daarna onwillekeurig over doordenken. Misschien had die gluiperige ouwe dokter er wel op zitten wachten tot al die oudjes rijp waren voor hun laatste reis.

Was ik net zo paranoïde aan het worden als Jimmy?

Hoe het ook zij, ik had meer dan genoeg andere dingen aan mijn hoofd. Ik had in Ierland een bouwonderneming in de arm genomen die het op zijn zachtst gezegd kalm aan deed. Zeg maar op z'n elfendertigst. De baas, Finn Ferguson, zei vaak dat God de tijd had geschapen, tijd in overvloed. Het bleek een nachtmerrie om vergunningen los te krijgen. En het samenstellen van een team ging er heel anders aan toe dan thuis. Iedereen had blijkbaar tig baantjes tegelijk, verzuchtte ik wel eens tegen Hannah, de aardige boekhoudster. Ze bleef altijd positief en gaf me praktische adviezen.

Misschien moest ik Finn Ferguson maar eens vragen of zijn vrouw niet naar Amerika wilde om te shoppen; mijn zussen zouden haar dan wel opvangen en haar meenemen naar de juiste winkels. Dat bleek een geweldige zet: de vrouw kwam niet alleen terug met drie koffers vol koopjes, maar ook de mededeling dat Aannemersbedrijf Mark Kovac & Familie in Amerika een toponderneming was. Daarna zei Finn Ferguson ineens meneer tegen me. Hij dronk nog wel af en toe een pint met me en bracht ook nog geregeld een bot mee voor Zloty. En dan vertelde hij me over zijn zorgen omtrent de nieuwe weg bij Rossmore, die wel of niet zou worden aangelegd.

Als een van die grote jongens het contract voor het bouwen van die weg in de wacht sleepte en neerstreek in Rossmore, zou een klein bedrijfje als het zijne de paar klussen die hij nog onderhanden had, ook verspelen. De mensen zouden zich laten verlokken door de grote ondernemingen met hun enorme grondverzetmachines en kranen, en dan kon hij zijn zaak wel opdoeken. Ik verzekerde hem dat hij er het best aan zou doen om zich te specialiseren. Om zich in één aspect van het bouwen te bekwamen en hierin een naam op te bouwen.

Als het Danny O'Neill Gezondheidscentrum zijn deuren zou openen, zou er een prachtig uitgegeven brochure over verschijnen en daarvan kon Finn uiteraard gebruikmaken om meer klanten te werven.

Tot mijn grote voldoening had dit als effect dat Finn veel meer vaart zette achter de bouwactiviteiten.

'Je bent echt een goeie vent, Chester, meneer, bedoel ik,' zei hij tegen me. 'Ik hoor een hoop mensen dat over jou zeggen. Juffrouw Harty zei laatst nog tegen kanunnik Cassidy toen die vorige week hier was, dat jij de engel was waarop dit dorp altijd al gewacht had.'

Ik was dol op Hannah en het was een teleurstelling voor me dat ze blijkbaar meer in dokter Dermot geïnteresseerd was. Ik vroeg haar eens of ze wel eens verliefd was geweest en toen zei ze van niet en dat het niet waarschijnlijk was dat ze op haar tweeënvijftigste nog zoiets moois zou meemaken. Haar moeder had altijd gezegd dat dokter Dermot een goede vangst zou zijn en ze had heel wat tijd gestoken in pogingen om het zover te laten komen. Maar ja, het ging om een onafhankelijke man, die erg hechtte aan zijn manier van leven.

'Of die nogal egoïstisch is?' opperde ik. Ho, ho, Chester, dit was niet de manier om het aan te pakken.

Hannah Harty begon de man heftig te verdedigen. Hij had zich onvermoeibaar ingezet voor deze gemeenschap. Niemand zou hem voor een egoïst kunnen verslijten.

Ik zei dat ik maar een buitenstaander was en dat ik het eigenlijk ook niet kon weten. Maar ik wist het wel. Hij was zo egoïstisch als wat. Ik zag er steeds meer voorbeelden van.

Hij nam altijd een drankje van me aan in het hotel, maar bood mij er nooit een aan. Ik hoorde van Hannah dat ze vaak een vleespastei voor hem maakte of een kip voor hem braadde, want mannen waren nu eenmaal zo hopeloos in die dingen. Maar het hotel beschikte over een prima eetzaal waar hij haar heel goed als dank mee naar toe kon nemen, maar dat deed hij nooit. Hij gedroeg zich uitermate arrogant tegenover Jimmy White, en ging daarin zelfs zo ver dat de jonge man me uiteindelijk vertelde dat hij zich gedwongen zag zijn biezen te pakken en het dorp met stille trom te verlaten. Hij had hier geen leven meer.

Intussen werden mijn plannen uitgevoerd. Finn de aannemer hield inmiddels als een broer van mij en had vanuit het hele land mensen aangetrokken om mee te bouwen aan het Danny

169

O'Neill Gezondheidscentrum in Doon. We zagen het complex met de dag vorderen.

De mensen konden nauwelijks geloven dat hier, als het ware op hun drempel, röntgen- en hartbewakingsapparatuur zou komen, naast een therapeutisch zwembad, en dat er daarnaast een stuk of tien ruimten gepland waren die verhuurd zouden gaan worden. De kranten schreven dat het de gezondheidszorg van de toekomst was.

Er was al belangstelling van een tandarts en een pilates- en yogaleraar, en verscheidene specialisten hadden al geïnformeerd naar de mogelijkheid om hier een keer of twee per week spreekuur te houden. Het kwam erop neer dat de gezondheidszorg naar de mensen toe werd gebracht in plaats van dat ze er einden voor moesten reizen, wat voor patiënten nu eenmaal extra belastend is. Ik had gehoopt dat Jimmy White hier een praktijk zou inrichten, maar jammer genoeg was hij al weg voordat het centrum in gebruik was genomen.

Hannah Harty had het leeuwendeel van het werk voor het centrum inmiddels overgedragen aan een accountantsbureau, maar ze hield nog wel mijn privéboekhouding bij. Ik vond het altijd heerlijk als ze hiervoor langskwam.

Finn kwam op vrijdag rond zes uur naar het hotel om me achter een glas bier op de hoogte te brengen van wat er de afgelopen week allemaal was gebeurd en daarna kwam Hannah bij ons zitten om een aantal cheques voor Finn mede te ondertekenen, waarna zij en ik samen in de eetzaal gingen eten.

Voordat ze naar me toe kwam, bracht ze altijd eerst een bezoek aan de schoonheidssalon. Ze praatte graag over dokter Dermot en omdat ik van nature erg meegaand ben, liet ik haar maar babbelen. Ze ging gewoonlijk op zaterdag naar hem toe dus nam ik aan dat haar modieuze kapsel vooral te zijner ere was. Maar ik kreeg wel in de gaten dat het steeds vaker gebeurde dat dokter Dermot blijkbaar niet in staat was zich aan hun zaterdagse afspraken te houden.

De ene keer moest hij met collega's overleggen over een patiënt. Een andere keer rekenden zijn golfmaatjes erop dat hij meedeed. Of hij kreeg vrienden uit het buitenland over de vloer. Vrienden die hij niet bij naam noemde en die hij ook niet aan haar voorstelde. Hannah was zich gaan afvragen of dokter Dermot haar soms vermeed. Ik stelde haar gerust door te zeggen dat dat natuurlijk niet zo was, want dat was precies wat ze graag wilde horen.

'En je doet toch nog steeds de boekhouding voor hem?'

'Jawel, maar tegenwoordig legt hij de papieren voor me klaar in een bakje. Zelf is hij er nooit meer bij.' Ze zat er erg over in.

'Misschien heeft hij het erg druk, heeft hij dringende gevallen.'

'Ach, Chester, je kent Dermot toch onderhand,' zei ze. 'Voor hem is nooit iets dringend. Ik denk dat hij bang is dat onze namen aan elkaar gekoppeld worden.'

'Maar daar zou hij toch juist trots op moeten zijn?' zei ik.

Ze beet op haar lip, haar ogen vulden zich met tranen en ze schudde treurig haar hoofd. Ik zou het liefst naar die etterige dokter Dermot toe gaan om hem bij zijn magere schouders te pakken en eens flink door elkaar te rammelen.

Waarom moest hij zo'n lieve vrouw als Hannah Harty pijn doen? Iedere normale man zou er trots op zijn in haar buurt te mogen verkeren. Of wie weet haar leven te mogen delen.

En toen die gedachte bij me opkwam, werd deze onmiddellijk gevolgd door een volgende. Hannah Harty is veel te goed voor die miezerige gluiperd. Zij is eigenlijk het soort vrouw met wie ik zelf graag meer tijd zou doorbrengen. Ik vroeg me af waarom ik dit niet eerder had ingezien.

Ik hoopte niet dat ze vond dat ze te vertrouwelijk tegen me was geweest en me daarom nooit echt als een persoon zou kunnen zien. Maar daar zou ik nooit achterkomen als ik niet iets ondernam om de zaken een duwtje in de goede richting te geven. Dus vroeg ik haar of ze zin had om de volgende dag, als ze de papieren van dokter Dermot had opgehaald, met mij een ritje te maken.

'Tenzij hij er is, natuurlijk,' zei Hannah.

Hij was er niet en dus reden we naar een oud kasteel met een waterval in het domein eromheen. De week erop gingen we naar een schilderijententoonstelling en de week daarna naar de bruiloft van de dochter van Finn Ferguson. Tegen die tijd praatte ze lang niet meer zoveel over dokter Dermot, en haar naam was zeer beslist gekoppeld aan de mijne of hoe ze dat hier in de omgeving ook noemden.

De geplande drie maanden van mijn bezoek waren inmiddels opgerekt tot zes maanden en ook al deed aannemer Finn intussen erg zijn best, het bouwen aan het centrum leek eindeloos lang te duren. Ik dacht er onderhand over om maar niet meer terug te gaan naar Aannemersbedrijf Kovac in Amerika. Er waren zo veel dingen die me hier hielden. Zoals het verbinden van de naam van onze grootvader aan een centrum van formaat, een plek die het hart zou gaan vormen van de gemeenschap waarvan hij zo veel gehouden had en waarnaar hij in Amerika zo had verlangd.

Ik meldde mijn broers dat ik erover dacht om mij voor de rest van mijn bestaan aan dit centrum te wijden. Ze vonden het erg fijn voor me en verzekerden me dat ze het heel goed zonder mij af konden en dat ze allang het idee hadden dat ik in Ierland een manier van leven had gevonden waaraan ik me met hart en ziel overgaf. Al hadden ze niet door hoezeer dat het geval was.

Ze hadden dan ook geen weet van Hannah Harty.

Ze was mijn steun en toeverlaat: ze vond een binnenhuisarchitect die het Danny O'Neill Gezondheidscentrum een rustgevende uitstraling wist te bezorgen, ze trok Finns kersverse schoonzoon aan voor de aanleg en het onderhoud van de tuinen, ze gaf dineetjes waarvoor ze bijvoorbeeld bankier Ciaran Brown en zijn vrouw, of advocaat Sean Kenny en diens vrouw uitnodigde. Of Maggie Kiernan en haar man, tenminste als die een oppas wisten te krijgen.

Ze vroeg dokter Dermot ook een paar keer, maar die bleek steeds iets anders te hebben. Ten slotte vroeg ze hem niet meer.

Op een dag begon de man me uit te vragen over het nieuwe centrum. Hij was nog geen spat veranderd, nog steeds even zelfvoldaan. Hij had gehoord dat een minister het centrum zou komen openen. Hij vond het een belachelijk idee. Had zo iemand niets beters te doen?

Ik herinnerde hem eraan dat ik hem al verscheidene keren had gevraagd of hij belangstelling had voor een praktijkruimte in het centrum. Ik had gedacht dat hij, als alle faciliteiten binnen handbereik waren, zijn patiënten indien nodig ook wel zou willen doorverwijzen voor specialistische onderzoeken en scans. Maar hij had geen enkele keer geluisterd. Hij had het hele idee zelfs als bespottelijk van de hand gewezen en gezegd dat hij een prima praktijkruimte had.

Ik legde uit dat ik de ruimte dan aan andere artsen zou aanbieden en toen zei hij dat hij me veel geluk wenste met het kaalplukken van domkoppen en zielenpoten. Dat sloeg natuurlijk nergens op. Het Danny O'Neill Gezondheidscentrum was juist opgezet met het doel te waarborgen dat de mensen van hier goede medische zorg kregen, in tegenstelling tot mijn grootvader en zijn lotgenoten die geplaagd door een slechte gezondheid over een groot deel van de aardbol waren uitgewaaierd, op zoek naar een beter leven in een nieuw land.

Maar nu Dermot gehoord had dat een heuse minister het centrum zou komen openen, toonde hij opeens wel enige interesse.

'Dat centrum van jou wordt dus een goudmijntje, dat kan niet missen,' zei Chester met zijn gebruikelijke boosaardigheid.

Het loonde eigenlijk niet de moeite om met hem te gaan ruziën. Hij was niet van het soort dat zou kunnen begrijpen dat ik er mijn eigen geld in had gestoken en dat ik anderen had gevraagd het project te steunen en tot het begeleidingsteam toe te treden. Dat winst niet het oogmerk was, zou zijn verstand ongetwijfeld te boven gaan.

'Ach, je weet hoe het gaat,' zei ik schouderophalend. Ik had me een paar van dit soort dooddoeners eigen gemaakt sinds ik in dit land was gekomen.

'Dat weet ik juist helemaal niet,' snauwde hij. 'Ik ben de laatste hier die iets aan de weet komt. Een patiënt vertelde me vanochtend dat je je bepaalde ideeën met betrekking tot Hannah Harty in je hoofd hebt gehaald. Ook dat was nieuw voor me.'

'Ik ben een groot bewonderaar van Hannah Harty, dat is waar. Daarin heeft je patiënt volkomen gelijk,' zei ik nogal hoogdravend.

'Nou, zolang het maar bewondering van op afstand is, kan niemand daar iets tegen hebben.'

Dit was een verkapt dreigement. Nota bene. Hij bestond het om recht te doen gelden op een vrouw die hij had vernederd en genegeerd. Ik voelde woede in me opkomen. Maar ik had het in mijn leven heel ver weten te schoppen door altijd mijn kalmte te bewaren. Ik was niet van plan nu een risico te nemen. Ik realiseerde me namelijk dat ik een soort primitieve vijandschap koesterde tegen deze man omdat ik hem als een rivaal zag.

Ik heb te vaak gezien dat mensen hun doel voorbijschoten door aan hun boosheid toe te geven. Dus drukte ik mijn woede meteen de kop weer in.

'Ik moet nu weg, dokter Dermot,' zei ik. Ik wist dat mijn stem verstikt klonk.

Hij glimlachte zijn superieure, ongelofelijk irritante glimlach. 'Dat zal wel, ja,' zei hij terwijl hij zijn glas naar me ophief. 'Natuurlijk moet je ervandoor.'

Ik liep trillend van onderdrukte ergernis het plein over. Zloty kwam naast me lopen om me gezelschap te houden of me te bemoedigen, een van de twee. Nog nooit was ik zo kwaad op iemand geweest. Nog nooit in mijn hele leven. Hetgeen betekende dat ik ook nooit eerder zo veel om een vrouw gegeven had. Ik had alleen geen idee of deze vrouw voor mij ook maar iets voelde dat erop leek. Die lieve, bedaarde, damesachtige Hannah vond me misschien alleen maar een plezierige kennis.

Wat was ik toch een stakker van een man. Ik had niet eens een idee of deze vrouw ook maar een sikkepitje voor me voelde.

Ik merkte dat mijn schreden als vanzelf de kant op gingen van het elegante met klimop begroeide huis dat ze in haar eentje bewoonde. Haar grootouders woonden waarschijnlijk in dat huis op het moment dat mijn arme opa zijn schamele bezittingen pakte en de nietige bouwval verliet die ergens op de plek had gestaan waar het Danny O'Neill Gezondheidscentrum aan het verrijzen was.

Ze was verrast toen ze me voor de deur zag staan. Ik was nooit eerder onaangekondigd bij haar aangekomen. Maar ze vroeg me binnen en schonk een glas wijn voor me in. Ze leek eerder blij dan geërgerd dat ik er was. Dus dat was een goed teken.

'Ik vroeg me af, Hannah, of...' begon ik.

'Wat vroeg je je af?' Ze hield haar hoofd een beetje scheef.

Ik ben een hopeloos geval wat dit soort zaken aangaat. Er zijn mannen die precies weten wat ze moeten zeggen, die de juiste woorden zo uit de lucht weten te plukken. Maar Hannah was ook niet gewend aan dit soort mannen. Ze was immers verkikkerd geweest op die etterbak van een dokter. Ik moest gewoon eerlijk zijn, haar recht op de vrouw af vragen.

'Ik vroeg me af of je je een toekomst samen met iemand als ik misschien zou kunnen voorstellen.' Daar, ik had het gewoon gezegd.

'Met iemand zoals jij, Chester – of met jóú?' Nu plaagde ze me.

'Met mij, Hannah,' zei ik eenvoudig.

Ze liep een eindje bij me vandaan in haar fraaie salon. 'Ik ben veel te oud voor jou,' zei ze mistroostig.

'Je bent maar tweeënhalf jaar ouder dan ik,' zei ik.

Ze glimlachte alsof ik een kleuter was die iets grappigs had gezegd.

'Ja, maar ik waggelde al met wakkere oogjes rond voordat jij geboren werd.'

'Maar wie weet wachtte je toen al op me,' zei ik hoopvol.

'Ach, als ik op jou gewacht heb, Chester, dan heb ik inderdaad al heel lang gewacht,' zei ze.

Toen wist ik dat het goed zat. De woede die ik in mijn binnenste voor dokter Dermot gevoeld had, kwam tot bedaren. Want waarom zou ik nog kwaad op hem zijn?

Als hij er niet was geweest, zou ik waarschijnlijk nooit het plein zijn overgestoken om me tegen Hannah uit te spreken, ik zou de kans op een relatie weer hebben laten wegglippen zoals ik dat in het verleden al vaker had gedaan.

'Moet ik dan in Amerika gaan wonen?' vroeg ze.

'Nee, ik wil liever hier blijven wonen. Ik zou het fijn vinden om mee te maken hoe het centrum van start gaat, ik wil graag weten of de grote weg rond Rossmore er ooit nog komt en of de bron van de heilige Anna eraan gaat. Alles hier interesseert me enorm, en om hier samen met jou te kunnen wonen... dat zou voor mij nog mooier zijn dan ik ooit had kunnen dromen.'

Ze leek erg verheugd.

'Maar ik hoop wel dat je met me meegaat naar Amerika om kennis te maken met mijn familie,' zei ik.

'Ze vinden me vast verschrikkelijk,' zei ze, terwijl ze nerveus haar kapsel schikte.

'Ze zijn vast dol op je en mijn moeder zal helemaal erg blij zijn. Ze hoopte dat ik hier een meisje zou vinden,' bekende ik.

'Dat is dan wel een behoorlijk oud meisje,' zei ze.

'Alsjeblieft, Hannah...' begon ik. Ze ging de gordijnen dichtdoen van de grote erker die op het plein uitkeek.

Voordat ze helemaal dicht waren, zag ik dokter Dermot het hotel uit komen. Hij bleef even staan om naar Hannahs huis te kijken en draaide zich toen om, om naar zijn eigen eenzame woning te lopen. Zijn werkzame leven zou spoedig ten einde zijn. Als het Danny O'Neill Gezondheidscentrum in Doon zijn deuren opende, zou er weinig animo meer zijn voor dokter Dermots ouderwetse, gebrekkige behandelmethoden. Nu had hij ook nog de vrouw verloren die zijn laatste jaren draaglijk hadden kunnen maken.

Ik weet wel dat iedereen altijd over me zegt dat ik te goedhartig ben en veel te aardig over iedereen denk.

Dat mag misschien zo zijn, maar ik had oprecht medelijden met die kerel.

8

De weg, het bos en de bron – 2

Kapelaan Brian Flynn begaf zich naar het station om zijn zus Judy af te halen. Ze was al tien jaar niet meer in Rossmore geweest en die jaren hadden diepe sporen op haar gezicht achtergelaten. Het schokte hem echt dat ze er zo bleek en tobberig uitzag. Judy was pas negenendertig of veertig jaar oud. Maar ze zag eruit alsof ze achter in de vijftig was.

Toen ze hem zag, zwaaide ze naar hem. 'Wat lief van je dat je me komt ophalen!' zei ze en ze omhelsde hem.

'Het spijt me alleen heel erg dat je niet bij mij kunt logeren. Ik vind het eigenlijk vreselijk dat je voor een hotel moet betalen terwijl je in Rossmore een moeder en twee broers hebt.'

'Denk je dat mama mij herkent, Brian?'

'Op haar manier wel, denk ik,' antwoordde hij.

'Wat wil dat precies zeggen?'

Hij was vergeten hoe direct Judy kon zijn. 'Ik weet het niet, Judy, het is gewoon iets wat ik zeg om niet iets anders te hoeven zeggen, denk ik.'

Ze gaf hem een liefkozend kneepje in zijn arm. 'Wat ben je toch een schat,' zei ze. 'Het spijt me dat ik zo lang niet hier ben geweest. Maar er was steeds wel weer iets onnozels wat me in Londen vasthield.'

'Maar je hebt wel altijd geschreven, en je was altijd heel goed voor moeder,' zei hij.

Daar vrolijkte Judy van op. 'Nou, rij me maar eens even door

179

Rossmore zodat ik kan zien wat er allemaal veranderd is. En wijs me meteen even de beste kapper aan.'

'Er is hier tegenwoordig een erg chique kapper. Kapsalon Fabian, zo heet-ie, al heet de kapper helemaal niet zo. Maar ik heb gehoord dat ze van heinde en verre naar hem toe komen.'

'Mooi, ik zal het onthouden. Ik ben namelijk van plan om naast de heilige Anna een tweede wapen in stelling te brengen. Ik ga nieuwe kleren aanschaffen en ik wil een ander kapsel. Ik wil een make-over, zal ik maar zeggen.'

'Wou je híér dan naar een man op zoek gaan?' vroeg Brian Flynn verbijsterd.

'Ja, waarom niet? Ik zit nu al tien jaar in Londen en daar is het me nog steeds niet gelukt.'

'Maar je hebt daar wel carrière gemaakt.' Judy illustreerde kinderboeken.

'Ja, maar ik vraag de heilige Anna niet om werk,' zei Judy kortaf. 'Jeetje, wat een hoop verkeer hier, zeg. Het lijkt Hyde Park Corner wel.'

'Misschien is het binnenkort gedaan met de opstoppingen. Er zijn plannen voor een nieuwe ringweg. Ze willen om te beginnen al het vrachtverkeer uit de stad weren. En het is de bedoeling dat het doorgaande verkeer wordt omgeleid.'

'Zijn het alleen maar plannen of komt die weg er ook?'

'Ik denk het wel. Als je tenminste moet geloven wat er allemaal in de kranten staat. Er is een hoop discussie over, er zijn twee kampen die verwoed tegen elkaar tekeergaan.'

'Maar wat vind jij ervan, Brian, is het een goed idee of niet?'

'Ik weet het niet, Judy, echt niet. De weg gaat dwars door het Meidoornbos en misschien moet de bron van de heilige Anna er wel voor wijken.'

'Dus ik ben hier net op tijd,' zei Judy. Ze zei het zo kordaat dat haar broer er een onbehaaglijk gevoel van kreeg.

Judy stond er versteld van dat vrijwel iedereen haar broer groette. Ze hadden de auto geparkeerd en liepen door de drukke Castle Street naar het Rossmore Hotel.

Een vrouw kwam juist het trapje voor de plaatselijke krant af.
Haar gezicht begon te glimmen toen ze hen zag.
'Ha, dag, Lilly,' zei kapelaan Flynn.
'Dat moet uw zus zijn, eerwaarde,' zei ze stralend.
'Het is maar goed dat hij geen liefje heeft,' zei Judy, 'want die zou binnen tien seconden door de mand vallen.'
'Geen denken aan,' zei Lilly Ryan geschokt. 'Kapelaan Flynn is een wandelende heilige.'
Toen herkende Judy haar pas. Het was de vrouw wier baby zoveel jaren geleden verdwenen was. Judy herinnerde zich hoe honderden mensen naar het Meidoornbos waren gegaan om naar een lijkje te sporen of bij de bron te bidden. Beide ondernemingen waren vergeefs gebleken. Ze voelde zich erg ongemakkelijk en ze vermoedde dat dit van haar gezicht was af te lezen. Maar na twintig jaar zou Lilly Ryan daar wel aan gewend zijn. Twee decennia lang hadden mensen in haar bijzijn moeilijk gedaan en elke verwijzing naar haar grote verlies vermeden uit angst iets verkeerds te zeggen.
'Ik probeer mijn moed bijeen te rapen om bij mijn moeder op bezoek te gaan,' bekende Judy. 'Ik ben bang dat onze familie alle lasten tot nu toe op Brian heeft afgewenteld.'
'Als ik jou was, zou ik gewoon meteen gaan,' luidde Lilly's advies. 'Als je het moeilijkste het eerst doet, wordt alles gemakkelijker.'
'Misschien heb je wel gelijk,' zei Judy. 'Brian, wil jij mijn koffer in het hotel afgeven? Ik ga meteen naar mama toe.'
'Ik ga met je mee,' zei hij.
'Nee, ik wil dit alleen doen. Het beste, Lilly.'
Ze keken Judy na tot ze de zijstraat was ingeslagen waaraan haar moeder in haar eentje woonde.
'Ik kan maar beter achter haar aan gaan,' zei Brian.
Maar Lilly herinnerde hem eraan dat Judy dit alleen wilde doen. Dus hij haalde zijn schouders op en bracht de koffer van zijn zus naar het hotel. In een van de grote leunstoelen in de lobby zou hij wel op haar wachten en als ze terug was, zou hij haar de stevige borrel aanbieden waar ze dan ongetwijfeld behoefte aan had.

181

Mevrouw Flynn had inderdaad geen flauw idee wie Judy was, en wat haar dochter ook probeerde, niets leek haar geheugen te kunnen opfrissen. Mevrouw Flynn dacht dat Judy van de thuiszorg was en wilde niets liever dan dat ze snel weer opkraste.

Judy speurde wanhopig om zich heen, maar er hingen geen foto's aan de muur en ook op het oude bureau waren geen fotolijstjes te bekennen. De arme Brian deed zijn best om de boel enigszins op orde te houden en een keer in de week bracht hij de was van zijn moeder naar Wasserette Fris als een Hoentje, maar desondanks merkte Judy op dat er een vieze lucht in huis hing en dat haar moeder erg veel zorg te kort kwam. Al jarenlang had Judy iedere maand een cheque naar Brian gestuurd en ze wist dat die het geld aan allerlei dingen voor hun moeder had uitgegeven. Maar in de kamer stond de strijkplank, ongebruikt, en de gemakkelijke stoel lag half bedolven onder kranten. Mevrouw Flynn was er niet de persoon naar om het zichzelf gemakkelijk te maken.

'Maar mama, u weet toch nog wel wie ik ben? Ik ben Judy, de middelste. Jonger dan Eddie en ouder dan Brian.'

'Brian?' Haar moeder keek niet-begrijpend.

'Je herinnert je Brian toch zeker wel, hij komt iedere ochtend hier om voor uw ontbijt te zorgen.'

'Nietwaar, mijn eten komt van Tafeltje-dek-je,' zei haar moeder zeer beslist.

'Nee, mama, die komen pas tussen de middag. Brian kookt iedere ochtend een eitje voor u.'

'Dat zegt hij.' Haar moeder was nog niet overtuigd.

'Herinnert u zich Eddie nog?'

'Natuurlijk, denk je soms dat ik niet goed wijs ben? Hij wilde niet luisteren, hij moest en zou met die Kitty trouwen, die meid deugde niet, en haar hele familie ook niet. Geen wonder wat er is gebeurd.'

'Eddie heeft haar laten zitten voor een jongere vrouw, dat is wat er gebeurd is.'

'Moge God het je vergeven, wie je ook bent! Hoe kom je erbij dat soort dingen over mijn gezin te zeggen? Kitty heeft mijn zoon eruit gegooid en heeft het huis ingepikt. Zo zit het en niet anders!' Haar gezicht had een grimmige uitdrukking gekregen.

'En wat zegt Brian er dan van?'

'Brian? Ik ken geen Brian.'

'Hebt u geen dochter?'

'Jawel, ik heb een jonge dochter in Engeland die een soort van tekeningen maakt, ik hoor nooit iets van haar.' Dus dat was de dank voor alle brieven en prentbriefkaarten die ze wekelijks gestuurd had en voor de maandelijkse betalingen aan Brian. Ik hoor nooit iets van haar!

'Ik ben uw dochter, mama, ik ben Judy, u moet mij toch kennen!'

'Ga toch weg, mijn dochter is een jonge meid... Jij bent al op leeftijd, net als ik.'

Toen Judy naar het hotel liep, bedacht ze dat het kennelijk hoog tijd werd om een bezoek te brengen aan de dure kapper, Fabian. Ze bleef even staan voor de etalage van een nieuwe schoonheidssalon, Pompadour. Een complete behandeling hier was misschien ook geen overbodige luxe. Ze had aardig wat geld voor dit reisje opzijgelegd en de heilige Anna kon wel enige hulp gebruiken om haar met succes aan de man te brengen.

Brian was een prima gids. Hij vergezelde haar niet alleen toen ze afspraken ging maken bij kapsalon Fabian en schoonheidssalon Pompadour, maar maakte haar ook opmerkzaam op een bijzondere modezaak.

'Werkte Becca King hier niet?' vroeg Judy.

'Lieve help, noem die naam niet,' zei de kapelaan terwijl hij naar links en naar rechts keek.

'Waarom niet dan?'

'Ze zit in de gevangenis. Ze heeft een vrachtwagenchauffeur overgehaald om de nieuwe vlam van haar vriend te vermoorden.'

'Jemig, en dan zeggen ze dat het leven in Londen zo gevaarlijk is,' zei Judy verbluft.

Hij nam zijn zus mee naar zijn huis om haar aan de kanunnik voor te stellen. Josef en Anna hadden ter ere van de gast kleine sandwiches gemaakt. Ze hielden het priesterhuis spic en span en ook het gezicht van de oude man zelf zag er schoongewassen uit. Anders dan haar moeder wist de kanunnik nog best wie Judy was. Hij had haar de eerste communie gegeven, was erbij geweest toen de bisschop de meisjes van de basisschool Sint-Ita het vormsel toediende, en hij had haar vaak de biecht afgenomen, al zou hij zich nu met geen mogelijkheid meer kunnen herinneren wat voor kinderzonden ze had begaan.

'Maar ik heb nog niet het genoegen gehad te assisteren bij de inzegening van je huwelijk,' zei kanunnik Cassidy, terwijl hij aan de thee zat en de petieterige sandwiches wegwerkte.

'Nee, maar binnenkort gaat het gebeuren,' zei Judy. 'Ik ga een noveen houden voor de heilige Anna. Negen dagen ga ik in haar heiligdom bidden dat ze een goede echtgenoot voor me vindt.'

'Geen vrouw is daarvoor beter geschikt dan de heilige Anna,' zei de kanunnik. Zijn simpele geloof en zekerheden waren nog altijd intact.

Kapelaan Flynn benijdde hem vanuit het diepst van zijn hart.

'Ik ga mijn schoonzus maar eens opzoeken,' zei Judy met een zucht.

'Stel je er niet te veel van voor,' waarschuwde Brian Flynn haar.

'Ik zoek een cadeautje waarmee ik haar niet voor het hoofd stoot. Weet jij iets?' vroeg Judy.

'Eens kijken, bloemen zijn verschrikkelijke geldverspilling, van zoetigheid rotten de tanden van de kinderen maar. Tijdschriften staan vol flauwekul en een boek kun je net zo goed in de bibliotheek lenen. Haal een brood en twee ons ham voor haar. Wie weet krijg je dan een boterham van haar.'

'Is het echt zo erg?' vroeg Judy.

'Het is nog veel erger,' zei kapelaan Brian Flynn.

Hij was niet in zo'n goede bui. Hij had ontdekt dat er over

tien dagen een grote protestbijeenkomst gepland stond en dus zou hem ongetwijfeld gevraagd worden ook een woordje te zeggen. Veel mensen uit Rossmore hadden hem al gezegd dat ze heel graag wilden weten wat hij te zeggen had. Het probleem was dat hij dat niet wist.

Hij zou het gewoon niet over zijn hart kunnen verkrijgen om een plan af te kraken dat de doorstroming van het verkeer en de levenskwaliteit van een hoop mensen zou verbeteren, puur omdat er een afgrijselijk lelijk beeld voor zou moeten verdwijnen dat bij veel parochianen inmiddels gevaarlijk heidense gevoelens opriep.

Had kanunnik Cassidy het gemakkelijker gehad toen die nog kapelaan was? Of was het altijd zo dat je als priester met dilemma's te kampen had?

Met zijn gebruikelijke optimistische kijk op de dingen troostte hij zich het volgende moment weer met de gedachte dat het tot dan toe alleen nog om geruchten ging. Er was nog geen officiële verklaring over de ringweg naar buiten gebracht. En hij had ook nog tien dagen de tijd om na te denken over wat hij op die bijeenkomst moest zeggen. Tijd zat. Intussen waren er problemen genoeg dichter bij huis om zich het hoofd over te breken.

Wat hij met Judy aan moest als de heilige Anna haar geen echtgenoot in de schoot wierp, bijvoorbeeld. Wat ze samen aan moesten met de verslechterende gezondheid van hun moeder. Hoe lang kanunnik Cassidy nog met enig recht hoofd van de parochie genoemd kon worden en of hij nog wel in het priesterhuis moest blijven wonen. Hoe hij het voor elkaar kon krijgen om Aidan Ryan morgen nogmaals in de gevangenis op te zoeken om nog een poging te doen hem ervan te overtuigen dat zijn vrouw Lilly geen monster was dat hun baby had verkocht.

Wat hem op dat moment nog het meest bezighield, was de vraag hoe de ontmoeting zou verlopen tussen Kitty, die één bonk woede was, en de zeer gestreste Judy.

Hij zuchtte eens diep en haalde zijn handen door zijn rode

stekelhaar tot het als een waanzinnig punkerige halo om zijn hoofd uitstond.

Intussen verging het Kitty en Judy prima. Uiteindelijk dan. Judy had besloten Kitty een sessie bij kapper Fabian cadeau te doen. Kitty had gehoond dat Fabian geen kapper was voor mensen zoals zij. Toen had Judy gezegd dat ze het alleen maar aanbood omdat ze liever niet alleen naar de kapper ging.

'Ja, ja, en omdat je dan fijn de baas over me kunt spelen, zeker,' schamperde Kitty.

'Helemaal niet. Dat Eddie je honds behandeld heeft, wil nog niet zeggen dat Brian en ik dat ooit zouden doen. Ik ben hier in geen jaren meer geweest en ik wilde een grote doos chocola voor je meenemen, maar toen bedacht ik dat je dat misschien niet leuk zou vinden omdat het zo slecht is voor de tanden van je kinderen. Dus dacht ik, ik geef je iets waar je uit jezelf nooit geld aan zou uitgeven.'

'Jij barst blijkbaar van het geld.' Kitty bleef dwarsliggen.

'Nee, helemaal niet, maar ik werk heel hard en ik heb lang gespaard voor deze reis.'

'Maar waarom ben je eigenlijk weer hier?' Kitty gaf zich nog steeds niet gewonnen.

'Ik wil trouwen, Kitty. Zo simpel is het. Ik kan in Londen geen man vinden die niet getrouwd is en ik hoef jou niet te vertellen hoe stom het is om iets met een getrouwde man te beginnen. Jij hebt dat van de andere kant meegemaakt. Ik hoop dat als ik negen dagen achter elkaar naar de bron van de heilige Anna ga...' Haar stem stierf weg.

'Je houdt me gewoon voor de gek, jij met je Londense maniertjes. Jij lacht ons allemaal uit.'

'Dat is helemaal niet waar, maar als jij het zo wilt zien, dan kan ik daar niets aan doen. Het leven is al kort genoeg, dus laat maar, zou ik zeggen.'

Om een of andere reden had dit laatste effect. Kitty zei op een toon die ze al heel lang niet meer had gebruikt: 'Sorry. Als je aanbod nog geldt, dan ga ik graag met je mee naar de kap-

per. Naomi, die jonge hoer met wie je broer ervandoor is gegaan, heeft een echte rattenkop. Ik denk dat ik er erg van op zal
knappen...'

Toen kapelaan Flynn terugkeerde in de priesterwoning, wachtte een andere deputatie hem op. Zijn steun werd gevraagd voor
de andere zijde van de steeds wijder gapende kloof. Een groep
bezorgde burgers wilde een processie met kaarsen door de stad
houden om te betogen voor de veelbesproken nieuwe ringweg
die een einde zou maken aan het gevaarlijke zware verkeer dat
dagelijks door Rossmore dreunde. Dit verkeer had al menig
ongeluk veroorzaakt, en een vijfjarig kindje was om het leven
gekomen. Ze wilden dat kapelaan Flynn voorop ging lopen.

Fijn, zei hij bij zichzelf. Geweldig. Ik heb de andere kant nog
niet eens antwoord gegeven.

Toen klaarde hij op. Misschien was dit de oplossing. Hij zou
zeggen dat de Kerk zich beter niet met de lokale politiek kon
bezighouden. Was dit wijsheid als van Salomon of het vlucht-
gedrag van een slappeling? Daar zou hij vermoedelijk nooit uit-
komen.

Eigenlijk wenste hij dat de hele kwestie werd opengegooid.
Al die wazige geruchten en tegenberichten waren hoogst verwarrend. Iedere dag laaide het vuur van de speculatie hoger op.
Zo werd er verteld dat hoge bonzen van grote bouwonderne-
mingen in het Rossmore Hotel hadden gegeten. Dat betekende
toch dat het besluit om de weg aan te leggen genomen was?
Dat het er alleen nog om ging wie de bouw ging uitvoeren?

Boeren die land bezaten dat aan het bos grensde, begonnen
een hoge borst op te zetten. De grond die ze altijd met moeite
hadden bewerkt om een schamel inkomen bijeen te schrapen,
bleek uiteindelijk misschien toch veel waard te zijn. De truc
was nu om deze grond aan een speculant te slijten. Zeker als je
wat hectares bezat die niet voor onteigening in aanmerking
kwamen, maar die wel belangrijk waren voor de toevoer. Het
leek wel alsof er overal gepraat werd over dit soort dingen. Iedereen had er wat over te zeggen.

De man die een garage in de buurt had, was erg somber gestemd. Als de weg er kwam, was dat de doodsteek voor zijn bedrijf. Het was toch al zo'n probleem voor klanten om bij hem te parkeren en als ze weer de weg op wilden komen, was dat een soort Russisch roulette.

Een vrouw die een klein pension aan de rand van de stad runde, had de plannen voor nieuwe badkamers en een uitbouw van de eetkamer al klaarliggen, mocht het groene licht voor de aanleg van de weg gegeven worden. Dan zou ze immers geen gebrek hebben aan klandizie; ingenieurs, adviseurs en opzichters zouden allemaal behoefte hebben aan onderdak in de buurt.

Op de televisie werden debatten gevoerd over de erbarmelijke toestand van het Ierse wegennet; het kortelings rijk geworden land zou niet lang rijk blijven als Europese exporteurs er aanhoudend te maken hadden met verstopte wegen en eindeloze vertragingen bij de aflevering van goederen op de juiste bestemming. Het toerisme zou te lijden hebben als bezoekers zich alleen in slakkengang in hun gehuurde auto's van de ene plek naar de andere konden verplaatsen, hangend achter tractoren en andere voortsukkelende gemotoriseerde landbouwvoertuigen.

Neringen als Wasserette Fris als een Hoentje konden de aanleg van de weg haast niet afwachten. Ze hadden eigenlijk nooit echt klandizie aan bezoekers van de stad gehad. Fabian de kapper dacht ook dat de zaken veel beter zouden gaan als klanten de ruimte hadden om in de buurt van zijn zaak te parkeren.

In het tuincentrum aan de rand van de stad zaten ze daarentegen weer niet te springen om de nieuwe weg. Het was een bedrijf waar mensen die van oost naar west of vice versa reisden, vaak stopten om de benen te strekken en in het café even koffie te drinken om hun auto vervolgens al dan niet vol te stoppen met perkplanten of in cadeaupapier verpakte azalea's voor degenen bij wie ze op bezoek gingen. Als de nieuwe weg er was, zou niemand daar meer langs komen.

Er waren ook mensen die gewoon niet wisten wat ze ervan

moesten vinden, zoals de mensen van het Rossmore Hotel, Skunk Slattery en Miss Gwen van schoonheidssalon Pompadour.

Het had zijn voors en tegens natuurlijk.

Ze zouden van de ene kant geen passanten meer als klant krijgen, want de stad zou simpelweg niet meer als doorgangsroute gebruikt worden. Maar aan de andere kant zouden mensen uit de omgeving misschien eerder geneigd zijn naar Rossmore te komen om te winkelen, zich mooi te laten maken of in het hotel te lunchen, als ze eenmaal doorhadden dat ze de ruimte hadden en niet bang hoefden te zijn dat ze door ongeduldige vrachtwagenchauffeurs van de sokken werden gereden.

En er waren natuurlijk nog de honderden mensen die door de heilige Anna geholpen waren en zij konden zich niet voorstellen dat hun landgenoten bereid waren de heilige de rug toe te keren en goed te vinden dat haar heiligdom werd ontmanteld. Er werd al over gesproken dat mensen voor de bulldozers zouden gaan liggen als die naar het bos oprukten en dat er barricades zouden worden opgeworpen tegen de grondverzetmachines.

Het was wel het minste wat ze konden doen als dank aan de heilige voor alle wonderen die via haar bron waren gebeurd. Het deed er echt niet toe dat deze wonderen niet door Rome waren erkend, zoals Fatima en Lourdes. De mensen hier wisten gewoon dat ze echt gebeurd waren. En zelfs mensen die ver en soms zelfs heel ver weg woonden wisten dat ook.

Waarom kwamen ze anders uit alle windstreken in zwermen hiernaartoe?

Toch waren hebzuchtige mensen, mensen die alleen maar op geld belust waren, bereid zich niets aan te trekken van deze o zo grote zegen, die voor zo veel mensen zó veel betekende, alleen maar om het verkeer nog sneller te laten gaan en nóg meer geld te verdienen dan ze al hadden.

De kanunnik had geen flauw idee van wat er allemaal speelde en zei alleen dat er gebeden moest worden, zoals er altijd gebeden moest worden, wat er ook aan de hand was. Josef en Anna zeiden in vertrouwen tegen kapelaan Flynn dat de oude man volgens hen behoefte had aan permanente verzorging.

'Dat zeg ik niet omdat ik meer uren wil maken, eerwaarde,' zei Josef. 'Maar ik vind gewoon dat u het moet weten. En natuurlijk ben ik steeds bang dat u me op een dag vertelt dat hij naar een verpleeghuis gaat en dat er dan geen werk meer voor me is. Ik hoop niet dat het egoïstisch van me is, maar ik wil gewoon op alles zijn voorbereid.'

Kapelaan Flynn zei dat hij het heel goed begreep en dat het inderdaad nogal een onduidelijke kwestie was. De kanunnik leek het prima naar zijn zin te hebben en het zou daarom jammer zijn als hij weg moest. Als hij niet in de pastorie kon blijven wonen, had zijn leven niet veel zin meer. Maar ja, als hij meer zorg nodig had, dan moest hij die ook krijgen.

'Ja, ziet u, ik dacht erover om te solliciteren naar een baan in de wegenbouw,' zei Josef.

'Bedoel je dat die weg er werkelijk komt?' Kapelaan Flynn was stomverbaasd.

'Mijn Poolse vrienden zeggen van wel. Ze komen bij Anna en mij logeren en, eerwaarde, u gelooft vast niet hoeveel ze gaan verdienen aan het bouwen van de weg.' Josefs gezicht straalde van hoop en verlangen.

'Ach, Josef, dat is toch alleen maar geld.'

'Maar met dat geld kunnen we wel een winkeltje kopen voor mijn broers in Letland. Wij hebben hier alles wat we nodig hebben, maar zij hebben bijna niets.'

Kapelaan Flynn moest ineens, zonder reden, denken aan zijn vriend James O'Connor die op dezelfde dag als hij de priesterwijding had ontvangen. James had het priesterschap vaarwel gezegd, was met Rosie getrouwd en had nu twee zoontjes. Hij deed iets met computers. Hij zei dat het heel gemakkelijk werk was en dat je het gewoon achter je kon laten als je tegen de avond naar huis ging.

Heel anders dan parochiewerk. Hij hoefde niet meer op de bres te springen voor mensen die zich niet konden verdedigen, hij hoefde niet meer zijn mond te houden over dingen die hem aan het hart gingen. Kapelaan Flynn zou zoiets ook geweldig vinden.

Helemaal geweldig.

Skunk Slattery keek op toen Kitty Flynn zijn winkel binnen kwam met een knappe vrouw die hij nog nooit gezien had. 'Hoe gaat het, Skunk?' vroeg Kitty. 'We komen even wat glossy's kopen voordat we naar Fabian gaan voor een make-over.'

'Je kunt het gebruiken, Kitty. Het is nooit te laat, zal ik maar zeggen,' antwoordde Skunk niet erg hoffelijk.

'Wat ben je toch weer vleiend, Skunk,' zei Kitty.

'Zou je me niet eens voorstellen aan je vriendin?' vroeg Skunk.

'Ze is mijn vriendin helemaal niet, Skunk, ze is mijn schoonzus. Ken je haar niet meer dan?' vroeg Kitty.

'Nou, Kitty, jij weet anders ook wel hoe je iemand moet vleien!' zei Judy. 'Ik ben Judy Flynn trouwens. De zus van Brian en Eddie.'

'Aangenaam. Ik ben Sebastian Slattery,' zei Skunk.

'Mooi niet!' zei Kitty, die de neiging had met iedereen ruzie te maken. 'Jij bent Skunk. Dat ben je en dat blijf je.'

Skunk en Judy wisselden een veelbetekenende blik uit terwijl Kitty tussen de glossy's begon te rommelen.

'Wat vreemd dat ik je nog nooit ontmoet heb. Blijf je hier lang?' vroeg Skunk.

'Zolang als nodig is,' antwoordde Judy Flynn mysterieus.

Naomi liep naar kapelaan Flynn toe. Normaal gesproken bleef ze ver bij hem uit de buurt. Naomi was wel gewend om ver bij mensen uit de buurt te blijven, want er waren er aardig wat die ze maar beter uit de weg kon gaan. Eddies vrouw Kitty bijvoorbeeld. Eddies kinderen. Zijn moeder. En zeker ook zijn broer Brian, de plaatselijke kapelaan.

'Neem me niet kwalijk, Brian...' begon ze.

Kapelaan Flynn sloeg bijna tegen de grond van schrik. 'Ja, eh... Naomi?' Wat kon die meid nu van hem willen?

'Brian, ik vroeg me af of jij me kunt uitleggen hoe Eddie zijn huwelijk nietig kan laten verklaren.'

'Dat is een ontzettend lastige aangelegenheid, Naomi,' zei kapelaan Flynn.

'Nee, nee,' zei Naomi, 'ik weet dat het kán, maar de vraag is alleen hoe het moet.' Ze keek hem aan met de grote, negentienjarige ogen van haar.

'Het kan niet,' zei kapelaan Flynn. 'Een nietigverklaring houdt in dat er geen huwelijk is geweest, en ik kan je zeggen dat er wel degelijk een huwelijk bestond tussen Eddie en Kitty, en uit dat huwelijk zijn vier kinderen voortgekomen.'

'Maar het was geen echt huwelijk,' begon ze.

'Jawel, Naomi. Jij was toen nog niet eens geboren. Maar ik was bij de bruiloft. Die heeft plaatsgevonden, dus je kunt niet zeggen dat dat niet zo is. Heb ik er ooit iets van gezegd dat je met Eddie samenwoont? Nee, toch? Dat is jouw zaak, jouw zaak en die van hem. Ga er nu alsjeblieft niet het canonieke recht en de Kerk bij halen. Doe dat alsjeblieft niet.'

'Hij wist toen niet echt wat hij wilde, hij was verdorie pas twintig! Hoe moet zo'n jong iemand nu weten wat het betekent om een vrouw te nemen en kinderen te krijgen? Ze hadden nooit mogen goedvinden dat hij het deed.'

'Waarom begin jij hier zo ineens over, Naomi?' vroeg kapelaan Flynn mat. Dit was niet zoveel erger dan wat er tegenwoordig toch al allemaal om hem heen gebeurde. Maar het zou op z'n minst wel aardig zijn om te weten waarom dit meisje na twee jaar ineens naar respectabiliteit en de goedkeuring van Kerk en staat hengelde.

'Ik wil gewoon dat we verder open en eerlijk kunnen zijn over alles...' zei ze.

'O ja?' Kapelaan Flynn klonk niet erg overtuigd.

'En bovendien hebben mijn ouders ontdekt dat ik niet meer studeer. Ze dachten dat ik colleges volgde en ze doen nogal moeilijk...'

'Dat kan ik me voorstellen, ja.'

'Dus heb ik tegen ze gezegd dat ik met Eddie ga trouwen, en

nu zijn ze ineens weer helemaal blij. Ze bereiden zich al voor op de bruiloft en dus moeten we die organiseren, ziet u.'

Kapelaan Flynn keek haar verwilderd aan. Hij dacht dat hij een meester was op het gebied van het nietszeggende, troostende cliché. Maar nu stond hij werkelijk met zijn mond vol tanden.

Neddy Nolan bracht zijn vader één keer in de week naar de kanunnik. De twee oudjes speelden dan schaak terwijl Josef hen van koffie en koekjes voorzag.

'Zeg eens, kanunnik, moeten we die rondweg niet met z'n allen tegenhouden, als we de kans krijgen?' vroeg Marty Nolan.

'Ik denk niet dat we de kans krijgen,' zei kanunnik Cassidy, die niet goed begreep wat hij bedoelde.

'Vindt u dan niet dat we stampei moeten maken, kanunnik, dat we naar die protestbijeenkomst op het plein moeten gaan, met spandoeken en zo. Dat zijn we toch zeker aan Sint-Anna verplicht?'

'Waarom vraagt u dat niet aan kapelaan Flynn, hij is de man met hersens in deze parochie,' antwoordde de oude man.

'Ik heb het hem al gevraagd, kanunnik, maar hij zei alleen dat we allemaal ons geweten moeten volgen.' Marty Nolan schudde zijn hoofd, een en al teleurstelling. 'Daar hebben we toch niks aan? Stel dat ieders geweten wat anders zegt? Waar blijven we dan? We hebben behoefte aan leiding.'

'Ach, weet u, meneer Nolan, ik geloof dat de dagen dat priesters mensen vertelden wat ze moesten doen voorbij zijn. Ik had nooit gedacht dat ik ooit nog eens zoiets zou zeggen, maar ik geloof wel dat het zo is.'

'We zitten er erg mee, ' zei Marty Nolan. 'Want weet u, er zijn een heleboel mensen die ons land willen kopen. Voor sloten geld. Ik weet dat Neddy 's nachts geen oog meer dichtdoet omdat hij niet weet wat hij moet doen.'

'Maar er is toch nog helemaal niets besloten. Waarom willen mensen jullie land dan kopen?' De kanunnik snapte er niets van.

'Ik weet het ook niet, hoor, kanunnik, maar misschien weten

ze meer dan wij. Maar u begrijpt zeker ook wel dat het voor Neddy een groot probleem is. Zijn moeder is immers genezen bij die bron. Daar kan geen geld tegenop.'
'Waar is Neddy eigenlijk?' vroeg de kanunnik, mogelijk met de bedoeling van onderwerp te veranderen. Zo ja, dan lukte hem dat.
'Ach, u kent Neddy, kanunnik, die loopt weer met zijn handen in zijn zakken door Rossmore te slenteren. Hij doet niets dan dromen, is in alles geïnteresseerd, maar begrijpt nergens iets van.'
'Nou, misschien kunnen we maar beter weer verder gaan met schaken,' zei de kanunnik. 'Wie was er aan zet?'

Neddy Nolan was feitelijk bij Myles Barry op kantoor. 'Ik ben altijd nogal traag geweest, Myles,' begon hij.
'Ach, welnee, helemaal niet. Je hebt het toch een heel eind geschopt? Je bent met een fantastische vrouw getrouwd en iedereen in Rossmore is je vriend.'
'Jawel, Myles, maar ik denk dat dat niet lang meer zal duren. Er komen de laatste tijd zoveel mensen op me af die onze boerderij willen kopen.'
'Nou, dat is toch mooi?'
'Nee, ik denk van niet. Ze hebben vast voorkennis of hoe dat ook mag heten. Ze weten blijkbaar dat die weg er werkelijk komt en dat die over ons land gaat lopen.' Hij zag er erg zorgelijk uit.
'Ik weet het, Neddy, maar vind je dat geen mazzel dan? Het is alleen maar goed dat het zulke goeie mensen als jullie overkomt.' Myles zag de beren op de weg helemaal niet.
'Maar ik kan mijn land toch niet aan speculanten verkopen? Aan mensen die hier een lapje kopen en daar een lapje, alleen maar omdat ze de autoriteiten klem kunnen zetten door alle beschikbare grond te kopen? Als de tijd dan rijp is gaan ze dwarsliggen en verkopen ze alles met enorme winst aan de regering en de bouwmaatschappijen. Daar willen wij toch niet bij betrokken raken?'

'Eh, nee... nee, natuurlijk niet.' Myles Barry vroeg zich af waar dit toe moest leiden.

'Maar weet je, een paar zeiden tegen mij dat ze jou hiervoor benaderd hebben,' zei Neddy ongerust.

Myles Barry probeerde tijd te rekken. 'Dat klopt, Neddy. Maar het is gewoon legaal hoor, om iemand geld te bieden voor zijn land. Jij noemt een prijs en zij betalen die, en dan zet jij je geld op de bank, en dan verkopen zij de grond later voor meer geld, omdat ze dan een heleboel lapjes her en der verspreid te koop kunnen aanbieden. Maar jij kunt ook nee zeggen en minder geld vangen van de overheid als het eenmaal zo ver is en dat is dan dat. Zo werkt het gewoon. Wat is het probleem daarmee?'

'Het probleem is dat het alleen maar om geld draait,' zei Neddy.

Myles zuchtte en besloot open kaart te spelen. 'Oké, het is waar dat een aantal cliënten me gevraagd heeft jou een bod te doen, maar ik heb tegen ze gezegd dat jij dan een eigen advocaat zou moeten nemen en misschien een makelaar die je van advies kan dienen. Dat ik niet de rol van een soort bemiddelaar op me kon nemen en niet van plan was jou onder druk te zetten.'

'Wil jij niet onze advocaat zijn, Myles? Ik ken jou al mijn hele leven, je hebt nog bij mijn broer Kit op school gezeten.' Neddy's gezicht was een en al naïviteit.

'Ik zou jouw advocaat wel kunnen worden, maar misschien kun je beter iemand nemen die meer invloed heeft dan ik. Een groot advocatenkantoor in Dublin misschien. Het gaat hier echt om een hoop geld. Daarom kun je beter een echt professioneel team in de arm nemen.'

'Wil je het soms niet omdat je die andere mensen niet in de steek wilt laten? Want als je mij vertegenwoordigt, kom je in het andere kamp terecht.'

'Nee, nee, het heeft niets met tegenstrijdige belangen te maken. Niemand heeft bedragen genoemd. Ik heb geen echte plannen of voorstellen voorgelegd gekregen. Zoals ik net al zei, wilde ik niets doen voordat jij iemand gevonden had om je belangen te vertegenwoordigen.'

'Dus je zou het eigenlijk wel kunnen doen als je wilde?' Neddy was pijnlijk direct.

Natuurlijk kon Myles Barry zijn advocaat worden als hij wilde. Maar hij kon veel meer verdienen als hij een consortium van plaatselijke zakenlui vertegenwoordigde. Hij zou Neddy Nolan en zijn vader niet eens een normaal tarief kunnen berekenen. Vooral niet zoals het er nu naar uitzag en de Nolans hun poot stijf zouden houden. Het land zou uiteindelijk hoe dan ook opgekocht worden als de weg doorging, en daar zag het wel naar uit. De zakenlui die bij hem hadden aangeklopt, zouden hun oog niet hebben laten vallen op de boerderij van Nolan als ze via de gemeenteraad niet iets aan de weet waren gekomen. Myles Barry had te horen gekregen dat elke aannemelijke prijs die de Nolans vroegen, aanvaard zou worden.

Uiteraard ging het om speculatie. Maar zo werkte de economie nu eenmaal. Mensen namen risico's; ze maakten winst of ze verloren. Alleen iemand als Neddy zou kunnen vinden dat er aan dit hele systeem iets niet deugde.

Myles ging erbij zitten en keek de goedaardige man aan die aan de andere kant van zijn bureau zat. Het was een man die heel hard had gewerkt voor wat hij nu bezat. Het zou fantastisch zijn als iemand als hij de winnende kaarten in handen zou krijgen.

Myles Barry wist maar al te goed dat de geruchten werkelijkheid zouden worden en dat het er weldra verhit aan toe zou gaan. Cathal Chambers van de bank had hem verteld over twee plaatselijke raadsleden, kerels die nooit een cent te makken hadden, die nu ineens kwamen aanzetten met stapels contanten die ze op spaarrekeningen wilden storten. Het ging zo overduidelijk om het kopen van stemmen dat Cathal versteld stond.

Maar wat kon hij meer doen dan zich houden aan de wet die banken verplichtte vast te stellen waar grote bedragen die in bewaring werden gegeven vandaan kwamen? Ze keken hem doodgemoedereerd in de ogen en zeiden dat ze het met poke-

196

ren hadden gewonnen. De stemming over de weg zou eerst op gemeentelijk niveau worden gehouden en daarna pas op landelijk niveau. En het leek erop dat de uitkomst al bij voorbaat vaststond.

Myles Barry keek naar Neddy. Die had iemand nodig om zijn belangen te behartigen. Hij zou namelijk in gevaarlijk vaarwater terecht komen. Maar Neddy Nolan wilde geen grote jongens uit Dublin, hij wilde geen grote firma die iedereen zou afschrikken die van plan was hem te belazeren. Nee, hij wilde de man die vroeger in de klas had gezeten bij zijn broer Kit die intussen in een Engelse gevangenis zuchtte.

'Natuurlijk, Neddy,' zei Myles Barry zuchtend. 'Het zal me een eer zijn jou te vertegenwoordigen.'

Judy Flynn liep in haar eentje door het Meidoornbos. Ze had haar mooiste kleren aangetrokken, een donkerblauwe jurk van zijde met een blauwwitte zijden sjaal. Haar elegante, recente coupe soleil glansde. Ze wilde de heilige Anna het ruwe materiaal voor haar zoektocht tonen.

In de grot zaten een stuk of vijf mensen bij het heiligenbeeld te prevelen. Judy knielde en stak meteen van wal.

'Ik zal volkomen eerlijk tegen u zijn, heilige Anna. Ik weet niet of u wel bestaat, en of u zich, als u bestaat, wel bezighoudt met gevallen als het mijne. Maar het is de moeite van het proberen waard. Ik ben van plan om negen ochtenden achtereen hier te komen bidden voor vrede op aarde en voor alles wat u verder misschien nodig vindt. Dat worden dan bij elkaar een hele hoop gebeden. In ruil daarvoor mag u mijn voetstappen leiden in de richting van een man met wie ik kan trouwen en kinderen kan krijgen. Want ziet u, ik maak altijd maar tekeningen voor kinderboeken terwijl ikzelf niet eens kinderen heb. En door het tekenen ben ik zo'n beetje in magie gaan geloven, zeg maar in een toverwereld waarin de wonderlijkste dingen mogelijk zijn. Dus waarom zou ik hier geen echtgenoot zoeken?

O, ja, misschien wilt u wel weten waarom ik tot nu toe nog geen man gevonden heb. Het antwoord is makkelijk zat. Ik heb gewoon op de verkeerde plek gezocht. Ik zocht in kringen van uitgevers, reclamemakers en persmensen, dat wereldje zo'n beetje. Verkeerd uitgangspunt. Ik zou een man willen die hier vandaan komt zodat ik me niet zo vervreemd en schuldig hoef te voelen omdat ik niet hier woon. Ik zou mijn broer Brian dan kunnen helpen met de zorg voor mijn moeder, en ik zou Kitty kunnen helpen… Ik weet wel bijna zeker dat die hier geweest is om u te vragen of u ervoor kunt zorgen dat mijn broer Eddie weer bij haar terugkomt. Doe dat maar niet, dat zou toch niet goed gaan.

Ik geloof niet dat het huwelijk alleen maar draait om hoe je eruitziet en de kleren die je draagt, maar ik zal wel zo eerlijk zijn om u te vertellen dat ik er zo op mijn best uitzie. Ik ben eigenlijk nogal ongeduldig en lichtgeraakt, maar ik geloof dat ik mezelf aardig in toom weet te houden. Dat is wat ik zeggen wilde. Ik zal een rozenhoedje bidden voor wat u wilt en dan kom ik morgenochtend weer. Eerlijker kan het niet.'

Eddie Flynn kwam uit de bar in het Rossmore Hotel. Het waren onzekere tijden. Hij had naar hij hoopte een prima deal gesloten met een stelletje mensen die wisten wat er in de wereld te koop was. Het zou hem een heleboel geld opleveren en geld was wat hij nodig had. Hij zat erom te springen!

De kleine Naomi had haar ouders een hoop leugens op de mouw gespeld. Ze had gezegd dat ze tweedejaars studente in Dublin was. En nu had ze zelfs nog meer leugens verteld. Ze had gezegd dat Eddies huwelijk ongeldig zou worden verklaard en dat hij dan met haar ging trouwen. Geen denken aan. In geen miljoen jaar. Die meid was niet goed bij haar hoofd.

In een heleboel opzichten zou het een stuk makkelijker zijn geweest als hij bij Kitty was gebleven. Er had tenminste altijd een maaltje voor hem klaargestaan als hij thuiskwam en hij had zich met de kinderen kunnen vermaken. De laatste tijd waren ze steeds een beetje geforceerd en onecht in de omgang, het was net alsof ze hem een soort gemene rat vonden die hen in de steek gelaten had. Kitty wilde dat hij ze midden in de week meenam naar de film en de kleine Naomi wilde in het weekend altijd uit. En iedereen zat hem steeds maar op te jagen omdat ze vonden dat hij te weinig naar zijn moeder omkeek.

Hij had er helemaal tabak van. Als hij nu naar huis ging, zou hij Naomi aantreffen met allemaal foto's van bruidsjurken en lijstjes met mensen die ze wilde uitnodigen. Blijkbaar was haar gesprek met Brian over het onderwerp zeer onbevredigend verlopen, want ze wilde nu de kanunnik maar rechtstreeks benaderen, want die zou zich vast veel behulpzamer opstellen. Was de kanunnik immers niet de baas van Brian?

Aan de overkant van de straat liep Kitty. Of was het Kitty niet? Ze droeg Kitty's anorak, dat kon niet missen, maar haar haar zat heel anders en ze droeg make-up. Hij trok zich terug in een donker hoekje en keek haar na. Het was toch echt Kitty. Ze had iets aan zichzelf gedaan. Had ze haar haar soms geverfd? Ze zag er jaren jonger uit.

Hij zag haar heel geanimeerd praten met die arme Lilly Ryan, die vrouw van wie jaren geleden de baby was gestolen; haar man was daarna een gewelddadig type geworden. Eddie keek hoe Kitty verder liep. Hij durfde het zichzelf niet echt te bekennen, maar wat zou het leven een stuk gemakkelijker zijn als hij nu gewoon bij Kitty thuis kon gaan eten.

De optocht tegen de nieuwe weg ging de hele stad door en vervolgens in de richting van het Meidoornbos. Sommige mensen droegen spandoeken met de tekst RED ONZE HEILIGE of WEG MET DE WEG. Er waren verslaggevers van nationale kranten en een aantal televisiezenders om het gebeuren vast te leggen.

Kapelaan Brian Flynn wist dat hij tegenover deze of gene een verklaring zou moeten afleggen. Hij kon toch niet als een zoutzak op zijn achterste blijven zitten toekijken? Maar hij moest er niet aan denken om op de nationale televisie te verschijnen.

'Ik heb zulk verschrikkelijk haar, mijn hoofd is net een pleeborstel,' zei hij vertrouwelijk tegen zijn zus.

'Ga toch ook naar Fabian, die man is fantastisch,' zei Judy.

'Ben je gek geworden! Van wat hij voor knippen vraagt kun je een heel gezin een week te eten geven.'

'Maar je hebt geen gezin om te voederen, Brian. Kom op, ik betaal wel,' zei ze, en aldus geschiedde.

Toen hij de kapsalon binnen ging voelde hij zich een complete dwaas. Hij kon niet zo goed uitmaken wat de man die zich Fabian noemde, nu precies met hem deed, maar toen hij weer naar buiten stapte zag hij er een stuk normaler uit.

Dus werd hij geïnterviewd. Hij zei dat de bron van de heilige Anna een heilige plek was voor de plaatselijke bevolking en dat het altijd treurig was als parochianen van streek waren en geraakt werden op een gevoelige plek.

En toen, een week later, werd hij nogmaals geïnterviewd tijdens een bijenkomst waarbij werd opgeroepen tot de invoering van maatregelen die ten doel hadden het zware vrachtverkeer langs Rossmore te leiden. Deze keer zei kapelaan Flynn tegen de interviewer dat de dood van een kind erg treurig was en dat het de plicht van de autoriteiten was er alles aan te doen om te voorkomen dat er ooit nog zo'n jong leven op deze manier werd weggerukt.

'Mensen die deze interviews gezien hebben, zullen me wel een volslagen malloot vinden,' zei hij tegen Judy.

'Welnee, ze snappen het best, je hoeft je toch zeker door niemand in een hoekje te laten drukken?' zei Judy.

Haar gezelschap bleek minder onrustig dan hij had gevreesd. Ze wist dat het idioot was, zei ze tegen hem, maar die rare oude bron gaf haar erg veel troost. Ze had de keuken van haar moeder geverfd en de oude vrouw een katje gegeven. Die was daar erg van opgemonterd, al gaf ze nog steeds niet toe dat ze wist wie Judy was.

Broer en zus namen iedere avond samen een drankje in het Rossmore Hotel. Op een keer was Eddie daar ook. Ze gebaarden naar hem dat hij bij hen moest komen zitten. Geen van drieën begon over Kitty, Naomi of hun moeder.

Het was gewoon een gezellig gesprek.

'Je zou bijna denken dat iedereen hier een stuk volwassener is geworden,' zei Judy Flynn na afloop. 'Ach, was dat maar waar,' verzuchtte kapelaan Flynn. Hij zag gigantische problemen opdoemen, want weldra zou het besluit van de gemeente over de nieuwe weg bekend worden.

De stemmen voor en tegen de weg, de stemmen uit het woud, begonnen aan te zwellen, maar de echte confrontatie moest nog komen.

9

Praten tegen Mercedes

Deel 1 – Helen

Ach, daar ben je, Mercedes. Ik was even aan het dutten. Ik droomde dat ik weer in Rossmore was, dat ik door de drukke hoofdstraat liep. Maar jij hebt natuurlijk geen idee waar dat is. Het is in Ierland, aan de andere kant van de zee. Met het vliegtuig ben je vanuit Londen in maar vijftig minuten in Ierland. Je zou er eens naartoe moeten. Je vindt het daar vast fijn, want jij bent toch gelovig? Ze zijn daar erg katholiek. Dat was vroeger in ieder geval zo.

Ik heb jou altijd erg aardig gevonden, Mercedes, veel aardiger dan de zusters overdag... Jij hebt veel meer tijd voor de mensen, jij zet thee voor ze. Jij luistert tenminste. Die anderen niet. Die zeggen alleen maar dingen als: wakker worden, kom overeind zitten, sta op, kop op. Dat doe jij nooit.

Jouw handen zijn lekker koel, je ruikt naar lavendel en niet naar een of ander ontsmettingsmiddel. Jij bent geïnteresseerd.

Je hebt gezegd dat je Mercedes heet en dat je graag met een dokter zou trouwen. En dat je graag meer geld naar je moeder zou sturen. Maar ik heb er weken over gedaan om dat uit je te trekken, Mercedes, omdat jij alleen maar over mij wilt praten en wilt weten hoe ík me voel.

Ik wou dat je me Helen noemde in plaats van mevrouw. Alsjeblieft, waarom blijf je me maar steeds mevrouw Harris noemen? Je bent zo aardig, je bent altijd zo geïnteresseerd in mijn familie als ze op bezoek komen. Mijn grote, knappe man, James, mijn elegante schoonmoeder Natasha, mijn prachtige dochter Grace. Je vraagt me honderduit over hen en ik vertel je alles wat je maar weten wilt, het is fijn om jou dingen te vertellen. Jij glimlacht zoveel. En je bent tenminste niet nieuwsgierig, jij stelt geen vragen zoals de politie dat doet. David wel, je weet wel, de vriend van Grace. Ik vind David echt op een politieman lijken. Volgens mij voel jij dat wel aan, want vaak zorg jij er op een subtiele manier voor dat hij gauw weer weggaat. Jij weet dat ik onrustig van hem word.

Tegen jou zou ik wel aldoor kunnen praten.

Jij houdt vooral van mijn verhaal over mijn eerste ontmoeting met de knappe James Harris, zevenentwintig jaar geleden. Ik had de jurk van mijn kamergenote geleend voor een feestje. Hij zei dat de kleur precies bij mijn ogen paste en dat ik vast erg artistiek was. Het was eigenlijk de enige jurk die wij met z'n drieën hadden om naar een feestje aan te trekken.

Dat heb ik je verteld, en ook hoe erg ik ertegen opzag om kennis te maken met zijn moeder Natasha. Ze hadden een imponerend groot huis en ze onderwierp me aan een echt kruisverhoor. Ik had nog nooit van mijn leven oesters gegeten... Dat was schrikken. Ik heb jou altijd de waarheid verteld, over van alles. Dat ze altijd zo aardig voor me waren in het weeshuis waar ik ben opgegroeid, dat ze per se mijn bruidstaart wilden maken. Natasha wilde er eerst niet van horen omdat ze bang was dat hij er erg amateuristisch uit zou zien, maar uiteindelijk was ze aangenaam verrast.

Ik ben nog heel vaak terug geweest in het weeshuis. Ze vertelden me dat ik de enige daar was geweest die niet naar haar ouders vroeg. De anderen bleven altijd maar vragen, ze wilden weten of hun moeder hen niet weer op zou komen halen.

Maar ik wilde helemaal niets weten. Het weeshuis was mijn thuis. Iemand had mij, Helen, weggegeven, en had daar waarschijnlijk een heel goede reden voor gehad. Wat viel er nog te vragen? Wat moest ik nog meer weten?

Ik heb de zusters niet verteld hoe ziek ik ben, Mercedes. Ze zouden er niet tegen kunnen. Ik heb ze verteld dat ik met mijn man James naar het buitenland ging en dat ik later wel weer van me zou laten horen. Ik heb ze in mijn testament bedacht en ze een bedankbrief geschreven. Het is belangrijk om mensen te bedanken voor wat ze voor je gedaan hebben. Echt waar. Anders komen ze misschien nooit te weten hoeveel ze voor je betekend hebben. Zoals jij bijvoorbeeld. Ik wil jou heel erg bedanken, want het is heel erg prettig om iemand om je heen te hebben die zo goed naar je luistert en zo geïnteresseerd is in wat je te vertellen hebt.

Jij hebt heel hard moeten werken en heel veel gespaard en dus begrijp jij als geen ander hoe hard ook ik heb moeten werken toen ik hier in Londen de secretaresseopleiding volgde. De mensen uit mijn klas zaten uren koffie te drinken of liepen langs etalages te slenteren, maar ik deed niets anders dan studeren en oefenen.

Ik woonde in een flatje met twee andere meisjes die erg van koken hielden en die mij ook leerden ervan te genieten.

Op zaterdag werkte ik op de cosmetica-afdeling van een groot warenhuis, zodat ik behalve mijn loon gratis monsters meekreeg of gratis werd opgemaakt. Op zondag werkte ik in een tuincentrum, waar ik heel veel heb geleerd. Ik heb heel vaak bloemstukken en etalages verzorgd voor winkels bij mij in de buurt. Tegen de tijd dat ik een goede baan had in hartje Londen, met een goed salaris, kon ik veel meer dan andere meisjes die tegelijk met mij uit het weeshuis waren gekomen. Als ik daar op bezoek ging, zeiden ze altijd dat ik een echte dame was geworden, ze waren trots op me. Ze zeiden dat ik een prins zou kunnen krijgen als ik wilde.

Maar ik wilde helemaal geen prins, ik wilde met James Harris trouwen.

Ik las veel romannetjes over mannen als James, maar ik dacht niet dat ze bestonden.

Ik vond hem een echte gentleman, in alle opzichten. Hij verhief nooit zijn stem, hij was altijd hoffelijk en als hij glimlachte straalde zijn hele gezicht. Ik was vastbesloten met hem te trouwen en daar werkte ik net zo hard aan als vroeger om hogerop te komen. Ik was heel open over mijn verleden. Ik wilde niet dat zijn moeder Natasha erin ging wroeten en dan alles te weten zou komen over de kleine Helen uit het weeshuis. Dus heb ik er nooit mysterieus over gedaan. En dat heeft gewerkt. Ze vond het uiteindelijk goed dat we gingen trouwen en ik geloof dat ze me op een bepaalde manier ook respecteerde.

Ik was echt een heel mooie bruid. Heb ik je mijn trouwfoto's al eens laten zien? Natuurlijk heb ik dat gedaan. Ik wilde ze zelf alleen zo graag nog een keer bekijken.

Het enige wat nog aan ons geluk ontbrak was een kind. Een kind dat Natasha's nalatenschap zou erven. Als je erg rijk bent heb je het namelijk niet over geld, Mercedes, maar dan noem je het de 'nalatenschap'. We waren drie jaar getrouwd en nog steeds was ik niet zwanger. Ik maakte me zenuwachtig, James maakte zich zorgen en Natasha was in alle staten.

Ik ging naar een arts in een heel andere wijk in Londen om me te laten onderzoeken.

Ik bleek niet te ovuleren en zou dus een vruchtbaarheidsbehandeling moeten krijgen.

Maar ik wist maar al te goed dat James hier erg op tegen zou zijn. Als zou blijken dat hij heel goed in staat was een kind te verwekken, maar zijn vrouw niet zwanger kon worden, dan zou alles tussen ons anders worden. Als Natasha het te weten zou komen, zou ons wereldje volledig op zijn kop worden gezet.

Ik wist dus dat James en ik dit niet net als andere stellen met vruchtbaarheidsproblemen samen konden oplossen door bijvoorbeeld een reageerbuisbevruchting te proberen. En er was geen denken aan dat ik stiekem een kunstmatige inseminatie zou laten doen. Dat ging gewoon niet.

James voelde helemaal niets voor pleegouderschap, dus daar viel ook niet over te praten. Ook niet voor adoptie, zelfs al zou die mogelijkheid er zijn. Ik durfde er zelfs niet aan te denken hoe Natasha zou reageren op een baby uit het buitenland. Stel je eens voor! Een kleine Afrikaanse Harris! Of een Aziatische! Om te brullen.

Nee, Mercedes, je bent heel lief, maar heus, ik wind me niet te veel op, echt niet. Ik weet dat je altijd je best doet om te zorgen dat ik me niet te veel opwind, vooral als die vriend van Grace me zit door te zagen. Dit is heel anders. Ik probeer het jou alleen maar uit te leggen allemaal. Want weet je, jou wil ik het allemaal vertellen, daar heb ik gewoon behoefte aan. Kun je niet net doen alsof het een brief is die ik je schrijf? Een brief van Helen aan Mercedes?

Ja, ik wil graag een slokje thee, dank je wel, lieverd, jij bent er tenminste altijd als mensen je nodig hebben.

Goed dan, zoals ik al zei, ik moest dus een oplossing zien te vinden.

Dit speelde allemaal drieëntwintig jaar geleden. Toen liep jij nog op de Filippijnen op je peuterbeentjes rond te waggelen in de zon. Het is daar toch erg zonnig? Nou, ik was hier in Londen, en ik wist niet waar ik het zoeken moest.

Maar ik was altijd erg goed geweest in het bedenken van oplossingen. Ik zou me ook hierdoor niet uit het veld laten slaan. Een van de meisjes van mijn werk was ooit in Ierland op vakantie geweest. Ze had daar met een stel een klein stadje bezocht, Rossmore. Het was erg mooi, het had een oud kasteel en er was een bos bij, het Meidoornbos, waar een bron was waar je wensen vervuld werden. Het was een heilige bron zelfs. Van dat soort dingen weet jij vast alles af, Mercedes, want jij bent toch katholiek? De mensen gingen bij die bron bidden tot een heilige en dan werden hun wensen verhoord. En ze lieten daar van alles achter om de heilige te bedanken.

Maar wat wensten ze dan zoal, vroeg ik me af.

Blijkbaar van alles en nog wat, want die heilige had het er maar druk mee. De mensen smeekten om een echtgenoot of om genezing van allerlei ziekten en kwalen. En er werd ook heel vaak om een baby gebeden. Er hingen daar een heleboel babyslofjes en meer van dat soort dingen aan de struiken, opgehangen door mensen die heel graag een baby zouden krijgen. Stel je toch voor!

Nou, dat deed ik. Ik dacht aan niets anders meer. Dag en

nacht dacht ik eraan dat ik op die plek ons kind zou vinden. De mensen zouden toch allang zijn opgehouden met bidden als het geen effect had? Dus toen James weer eens op zakenreis was, nam ik een paar dagen vrijaf en ging ik stiekem naar Ierland, waar ik de bus nam naar Rossmore.

Het was een heel vreemd oord, echt waar. Ik vond het heel bijzonder. Rossmore was best een modern stadje, met mooie winkeltjes en goede restaurants. Ik heb er zelfs mijn haar laten doen in een chique kapsalon. Maar nog geen twee kilometer verderop was er een plek waar een onderontwikkeld bijgeloof werd aangehangen. Sorry, Mercedes, ik wou je niet beledigen, maar je begrijpt vast wel wat ik bedoel.

Er waren daar tientallen mensen, en allemaal hadden ze hun eigen verhaal. Zo was er een oude vrouw die tot de heilige Anna zat te bidden. Want de heilige daar was Sint-Anna, de moeder van Maria die de Moeder van Jezus was, maar dat weet jij allemaal beter dan ik. In het weeshuis stond ook een beeld van haar.

Nou goed, die vrouw smeekte dat haar zoon die aan drugs was verslaafd zou afkicken, en er was een meisje dat bad dat haar vriendje niet te weten zou komen dat ze domme dingen had gedaan met een andere man. En een jongen bad alleen maar dat hij zou slagen voor zijn examen omdat zijn hele familie van hem afhankelijk was. En een meisje van een jaar of veertien bad dat haar vader de drank zou laten staan.

Ik sloot ook mijn ogen en praatte tegen die heilige aan. Ik zei dat ik meteen weer gelovig zou worden – want ik was mijn geloof zo'n beetje vergeten sinds ik James en Natasha had ontmoet – als ze ervoor zou zorgen dat ik zwanger werd.

Het was daar erg vredig en alles leek mogelijk. Ik wist eigenlijk wel zeker dat de heilige mijn wens zou verhoren. De rest van de dag ben ik in Rossmore blijven hangen. Ik moest wachten op de bus. Er was toen nog nauwelijks verkeer daar, je kon op je gemak rondlopen. Ik geloof dat het tegenwoordig heel anders is. Iedereen leek elkaar te kennen, want allemaal zeiden ze elkaar gedag in Castle Street, de hoofdstraat van het stadje. Het waren allemaal gezinnen, zag ik. Als ik ooit in dit plaatsje terug zou komen, dacht ik, dan zou ik zelf ook een gezin hebben. Want ik zou beslist naar Rossmore terugkomen om de heilige Anna te bedanken.

Veel mensen lieten hun baby gewoon op de stoep voor winkels staan, omdat de kinderwagens kennelijk te groot waren om de deur door te kunnen. Voorbijgangers bleven vaak bij zo'n kinderwagen staan om zo'n mollig kindje te bewonderen. Ik zag er tientallen. Binnenkort zou ik ook een baby in een kinderwagen hebben. Het kind van mij en van James. Natasha's kleinkind. Maar ik zou mijn kind nooit uit het oog verliezen, geen moment.

De maanden gingen voorbij, maar het leek er maar steeds niet op dat de heilige Anna mijn wens zou verhoren. Als ik nu terugdacht aan mijn tocht naar die waardeloze bron, werd ik heel boos. Het begon me ontzettend dwars te zitten. Ik dacht steeds maar weer aan het stadje waar moeders hun baby's doodleuk op straat lieten staan, zonder dat iemand erop lette. Hoe konden ze zo nonchalant zijn, terwijl er zo veel vrouwen waren die naar een baby hunkerden?

En toen kreeg ik een idee.

Ik zou weer naar Ierland gaan, een baby uit een kinderwagen pakken en die meenemen naar huis. Het deed er niet toe of het een jongen of een meisje was. Als we zelf een kind zouden krijgen, konden we ook niet kiezen en dus was dit eigenlijk niet meer dan natuurlijk.

Ik moest er een hoop voor plannen.

Je had geen paspoort nodig om naar Ierland te reizen, maar op een luchthaven of aan boord van een vliegtuig zou je toch eerder opvallen en dus besloot ik om per veerboot te gaan.

Ik zei tegen James dat ik zwanger was, dat ik niet naar hun familiedokter was gegaan, maar naar een vrouwenkliniek en dat me dat het beste beviel ook. Hij was een en al begrip. Hij behandelde me met de grootste omzichtigheid. En hij was natuurlijk dolblij met het grote nieuws.

Ik smeekte hem zijn moeder nog niets te vertellen. Ik zei dat ik tijd nodig had. Hij stemde erin toe de zwangerschap geheim te houden tot we er zeker van waren dat alles goed ging. Na drie maanden zei ik dat ik het liefst apart wilde slapen. Hij vond het niet leuk, maar gaf me mijn zin.

Ik las alles over de verschijnselen die bij een zwangerschap hoorden en gedroeg me dienovereenkomstig. Ik ging naar een winkel met theaterspullen en vroeg om een attribuut dat ik om mijn buik kon binden zodat het leek alsof ik zwanger was. Ik legde uit dat ik het op het toneel onder mijn nachtpon moest dragen en dat het dus heel echt moest lijken. Ze toonden zich erg geïnteresseerd en ik moest een ontzettend vaag verhaal ophangen omdat ze anders misschien wel naar de voorstelling zouden willen!

Natasha was door het dolle heen. Ze kwam iedere zondag lunchen, en nu hielp ze me ineens met afruimen in plaats van als een zoutzak op haar stoel te blijven zitten.

'Helen, lieverd, je hebt geen idee hoe blij je me hebt gemaakt,' zei ze een keer, terwijl ze een hand op mijn buik legde. 'Wanneer kunnen we voelen dat de baby schopt, denk je?'

Ik zei dat ik het in de kliniek zou vragen.

Ik wist dat ik tegen de tijd dat de baby zogenaamd geboren zou worden, weg moest zijn. Het was wel een probleem, maar ik bedacht er een oplossing voor. Ik maakte James en Natasha wijs dat ik, nu ik moeder ging worden, een hevig nostalgisch verlangen begon te krijgen naar het weeshuis, het enige thuis dat ik me herinnerde. James wilde met me mee, maar ik zei dat het een reis was die ik alleen wilde maken. Hij had het trouwens heel erg druk met zijn handel in antiek, hij moest dus wel in Londen blijven. Ik beloofde dat ik binnen een week terug zou zijn, ver voor de tijd dat de baby was uitgerekend. Het kostte me heel wat overredingskracht, maar uiteindelijk lieten ze me gaan.

Ik was intussen al met zwangerschapsverlof. Op kantoor was ik de baas en dus kon ik doen wat ik wilde.

Ik ging naar het weeshuis, waar ze allemaal erg opgetogen waren over het feit dat ik zwanger was. Ze waren vooral blij dat ik juist op dat moment bij ze kwam, want mijn biologische moeder bleek in het ziekenhuis op sterven te liggen en verlangde er hevig naar mij te zien, al was het maar één keer. Ze wilde me alles uitleggen.

Ik zei dat ik geen behoefte had aan uitleg.

Ze had me het leven geschonken en dat was best. Meer wilde ik niet van haar. Ik had me er doorheen geslagen.

De zusters en het personeel waren geschokt. Ik had een goede baan, een rijke man, een prachtig huis en nu verwachtte ik ook nog een kind. Waarom zou ik mijn hart niet openstellen voor een vrouw die veel minder geluk had gehad dan ik?

Maar ik liet me niet vermurwen. Ik had te veel aan mijn hoofd. Ik stond op het punt naar een ander land te gaan om een baby voor mezelf, een kind voor James, een erfgenaam voor Natasha Harris te stelen. Waarom zou ik me inlaten met het gepraat en de schuldgevoelens van een vreemde vrouw die daar veel en veel te laat mee was?

Ik reed weg bij het tehuis en parkeerde mijn auto in de buurt van de veerbootterminal. Ik zette een pruik op en deed mijn nepbuik af en stopte die in de kofferbak. Ik had een goedkope regenjas, een draagdoek en een levensgrote babypop aangeschaft en was klaar voor de overtocht. In die tijd hadden ze nog nauwelijks bewakingscamera's aan boord, maar ik wilde er zeker van zijn dat als er eenmaal alarm was geslagen, niemand mij zou kunnen verdenken als ik met een baby op de boot naar Engeland stapte, want er zou ongetwijfeld wel iemand zijn die me op de heenreis ook met een kind had gezien.

Er kwamen een paar moeders op me af die naar de baby wilden kijken, maar ik zei verontschuldigend dat ze erg eenkennig was. Ik zag haar namelijk al als mijn dochter, zie je.

Ik nam de bus naar Rossmore en hield de pop stevig tegen me aangedrukt. Het was op een zaterdag en het was erg druk in het stadje. Ik liep door Castle Street tot mijn voeten er pijn van deden.

Ik deed ook boodschappen, ik kocht talkpoeder, luiers en babyzalf. Ook nu stonden er weer heel veel kinderwagens voor winkels geparkeerd. De mensen in dit stadje waren argeloos en vol vertrouwen, zouden sommigen zeggen. Maar ik niet. Wat mij betrof ging het om ouders die geen kind verdienden omdat ze het op een misdadige manier verwaarloosden. Ik moest heel omzichtig te werk gaan. De bus die ik moest hebben, vertrok om drie uur. Naar de veerboot was het twee uur rijden. Ik moest het kind stelen vlak voordat de bus vertrok, niet eerder. Het zou niet slim zijn om de politie meer tijd te geven om te zoeken. Vreemd. Ik weet nog precies wie er die dag door die drukke straat liepen. Er was een oude priester, je weet wel, zo'n man in een soutane, zoals ze die vroeger droegen, zo'n jurk helemaal tot op de voeten. Hij schudde iedereen de hand. De halve bevolking leek aan het winkelen te zijn en allemaal groetten ze elkaar. Ik stond op de stoep bij het Rossmore Hotel toen ik een pasgeboren baby in een kinderwagen ontdekte. Die lag daar rustig te slapen en aan de stang van de kinderwagen was de lijn van een kleine terriër bevestigd. Ik stak de straat over en binnen enkele seconden was het gebeurd. De pop lag in een afvalbak en de baby zat in de draagdoek tegen mijn lichaam. De oogjes zaten stijf dicht, maar ik voelde een hartje kloppen tegen mijn borst. Het voelde alsof het allemaal zo was voorbeschikt. Alsof de heilige Anna me op een merkwaardige manier naar dit kind had geleid.

Ik stapte in de bus en wierp nog een laatste blik op Rossmore. De bus hotste over de binnenwegen naar de veerboot en toen ging ik met mijn dochter in mijn armen aan boord. Blijkbaar was ik al een heel eind weg toen er alarm werd geslagen. Maar wie zou eraan denken om meteen op een veerboot te gaan zoeken? Tegen de tijd dat het duidelijk werd dat het om een echte ontvoering ging, zat ik al lang en breed in mijn auto.

Ik had gedaan wat ik van plan was: ik had mijn kind gehaald. Het was een meisje dat Grace Natasha zou gaan heten. Ze was tussen de twee en vier weken oud. Verschrikkelijk toch, dat mensen zo'n jonge baby gewoon aan haar lot overlieten, hield ik mezelf voor. Ze was heel wat beter af bij mij, ze zou een heel goed leven krijgen. Niemand zou me kunnen vinden, zei ik tegen mezelf terwijl ik haar eerste flesje klaarmaakte op een primus achter in de auto.

En wat zo prachtig is, Mercedes, is dat ze me inderdaad nooit hebben weten te vinden.

Ik had het allemaal ontzettend knap geregisseerd, moet je weten.

Ik deed mijn nepbuik weer om en nam mijn intrek in een morsig pension. De baby liet ik in de auto achter. Midden in de nacht deed ik net alsof de weeën waren begonnen. Ik stond erop om zelf naar het ziekenhuis te rijden. In plaats daarvan reed ik terug naar het weeshuis.

Ik vertelde daar dat ik de baby in mijn eentje had gekregen en vroeg of ze me een aantal dagen wilden verzorgen tot ik weer een beetje van de schrik bekomen was.

Iemand van het personeel zei dat ik onmogelijk van die baby bevallen kon zijn, omdat ik een aantal dagen geleden nog in het tehuis geweest was en de baby minstens twee weken oud was, geen drie dagen. Een andere wilde er een dokter bij halen. Maar ik had zeventien jaar van mijn leven bij deze mensen doorgebracht en ik wist hoe ik ze moest bespelen. En je moet niet vergeten dat ze van mij hielden. Ik was hen in al die jaren nooit tot last geweest. Ik was ze niet vergeten en ik kwam af en toe nog op bezoek. Ik had ook een aantal flinke bijdragen gestort voor hun verbouwingsfonds. Ze zouden Helen, die arme wees, wier eigen moeder op sterven lag, geen lastige vragen stellen.

Ze wisten het best. Natuurlijk wisten ze het. Het waren vrouwen die hun hele leven met kinderen doorbrachten. Ze hadden het misschien moeten melden, ja, ik geloof wel dat je dat kunt zeggen. Maar ze dachten waarschijnlijk dat ik de baby had gekocht. En ze begrepen dat ik dat verborgen wilde houden voor mijn tamelijk deftige echtgenoot en schoonmoeder. En dus speelden ze mijn spelletje mee.

Ik verbrandde de valse buik, de pruik en de goedkope regenjas stiekem in de vuilverbrandingsoven. Ze belden James voor me op om hem te vertellen dat hij een dochter had en hij belde Natasha om haar te vertellen dat ze een kleindochter had. Ze zouden de geboorte ook aangeven. James huilde aan de telefoon. Hij zei dat hij nog meer dan eerst van me hield en dat hij de rest van zijn leven voor ons allebei zou zorgen. En Grace sliep intussen maar door, tevreden met zichzelf en met iedereen. En in drieëntwintig jaar tijd is ze nooit iemand tot last geweest. Ze lijkt zo ontzettend op mij, niet lichamelijk natuurlijk, maar in de manier waarop ze zich gedraagt. Dat heb je zelf kunnen zien. Ze is in alle opzichten mijn dochter.

Ze is een sterke persoonlijkheid met een dwingend karakter. Ze is precies haar moeder.

Ze is precies zoals ik.

Nee, Mercedes, ik heb nooit geprobeerd te achterhalen hoe het haar familie in Ierland verder is vergaan. Ze hebben daar hun eigen kranten en alles, zie je, dus ik heb er nooit over hoeven lezen.

Ze hebben daar trouwens allemaal zo veel kinderen. Ik denk nooit na over die kant van het hele verhaal.

Nee, natuurlijk zal ik het Grace nooit vertellen, nog in geen miljoen jaar.

Ze heeft nu een vriend, David. Ach ja, dat weet je natuurlijk. James is niet zo erg ingenomen met hem. Dat zegt hij niet, maar ik weet het gewoon. Ik mag hem ook niet zo, maar Grace heeft voor hem gekozen en dus zeg ik er niets van. Ik glimlach alleen maar.

David komt toevallig uit Ierland. Dat is toch buitengewoon, vind je ook niet? Grace is er nooit geweest, tenminste niet sinds... Ze is er nog niet geweest in ieder geval. Maar gisteren schrok ik me wel een ongeluk toen David zomaar ineens zei dat er in Ierland een verschrikkelijk gedoe is ontstaan rond een weg die langs Rossmore gepland is. Er werd heftig tegen geprotesteerd heb ik begrepen.

'Zei je Rossmore?' vroeg ik. Ik verstijfde helemaal.

'Ja, een stadje van anderhalve man en een paardenkop in de wildernis. Je kunt er inderdaad maar beter omheen rijden. Niemand heeft er iets te zoeken.' Hij moest er niets van hebben, dat was wel duidelijk.

213

Ik zocht op zijn gezicht naar tekenen dat hij het wist. Stel dat hij uit Rossmore kwam? Stel nu eens dat het zijn zus was die ik uit de kinderwagen had gestolen. Wat een verschrikkelijke gedachte. Hij en Grace broer en zus!

Ik voelde me erg zwakjes. Dat weet je, want je hebt me geholpen, zoals altijd.

Ik dacht dat ik zou flauwvallen, maar dat gebeurde niet. Ik merkte dat ik weer in de werkelijkheid terugkwam. Ik vroeg me af waarom hij nu juist over dát stadje begonnen was. Dat moest toch iets te betekenen hebben? Misschien was hij me al jarenlang op het spoor. Ik móést het weten.

'Ben je daar zelf wel eens geweest, David?' vroeg ik. Ik durfde nauwelijks te denken aan wat hij zou kunnen antwoorden.

Maar hij zei nee, hij was er misschien wel eens doorheen gekomen toen hij op weg was naar het westen van Ierland, maar hij kende het verder niet. Hij had er wel met Grace over gesproken, want er was daar iets wat interessant zou kunnen zijn. Zijn stem stierf weg. Hij was er alleen maar over begonnen om iets te zeggen te hebben.

Grace keek hem vol adoratie aan.

'Ik zal je zeggen waarover we het gehad hebben, moeder... David vertelde dat er daar een soort heilige plek is, een bron waar wensen vervuld worden, zoiets. Mensen zouden er genezing vinden, schijnt het...' Ze keek me hoopvol aan.

'Nee, Grace, en David, dank jullie wel, maar laat mij maar,' zei ik. 'Met mij gaat het best. Dat soort oorden werkt echt niet, hoor.'

'Maar ze zeggen dat ze op een bepaalde manier juist wel werken, moeder. Mensen krijgen er meer kracht en vertrouwen, ze gaan zich er beter van voelen. De mensen die daarheen gaan, pakken alles wat ze krijgen kunnen.'

'Ik heb gepakt wat ik...' begon ik en zag ze toen kijken. 'Ik heb alles uit het leven gehaald en daar ben ik erg sterk van geworden. Ik voel me prima, heus,' zei ik gedecideerd.

Grace pakte mijn hand en drukte er een kus op.

Haar oma heeft ervoor gezorgd dat ze op haar vijfentwintigste een hele sloot geld krijgt. De hele Harris-erfenis gaat naar haar toe. Wat zou ze hebben als ik haar had laten liggen in die kinderwagen met die hond eraan vastgebonden? Ik zal er natuurlijk niet meer zijn als ze alles erft, maar dat doet er niet toe. Ik heb haar een heel goede start in het leven gegeven. Ik heb alles voor haar gedaan, alles wat een moeder maar kan doen. Voor haar, voor haar vader en voor haar grootmoeder. Ik heb mezelf niets te verwijten. Ik heb James nooit een leugen verteld, behalve deze ene, en dat heb ik uit liefde gedaan. We hadden zo'n prachtig huwelijk, ik geloof niet dat hij ooit tegen mij gelogen heeft. Onmogelijk. Maar ik heb mezelf ook niets te verwijten, zoals ik al zei.

Hé, Mercedes, hou op met huilen. Alsjeblieft. Jij hoort ons te helpen om flink te zijn, niet andersom. Alles is al moeilijk genoeg. Als de zusters om ons heen nou ook nog beginnen te snotteren...

Zo, dat is beter.

Ik vind je veel leuker als je glimlacht.

Wat denk je, heb je nog een beetje thee voor me?

Deel 2 – James

Mama belt me altijd om negen uur 's ochtends op. Een heleboel mensen vinden dat nogal raar, maar ik vind het erg geruststellend. Het betekent dat ik er nooit aan hoef te denken om haar te bellen en dat ik op de hoogte blijf van alles wat er in de grote wereld gebeurt, en dat is altijd erg interessant. Allemaal verhalen over schrijvers en advocaten, bankiers en politici.

We hebben altijd een heel rustig leven geleid, Helen en ik, dus is het heel vermakelijk om verhalen uit de eerste hand te horen over het soort mensen dat je gewoonlijk alleen uit de kranten kent. Helen nam nooit de telefoon aan op dat uur want we wisten allebei dat het mama is. Niet dat Helen het niet leuk vond om met mama te praten of zo... Ze kunnen heel goed met elkaar opschieten en Helen is altijd heel erg aardig tegen haar. Van het begin af was zij degene die vond dat we een plek voor mama in ons leven moesten inruimen, dat we haar in ieder geval een keer per week voor de lunch of het diner moesten uitnodigen. Ze wist altijd precies hoe ze mama moest aanpakken. Als ik mama al van een fout zou kunnen betichten, dan is het misschien dat ze een beetje een snob is, maar mijn hemel, Helen maakte daar korte metten mee!

Dan keek ze mama aan met haar grote porseleinblauwe ogen. 'Het spijt me, mevrouw Harris, maar u zult me hier echt mee moeten helpen. We hebben in het weeshuis nóóit oesters gegeten...' Ja, en ze hadden ook nooit vingerkommetjes of amusegueules of wat voor flauwekul mama indertijd nog meer in de aanbieding had. Helen wist haar compleet te ontwapenen en mama begon haar algauw te mogen – na enkele aanvankelijke bedenkingen zullen we maar zeggen. Mama had oprecht bewondering voor iemand die zo direct en spontaan was als Helen.

Ze wist ook dat ik nooit eerder van iemand gehouden had en dat ik ook nooit van een ander zou houden. Ik had er geen twijfel over laten bestaan dat Helen mijn vrouw zou worden, en dat was kort nadat ik haar voor het eerst had ontmoet; ze droeg een jurk in exact dezelfde blauwe kleur als van haar ogen. Ze draagt heel vaak kleding in die kleur, zijden sjaals of blouses. En peignoirs en negligés, dingen die ze nu aldoor aan heeft.

De familie, dat wil zeggen al mijn ooms en neven, vonden altijd dat ik in de City moest gaan werken. Maar daar was ik niet voor aangelegd. Ik vond het een verschrikkelijke gedachte. In plaats daarvan ging ik bij een antiekhandel werken. Ik studeerde kunstgeschiedenis om me beter in het vak te bekwamen en kort nadat ik met Helen was getrouwd begon ik mijn eigen zaak, die pijlsnel uitdijde. Ik liep altijd in nogal ouderwetse kostuums, maar door Helen leerde ik me beter kleden en mezelf presenteren. Door bijvoorbeeld praatjes te houden over achttiende-eeuwse meubels. Ze moedigde me aan om de pers op de hoogte te brengen als ik iets interessants in de verkoop had. De rest is geschiedenis, zoals men zegt.

Ik heb nu in het hele land antiekzaken en ik ben vaak op televisie te zien als antiekexpert.

Ik heb laten zien dat ik mezelf kan bedruipen en daar was ik erg trots op. En ik was ook erg trots op mijn vrouw Helen. We hebben net ons zesentwintigjarig huwelijksfeest gevierd. Vanavond in het ziekenhuis deed Helen zelfs alsof ze een paar slokjes champagne meedronk. We hadden kristallen champagneglazen meegebracht. Ze zag er nog even mooi uit als op de dag dat we trouwden. Daarna gingen we met z'n drieën uit eten: mama, Grace en ik. Gelukkig vond Grace het geen al te groot probleem dat ik die hufterige David niet meevroeg. We gingen naar een Frans restaurantje waar Helen en ik vaak kwamen voordat ze ziek werd.

Mama sprak een toost uit: 'Op een van de gelukkigste huwelijken die ik ooit gekend heb,' zei ze met een van de tinkelende stemmetjes die ze kon opzetten. Ik glimlachte, vriendelijk en wijs.

Dit was dezelfde vrouw die me meer dan een kwarteeuw geleden jammerend had gesmeekt niet met een meisje te trouwen dat we totaal niet kenden, een vrouw met een verleden dat volledig onbekend was, op het feit na dat ze in een weeshuis was achtergelaten.

Grace zei dat ze het eens was met de toost. Ze zei dat ze het al heerlijk zou vinden als haar huwelijk met David maar half zo goed zou zijn. Ze zei dat ze van al haar vrienden niets anders hoorde dan dat hun ouders voortdurend met elkaar overhoop lagen en elkaar vliegen probeerden af te vangen. Dat had zij nooit meegemaakt. Ze kon zich niet herinneren dat er ooit ruzie in huis was geweest.

'Ik ook niet,' zei ik eenvoudig.

Ik proefde niets van wat we aten, wat mij betrof had het karton mogen zijn. Weer werd ik overspoeld door het gevoel dat het allemaal zo oneerlijk was. Waarom moest er een einde komen aan dit huwelijk? Volgend jaar zouden we het over mijn ex-vrouw hebben, of misschien al volgende maand. Waarom moest Helen, die haar hele leven nog geen vlieg had kwaad gedaan, sterven en mochten anderen die tot niets anders dan boosaardigheid en hebzucht in staat waren, blijven leven? Waarom zat ik hier aan tafel gemeenplaatsen te verkondigen tegenover mijn moeder en mijn dochter, terwijl ik niets anders wilde dan aan Helens bed zitten, haar hand vasthouden en haar zeggen dat de tijd die we samen hadden gehad magisch was, dat ik me een verleden vóór haar niet kon herinneren en me een toekomst zonder haar niet kon voorstellen?

Daarna zouden we praten over allerlei onbenullige dingen: dat geraniums altijd in groepjes bij elkaar geplant moesten worden, dat ik iedere week mijn jasjes naar de stomerij moest brengen en mijn overhemden naar de Chinese wasserij; dat ik dure manchetknopen moest dragen, zelfs al kostte het me drie minuten om ze in te doen. Ik hield zo ongelofelijk veel van haar, ik had zelfs nooit aan een andere vrouw kunnen denken. Dat is de zuivere waarheid, zoiets kwam nooit bij me op.

Die Filippijnse vrouw, Mercedes, die met de grote, treurige ogen, verzekerde me dat Helen vanavond gelukkig was. Ze had blijkbaar veel over haar gezin gepraat en foto's bekeken van onze huwelijksdag en kiekjes van Grace toen ze nog klein was. Helen wilde dat ik een zo normaal mogelijk leven leidde, zo noemde ze dat. Dat ik heerlijk moest gaan eten met mijn moeder en dochter. Alsof ik dat zou kunnen, geen denken aan. Ik zag ze steeds steels naar me kijken, mama en Grace, en dat was een veeg teken. Ik moest vrolijker zijn. Ik heb er genoeg van om me aan anderen vrolijk voor te doen.

Toch is dat wat Helen het liefst van alles wilde. Ze zei dat dat het enige was waardoor ik haar kon helpen. Ik moest ervoor zorgen dat alles gewoon zijn gangetje bleef gaan. Ik moest niet vergeten mijn moeder geregeld uit te nodigen, ik moest beleefd zijn tegen David, Graces irritante vriend, en ik mocht niet tegen haar zeggen dat ze wel iets beters kon krijgen, ook al was dat wat ik dacht. Dus rechtte ik met moeite mijn schouders, dwong mezelf tot me te laten doordringen wat ik aan het eten was en spande me in om alles zijn gewone gangetje te laten gaan.

Ze waren allebei zo knap, mijn moeder en mijn dochter.

Mijn moeder zag er echt niet uit als iemand die de zeventig was gepasseerd; ik zou niet eens kunnen zeggen met hoeveel jaar precies. Ja, mijn moeder Natasha was een wandelende reclame voor haar kapper en schoonheidsspecialiste, en voor haar eigen goede smaak op het gebied van mode. Ze droeg een lila jasje over een dito jurk, een creatie die was ontworpen voor iemand die veertig jaar jonger was, maar die desondanks uitstekend bij haar paste.

Grace was met haar blonde haar en donkere ogen altijd al een opmerkelijke schoonheid. Maar vanavond zag ze er in een donkerrode jurk met van die dunne bandjes werkelijk betoverend uit. Ze was veel te goed voor die vervelende David, ze was veel te mooi en te intelligent voor hem... Maar ik mocht me niet aan dat soort gedachten overgeven.

Ze had het alweer over David. Wanneer praatte ze een keer niet over hem? David werkte net als zij in de City.

De mensen zeiden van hem dat hij erg pienter was. In de zin van dat hij een aangeboren geslepenheid bezat. Hij had iets van een bookmaker bij de paardenraces, hij leek niet op de accountants, bankiers en financiële experts in wier kringen Grace zich met zoveel gemak bewoog.

Nee, de jonge David was van een totaal ander slag.

Maar Grace hield van hem, daar was geen twijfel over mogelijk. Ze had nooit eerder een vriendje mee naar huis genomen, en nu was ze uitgerekend met deze hufter aan komen zetten.

'David is vandaag bij moeder op bezoek geweest.' Grace sprak zijn naam nogal lijzig uit, alsof ze het heerlijk vond die wat langer in haar mond te kunnen proeven. 'Hij zei dat hij het zo bijzonder vond dat ik totaal niet op jullie tweeën lijk. Dat ik nog geen twee tellen in de zon kan zitten zonder te verbranden, maar dat jullie, als jullie er een hele maand in zouden zitten, alleen maar prachtig bruin zouden worden. Hij lijkt zelf als twee druppels water op zijn vader, ze zijn net een tweeling: dezelfde neus en dezelfde mond, en zelfs dezelfde manier om hun haar uit hun gezicht weg te vegen.'

Ik weerhield me er met enige moeite van op te merken dat

dat dan pech was voor hen allebei. Het lukte me Grace het idee te geven dat ik enigszins geïnteresseerd was, zodat ze door kon gaan met praten over het onderwerp van haar liefde.

'David vroeg moeder of zij het ook niet vreemd vond dat ik op geen van jullie beiden lijk.'

'O, en wat zei ze?' Ik probeerde enige warme belangstelling in mijn stem te leggen. Al kon ik bijna geen woord uitbrengen. Hoe waagde die schoft het om een stervende vrouw aan een verhoor te onderwerpen? Hoe bestond hij het om haar in haar laatste weken, of misschien dagen, van streek te brengen met zijn onnozele vragen?

'Ach, u kent moeder, ze gaf hem gelijk, maar ze voelde zich niet zo goed en ze riep Mercedes erbij.'

'Het was niet zijn schuld,' zei mijn moeder. 'Helens pijn komt op bij vlagen, dat hebben ze ons gezegd.' Natasha nam het altijd op voor de jonge blaag. Ongelofelijk eigenlijk.

'Maar later voelde ze zich weer goed, toch, papa, bij het feestje voor jullie huwelijksdag?' Grace keek me met haar prachtige donkere ogen smekend aan.

'Ja, hoor, ze voelde zich prima,' wist ik uit te brengen.

In het uur dat volgde, slaagde ik in nog veel meer dingen. Zo lukte het me te blijven glimlachen naar mijn moeder en mijn dochter, en herinneringen op te halen aan gelukkiger tijden. Het lukte me net te doen alsof het me wat uitmaakte of we na het eten armagnac of cognac zouden drinken. Maar eindelijk was mijn moeder dan weer terug in haar grote herenhuis en mijn dochter in haar flat, waar die David die zo op zijn vader leek, ongetwijfeld bij haar in bed zou kruipen.

En toen was ik vrij.

Eindelijk kon ik naar Helen toe.

Ze laten je daar op elk moment van de dag of nacht binnen.

Dat was een van de plezierige bijkomstigheden van rijk zijn: dat je een privékliniek kon betalen. Ik kon gewoon via de geruisloos openzwaaiende dubbele deuren de hal binnengaan, die meer leek op de lobby van een deftig hotel dan op een ziekenhuisruimte. De nachtreceptioniste groette me wellevend.

'Ik beloof dat ik haar niet zal storen als ze slaapt,' zei ik met mijn geoefende, nog nauwelijks oprechte glimlach.

Helen en ik hadden het er vaak over gehad dat het leven voor een groot deel uit toneelspelen bestond. Dat we heel vaak gedwongen waren te doen alsof. Dan zuchtten we en zeiden tegen elkaar dat wij in ieder geval het geluk hadden dat we altijd open waren tegenover elkaar. Al was dat niet waar. Natuurlijk hielden we de schijn op. Als er iemand de schijn ophield dan waren wij het wel. Ze heeft me nooit over Grace verteld en ik heb haar nooit verteld dat ik het wist. Dat ik het altijd al geweten had.

Ik wist het al vanaf de dag dat ik tijdens haar zogenaamde zwangerschap een keer haar kamer binnenkwam; ze had gezegd dat ze liever alleen sliep. Ze lag te woelen in haar slaap, ze had weer eens een nachtmerrie. Ik legde mijn hand op haar voorhoofd om haar tot bedaren te brengen en toen zag ik het, het witte ding dat ze onder haar nachtpon droeg. Ik tilde het laken op en zag het prachtige crème met goudkleurige negligé dat omhoog was gekropen en daaronder die buik van schuimplastic.

Het was een verpletterende schok. Helen, mijn vrouw, loog tegen me. Maar even later volgde er een naschok van medeleven en liefde. Dat arme, arme meisje. Ze moest wel heel erg bang zijn voor mijn moeder, en als het erop aankwam ook voor mij, dat ze haar toevlucht nam tot zoiets extreems. Wat was ze van plan te gaan doen als ze moest bevallen, of liever gezegd als ze zei dat ze moest bevallen?

Misschien had ze het zo geregeld dat ze tegen die tijd voor geld een kind kon halen. Maar waarom had ze mij er niets van gezegd? Ik zou alles, ja, letterlijk alles met haar gedeeld hebben. Waarom vond ze dat ze het mij niet kon vertellen?

Ik was hevig ongerust toen ik die nacht weer naar mijn kamer ging. Wat was ze van plan te gaan doen zonder mij om haar bij te staan? Ik wist dat ze het zonder mij niet af kon, dat het haar niet zou lukken het waanzinnige plan dat ze mogelijk in haar hoofd had tot een goed einde te brengen.

Maar ik wist ook dat ik moest wachten. Ik moest haar laten doorgaan met waar ze mee bezig was. Niets zou zo vernederend voor haar zijn dan erachter komen dat ik haar bedrog had ontdekt.

De tijd vorderde; Helen zag er bleek en angstig uit. Mama zei dat het door de zwangerschap kwam. Maar ik wist dat er veel meer aan de hand was. Ik was ontzettend opgelucht toen ze uiteindelijk aankondigde dat ze een bezoek wilde brengen aan het oude weeshuis waar ze was opgegroeid. Daar ging ze natuurlijk haar baby halen om vervolgens net te doen alsof het ons kind was.

Het verbaasde me, nee, het schokte me zelfs, dat zo'n respectabele instelling bereid was mee te werken aan dit soort bedrog. Het was illegaal, en het druiste in tegen alles waar dat tehuis voor stond. Ze waren altijd zeer zorgvuldig omgegaan met de kinderen die aan hun zorg waren toevertrouwd. Ze hadden toch wel een legale manier kunnen vinden om voor Helen een adoptiekind te vinden? Hoe konden ze nu meewerken aan zo'n misdadige onderneming? Maar ik wist ook dat ze voor Helen heel veel over hadden.

Er werkten daar nog vrouwen die er ook al waren toen Helen zelf nog een baby was.

Ze zouden allemaal ontzettend met haar meevoelen.

Toen ik dus hoorde dat onze baby, een prachtig, gezond klein meisje, onverwachts geboren was, en dat iedereen heel erg zijn best deed voor moeder en kind, kon ik enigszins opgelucht ademhalen. Ik wist van alles te verbloemen bij de aangifte van de geboorte, vulde losjes documenten in, zette hier en daar een handtekening, zonder vragen te stellen, zonder moeilijk te doen.

Ik hield het kind van iemand anders in mijn armen en zelfs ik, 'maar een man', zoals men wel zegt, zag dat Grace ouder was dan Helen beweerde. Ik hielp eraan mee om mensen bij de moeder en het kind weg te houden totdat niet meer duidelijk viel uit te maken hoe oud Grace precies was. Ik zei tegen iedereen dat ik zelf ook zo'n grote baby was geweest en tot mijn verbazing was mijn moeder – die gewoonlijk over dit soort dingen met mij ruziet – het ermee eens en zei dat ik inderdaad enorm was geweest.

Helen vertelde niets over de bevalling, zelfs niet aan mensen als mijn moeder en onze naaste vrienden die er alles van wilden weten. Het was allemaal in een soort waas aan haar voorbijgegaan, zei ze, maar nu ze haar kleine Grace had, deed het er ook niet meer toe; ze was ontzettend blij dat ze op dat moment bij mensen was die heel goed wisten hoe ze haar moesten helpen. Niemand vond het gek wat ze zei.

Niemand.

En waarom zouden ze ook?

Ze hadden Helen de voorgaande zes maanden langzaam dikker zien worden. Alleen ik wist wat ze van plan was en ik zou het nooit aan iemand vertellen.

Ik liep door de met zacht tapijt belegde gangen naar Helens kamer. Er was nog maar één ding dat ik haar wilde laten weten, namelijk dat haar geheim de rest van haar leven veilig was bij mij. Dat het er geen spat toe deed wat die ongevoelige dwaas, die David, ook zei. Niemand zou ooit te weten komen dat Grace niet onze dochter was. Maar ik kon haar dat niet op zo'n directe manier vertellen. Dan zou ze weten dat ik het wist.

Ik zou bij haar gaan zitten en dan zou ik er wel op komen.

Ik zou uiteindelijk wel weten hoe ik het haar moest overbrengen.

Het was donker in de kamer, er brandde alleen een klein lampje en naast het bed zag ik de grote gedaante van Mercedes, de Filippijnse, die bij haar waakte. Mercedes hield Helens hand vast. Helens ogen waren gesloten.

'Meneer Harris!' Mercedes was verrast.

'Is ze wakker?' vroeg ik.

Blijkbaar sliep ze; ze had zo-even haar medicijnencocktail toegediend gekregen. De zuster van de pijnbestrijding was een halfuur geleden langs geweest.

'David heeft haar vandaag van streek gemaakt, is het niet?'

'Daar heeft ze niets over gezegd, meneer Harris.'

Maar ik wist in mijn hart heel goed dat David haar een on-
behagelijk gevoel had bezorgd. Haar gezicht had een erg geschrokken uitdrukking gekregen toen hij zat te zaniken over
een of ander stadje in Ierland met een toverbos of een wonderbron, zoiets. Helens gezicht is voor mij een open boek. De verpleegster reageerde nauwelijks.

Ze zag en hoorde alles, maar ze zei bijna niets.

Ik moest het weten.

'Heeft ze niets gezegd? Helemaal niets?' Ik wist dat het klonk
alsof ik niet helemaal mezelf was, maar ik móést weten of die
rotjongen haar ongerust had gemaakt. Uitgerekend nu, nu haar
leven bijna ten einde was.

'Nee, nee, ze heeft alleen maar verteld over de champagne die
jullie hadden meegenomen om de verjaardag van jullie huwelijk te vieren.'

Mercedes keek naar Helen in het bed, alsof die ondanks alle
medicijnen kon horen wat we zeiden.

Helens wereld was dus blijkbaar niet volledig op zijn kop gezet. Ze werd niet verteerd door de angst dat haar lang gekoes-
terde geheim ontdekt zou worden. Ik haalde opgelucht adem.

Ik vroeg of ik alleen met haar kon zijn. Dat mocht blijkbaar
niet, er moest de hele nacht bij haar gewaakt worden. Ze maakten zich zorgen om haar ademhaling.

'Alsjeblieft, Mercedes, ik wil met haar praten als ze wakker
wordt,' zei ik smekend.

'Meneer Harris, als ze wakker wordt, ga ik wel ergens anders
in de kamer zitten, zodat ik niet kan horen wat jullie zeggen,'
zei ze.

Ze waakten nu dus permanent bij haar. Blijkbaar verwachtten
ze dat ze vandaag of morgen zou sterven.

Ik bleef naast haar bed haar smalle hand strelen tot ze na twee
uur wakker werd.

Ze opende haar ogen en glimlachte naar me.

'Ik dacht dat je uit eten was.' De woorden kwamen moeizaam.

'Dat was ik ook, het was erg fijn,' zei ik.

Ik vertelde haar dat we over van alles gepraat hadden: dat iedereen heel blij was en ik nog het meest. En dat Grace over David had verteld; dat die gezegd had dat hij het zo vreemd vond dat Grace donkere ogen had terwijl wij allebei blauwe ogen hadden. Dat ik toen had gezegd dat mijn vaders ogen ook donker waren. Gitzwart bijna, zei ik tegen Grace, ze moest haar ogen dus wel van hem hebben. En mama zei dat ook en voegde er nog aan toe dat Grace haar ogen ook van Helens kant van de familie kon hebben, maar dat we die helaas niet kenden. Dat David het toen snapte en schouderophalend over iets anders was begonnen.

Helen keek me langdurig doordringend aan. 'Je moet nog steeds niets van hem hebben,' zei ze schor.

'Wel waar,' loog ik.

'Mij hou je niet voor de gek, James. Wij hebben nog nooit tegen elkaar gelogen, weet je nog wel?'

'Ja,' zei ik.

En toen vertelde ik haar de laatste leugen.

'Ik heb niet echt een hékel aan hem, liefste. Maar ik hou gewoon zo veel van mijn kleine meisje dat ik geen man ooit goed genoeg voor haar zal vinden. Ze is mijn dochter, mijn eigen vlees en bloed, en dus kan ik me gewoon niet voorstellen dat een man haar ooit zo gelukkig kan maken als wij hebben gedaan.'

De glimlach die op Helens gezicht was verschenen was zo prachtig. Ik had er voor eeuwig naar kunnen kijken. Maar toen veranderde er iets in haar gezicht en ging Mercedes de hoofdzuster roepen.

Voordat ze kamer uit ging, zei ze tegen me: 'U bent een geweldige man, meneer Harris, u hebt haar erg gelukkig gemaakt met wat u net zei.'

Ik weet dat het een volslagen absurd idee is, vooral als je er langer over nadenkt, maar heel even had ik het gevoel dat ze ons geheim kende. Dat ze alles over Grace wist.

Maar dat is uiteraard onmogelijk.

Helen zou het haar nooit verteld hebben.

Nooit en te nimmer.

10

De verjaardag van June

Deel 1 – June

Ach, het zat er dik in, natuurlijk. Op 16 juni werd ik zestien en ik heette June. Waar zouden we op Bloomsday anders naartoe gaan dan naar Dublin? Het zou een dag vol magie worden, zei ze.

Ik geloofde niet zo in magische dagen maar ze was zo opgetogen dat ze het aan iedereen die het maar horen wilde vertelde: 'Mijn dochter wordt zestien op de dag dat Leopold Bloom Molly ontmoette.' De meeste mensen hadden geen flauw idee waar ze het over had. Maar daar liet mijn moeder zich niet door uit het veld slaan. Allicht niet.

De plannen voor deze dag begonnen al een jaar van tevoren. Uren speurde ze op internet naar goedkope tickets en accommodatie. Ik zweer het, wij zijn de enige Amerikanen van Ierse afkomst die blijkbaar geen familie in Ierland hebben. Ik weet echt niet wat mijn moeder met haar familie heeft gedaan. Het zou kunnen dat ze hen van zich vervreemd heeft. Dat ze al te erg heeft opgeschept over hoe goed we het allemaal wel niet deden aan de andere kant van de Atlantische Oceaan – wat ver bezijden de waarheid is.

Ze was geboren in een gat dat Rossmore heet en mijlenver bij alles vandaan ligt. Maar het grootste deel van de familie was naar Dublin verhuisd. Door de jaren heen hadden we dit beetje informatie uit haar kunnen lospeuteren. Als kind speelde ze daar in een of ander bos en ging ze met al haar vriendinnen bij een heilige bron bidden om een man. 'Was het een echte wonderbron?' wilde ik weten. Hij had haar pa opgeleverd en dus had ze er geen goed woord voor over. Maar blijkbaar werd die bron nog steeds druk bezocht.

Ma had tot haar elfde in Ierland gewoond, dus moest ze er verdorie toch wel een paar vrienden, ooms en tantes, neven en nichten hebben zitten? Er was daar na haar vertrek geen hongersnood meer geweest die ze allemaal had kunnen wegvagen. Waarom gingen we niet net als alle anderen bij familie logeren? Maar nee, het had totaal geen zin om dat aan ma te vragen! Ze haalde alleen maar zenuwachtig haar schouders op en zei dat het tegenwoordig allemaal zo'n probleem was, dat iedereen naar weet ik waar was verhuisd en overal verspreid zat. Maar nooit werd duidelijk wie nu precies waarheen was gegaan en waarom. Ik kreeg voortdurend de indruk dat wij de enigen waren die weg waren gegaan en dat alle anderen gebleven waren.

Het had geen zin om te proberen ma in een hoek te drijven en haar serieus te ondervragen. Ze wist helemaal niets van Rossmore, zei ze, ze wist eigenlijk ook bijna niets meer van haar jaren in Dublin. Ze ontweek verdere vragen en werd steeds ongeduriger en vager in haar antwoorden.

Precies hetzelfde was het wanneer je met haar over data en leeftijden begon. Daar werd ma altijd onrustig van en uiteindelijk bereikte je er niets mee. Ma is vierenveertig. Ze zegt tegen iedereen hier dat ze vijfendertig is, wat zou betekenen dat ze achttien geweest moet zijn toen ze me kreeg en zeventien toen ze zwanger van mij raakte. Ik zou niet weten hoe dat te rijmen valt met al die jaren dat ze aan de universiteit heeft gestudeerd zoals ze beweert, in plaatsen ergens ver weg waar al die co-assistenten en studievrienden van haar woonden. Maar daar kan ik maar beter niet naar vragen.

Ik zie mijn vader twee keer per jaar als hij in het oosten van het land is. Hij is een Italiaan en ontzettend druk. Hij is hertrouwd en heeft twee zoontjes. Hij laat me foto's van ze zien en noemt ze mijn halfbroers. Hij krijgt ma niet te zien als hij me komt ophalen om me mee te nemen naar het motel waar hij verblijft. Als ze thuis is kijkt ze vanuit een raam boven naar ons. Maar meestal is ze dan naar haar werk. Het lijkt wel alsof mensen die tuinkabouters en vijvertjes verkopen, altijd moeten werken.

Pa helpt me geen steek verder als ik vraag naar hoe het vroeger in Ierland was.

'Vraag het me niet, Junie, alsjeblieft, je zou iedere keer een ander verhaal te horen krijgen,' zei hij dan smekend.

'Maar papa, u weet toch zeker wel wát! Toen u met mama trouwde waren er toch zeker wel gasten uit Ierland?'

'Een paar, ja, maar Junie, je moet niet achterom kijken, kijk naar de toekomst, zeg ik altijd maar.'

Weer wilde hij me foto's van mijn halfbroers laten zien, maar deze keer sneed ik hem de pas af.

'Hoor eens, ik ga mijn verjaardag in Dublin vieren. Hebt u, toen u daar was helemaal geen familie van mama ontmoet?'

'Nee,' zei hij.

'Maar waarom dan niet? Toen jullie naar Italië gingen, heeft zij wel met uw hele familie kennisgemaakt.'

'Ik ben nooit in Dublin geweest, June, lieverd,' zei papa. 'Ik wilde altijd heel graag, maar we zijn niet gegaan. Blijkbaar hebben de grootvader van je moeder en haar vader een keer mot gehad. Flinke mot. Haar vader was een trotse jonge kerel en heeft toen het hele gezin mee naar de Verenigde Staten genomen. En niemand mocht van hem daarna nog achterom kijken.'

'Maar dat is toch al heel lang geleden, papa?' Ik begreep totaal niet dat een ruzie zo lang kon duren.

'Ach, je weet hoe dat gaat, het is een soort sneeuwbaleffect, zo'n ruzie dijt steeds verder uit,' zei mijn pa, vergoelijkend als altijd.

'Maar toen de vader van mama stierf, toen opa er niet meer was, toen hadden ze het toch wel bij kunnen leggen?'

'Misschien vond je moeder dat ze haar vaders nagedachtenis dan onrecht deed. Hoe het ook zij, ik ben nooit in dat plaatsje

Rossmore geweest, en ook niet in Dublin. Dus ik kan je niet verder helpen.' Mijn pa haalde zijn schouders op. 'Ik zal u er alles over vertellen, papa,' beloofde ik. 'Van Gina en mij krijg je een fototoestel voor je verjaardag, June. Maak overal maar foto's van en laat ze me zien als je weer terugbent. Het wordt vast een geweldige reis. Je moeder zal zo trots op je zijn, lieverd, ze wil je vast aan iedereen laten zien. En ze zal er wel voor zorgen dat je het heerlijk hebt daar.' Mijn papa is zo'n goeie man, hij wil altijd dat iedereen aardig is voor elkaar.

Plotseling had ik tranen in mijn ogen.

'Je hebt me nooit precies verteld waarom u en mama uit elkaar zijn gegaan,' begon ik, zonder al te veel hoop dat ik er iets over te horen zou krijgen.

'Ach ja, weet je, dit soort dingen gebeuren nu eenmaal, daar kan niemand wat aan doen,' zei hij met een stralende glimlach.

'En weet je, Junie, je hebt er echt niks aan om steeds maar achterom te willen kijken. Laten we liever vooruit kijken, naar je geweldige reis naar Ierland. En als je weer terug bent, moet je nodig een keer naar de Midwest komen om je halfbroertjes te zien en...'

Ik vond dat hij wel wat bijval van mijn kant verdiende. 'Ik wil Gina heel graag ontmoeten, papa, en ik wil de kleine Marco en Carlo ook heel graag leren kennen,' zei ik, en zijn gezicht begon te stralen omdat ik ze bij hun naam noemde.

'Hoe ging het met je vader?' vroeg mama afgemeten. Ze was blijkbaar nogal gestrest. Blijkbaar had ze vandaag maar weinig siervijvers kunnen verkopen. Ik zou het liefst tegen haar zeggen dat hij zo aardig en edelmoedig was, dat hij altijd zo graag hoorde dat het goed ging met iedereen. Maar dat kon ik maar beter niet doen, want kennelijk werd ze er alleen maar rusteloos en zenuwachtig van. Dus hield ik me maar in, zoals papa zich al die jaren had ingehouden als ze zei dat ze niet naar Dublin wilde. Ik zei nauwelijks iets.

'Hij was aardig,' zei ik nonchalant. 'Hij had niet zo veel te vertellen.'

229

Ze klaarde helemaal op. 'Dat had hij nooit.' Ze neuriede zelfs toen ze de grote dossiermap ging pakken waar ze alle info over onze reis naar Ierland in had gestopt. Ze had er met een dikke groene viltstift JUNE ZESTIEN op geschreven.

'Wat ga je daar doen?' wilden ze op school weten. Ik wist niet wat ik moest antwoorden, want ik had geen idee wat we daar zouden gaan doen. Maar anders dan mama kon het mij niet schelen wat ze dachten dat ik ging doen.

'Gaan ze daar een feestje voor je geven?' vroeg mijn vriendin Suzi.

Ik zei dat ik het niet wist – misschien een surpriseparty, misschien ook niet.

Ik zou in ieder geval een feestje geven als we weer terug waren. Ik hoopte dat we naar Rossmore zouden gaan, waar een wonderbron was, maar daarover zou ik pas tegen mijn moeder beginnen als we in Ierland waren. Het enige wat ik zeker wist, was dat we op 16 juni een James Joyce-wandeling zouden maken. Mama had ons opgegeven voor deze rondleiding.

We zouden bij een toren aan de kust beginnen, en naar een museum gaan, en dan zouden we een gigantisch ontbijt nuttigen, met niertjes, lever en nog wat dingen, en daarna zouden we in een treintje Dublin in gaan. Het klonk mij erg bizar in de oren, maar mijn moeder was gelukkiger dan ze een hele tijd geweest was, dus dat was mooi.

Nou goed, na een hoop gedoe – de koffers inpakken, weer uitpakken en opnieuw inpakken – brak de dag aan dat we naar Dublin gingen.

Het was druk in het vliegtuig en het goedkope hotel was oké – niet geweldig, maar wel oké. En de winkels waren erg klein vergeleken bij thuis, en ze hadden daar ander geld en ik vroeg mama maar steeds of ze alles nog herkende. Herinnerde ze zich misschien een paar dingen? Ze zei dat ze het niet zo goed wist, dat het allemaal zo lang geleden was.

'Nou, zo lang nou ook weer niet, mama, u bent pas vijfendertig, toch?' zei ik, en deze keer hapte ze niet.

'Ik voel me honderdvijfendertig als ik al die jonge gezichten hier om me heen zie, het lijkt wel een land van teenagers geworden,' gromde mama. Ze zag er moe en zorgelijk uit. Ik besloot haar niet meer te plagen.

'Je ziet er net zo goed uit als zij, hoor, mama, echt waar.'

'Je bent een lieve meid, June. En je hebt iets van de Italiaanse zonnige kijk op het leven van je vader geërfd, blijkbaar.'

'Maar hoe zit het met de O'Leary-kant van de familie dan? Heb ik daar ook iets van?' vroeg ik. Ik liep op eieren, maar als ik de naam van mijn familie niet eens kon uitspreken in de stad waar ze vandaan kwamen, wanneer dan wel?

'Gelukkig niet,' zei ze. 'Ze vergeten alles behalve hun grieven.'

'Is dat de reden dat we ze niet gaan opzoeken?' vroeg ik met leeuwenmoed.

'De O'Leary's zijn eigenaardige mensen. We kwamen oorspronkelijk allemaal uit een klein gat dat Rossmore heette en verhuisden toen naar Dublin. Maar toen vielen er wóórden in een huis aan de Noordelijke Ringweg.' Mijn moeders stem klonk afgemeten. 'Maar laten we het weer over Joyce hebben.'

Ze had bedacht dat we nummer 7 aan Eccles Street moesten gaan bekijken omdat dit volgens haar het beroemdste adres in de Engelse literatuur was, en daarna zouden we naar Davy Byrne's gaan; onderweg konden we alvast wat joyceaanse cultuur tot ons nemen ter voorbereiding op de grote wandeltocht op Bloomsday zelf.

'Je weet toch waar het allemaal om te doen is, hè, June?' zei mama tobberig.

En of ik het wist.

Op een donderdag in juni 1904 gingen een heleboel Dubliners aan de wandel en ze bleven elkaar maar ontmoeten en kriskras door elkaar heen lopen en iedereen werd er gek van, ook al was het maar een verzonnen verhaal en nu doen ze het ieder jaar opnieuw, verkleed en wel. Ik zou veel liever door Dublin wandelen op zoek naar mijn familie: O'Leary's in levenden lijve, mezelf. Maar dat zat niet in het pakket.

Op Bloomsday, mijn verjaardag, was iedereen verkleed. Ze droegen allemaal edwardiaanse strohoeden en reden op van die hoge ouderwetse fietsen: het was grappig en idioot tegelijk. Ik probeerde net als mijn vader er de goede kant maar van te zien. En ik probeerde ook mijn vriendin Suzi na te volgen, die iedere mensenmenigte opvat als een bron van geweldige, maar nog onontdekte vriendjes. Ik probeerde, gegeneerd als ik was, zo weinig mogelijk te kijken naar mijn moeder die ontzettend achterlijk deed; ze pronkte tegenover de andere deelnemers aan de tocht voortdurend met haar beperkte kennis van Joyce. We gingen van de ene plek naar de andere en overal waren verslaggevers, fotografen en cameraploegen die het hele gebeuren vastlegden. Na verloop van tijd kwam er een meisje met een microfoon op me af dat interviews hield voor de radio en ook mij een paar vragen stelde.

Ik vertelde dat het mijn zestiende verjaardag was, dat ik June Arpino heette, half-Iers, half-Italiaans was, en dat ik wel wat van Joyce wist en de wandeling best interessant vond, maar dat ik eigenlijk liever mijn familie zou gaan zoeken, die O'Leary heette.

De verslaggeefster was een leuk meisje met grote donkere ogen en een vriendelijke oogopslag. Ze leek zich voor mijn verhaal te interesseren. Waarom wist ik niet waar mijn familie was?

Ik vertelde dat ze oorspronkelijk uit een klein plaatsje op het platteland kwamen, Rossmore, maar naar Dublin waren verhuisd. En toen legde ik uit dat er tijdens een bruiloft drieëndertg jaar geleden in een huis aan de North Circular Road woorden waren gevallen. Mijn moeder was kort daarop met haar ouders naar Amerika vertrokken. Misschien kwam het wel door die ruzie.

De interviewster leek zo gefascineerd door alles wat ik zei, dat ik ook nog vertelde dat het me maar matig kon boeien wat er honderd jaar geleden met Stephen Dedalus, Leopold Bloom en Molly was gebeurd, maar dat ik als ik eerlijk was des te meer geïnteresseerd was in wat er drieëndertig jaar geleden met de O'Leary's aan de hand was. Dat ik me afvroeg of iemand van hen zich mijn moeder nog herinnerde en of de harde woorden die die dag gesproken waren, misschien onderhand niet vergeten konden worden.

Ze leek erg ingenomen met ons gesprek en vroeg me achteraf naar het adres van ons goedkope hotel. Ze zei dat ze het heel leuk had gevonden om met me te praten en dat ze me veel succes wenste. Ze zei ook nog dat zestien een fantastische leeftijd was. Wie weet wat er nog zou gebeuren voordat mijn verjaardag voorbij was. Ik verwachtte eigenlijk niet dat er veel bijzonders zou gebeuren, dat we gewoon door zouden gaan met de rondleiding, maar mama had de tijd van haar leven en zei tegen iedereen dat ik die dag zestien was geworden.

Het was best een fijne dag eigenlijk. De mensen van de rondleiding waren heel aardig. Het waren vooral Zweden, Duitsers en Amerikanen. Ze kochten ijsjes voor me en lieten zich met mij op de foto zetten. Mijn moeder liep de hele dag te stralen. Toen we pauze hadden in het Joyce Centre kochten we prentbriefkaarten waarvan ik er twee naar mijn halfbroers Marco en Carlo stuurde. Niemand zou erdoor gekwetst worden, totaal niet, maar papa en Gina zouden er blij mee zijn.

Toen was de tocht voorbij en gingen we weer terug naar het goedkope hotel. Mama had verschrikkelijk vermoeide voeten; ze zei dat ze een voetenbadje zou nemen voordat we ergens pizza gingen eten voor mijn verjaardag. Toen we het hotel binnen kwamen, was iedereen aan de balie erg opgewonden.

Ze hadden de hele dag allerlei telefoontjes en berichten voor ons binnengekregen. Nog nooit had dit budgethotel zo in de belangstelling gestaan. Tientallen mensen die O'Leary heetten en zeiden dat ze oorspronkelijk uit Rossmore kwamen en meer recentelijk van de North Circular Road, waren ons nu al uren aan het zoeken; er lag een lijstje met ruim tien telefoonnummers die we moesten bellen. Sommige mensen hielden in de bar al een reünie en wilden June Arpino een verjaardagsfeest bereiden om nooit meer te vergeten.

Vol schrik keek ik naar mijn moeder. Ik had het onvergeeflijke gedaan: ik had contact gezocht met mensen die Woorden hadden gezegd. En ik had ook nog eens op de Ierse radio verteld dat mijn moeder Ierland drieëndertig jaar geleden verlaten had en zo haar echte leeftijd min of meer verraden. Erger kon niet.

Maar wonderbaarlijk genoeg bleken magische dagen echt te bestaan.

'Ik heb de hele dag al over woorden lopen denken,' zei mama. 'Bij Joyce draaide het feitelijk allemaal om woorden als je er goed over nadenkt. Sommige woorden zijn het waard om honderd jaar in ere te worden houden, en andere kun je maar beter zo snel mogelijk vergeten. Kom mee, June, dan gaan we naar je familie toe,' zei ze, en ze liep voor me uit naar de bar.

Deel 2 – Lucky O'Leary

Ja, ik weet ook wel dat het een idiote naam is, maar zie er maar eens van af te komen. Ik bedoel maar, je kunt niet even de aandacht vragen en zeggen dat je verder alleen nog Clare, Anna of Shelley genoemd wil worden. Of een andere naam die je mooi vindt. Maar dat gaat gewoon niet. Ik heet mijn hele leven al Lucky en ik zal altijd wel Lucky O'Leary blijven heten. Dat is mijn vloek.

Mijn ouders noemden me Lucretia, naar een ouwe tante die veel geld had. Ze liet hun niets na, dus het was voor niets geweest, maar papa noemde me toch al altijd zijn kleine Lucky, omdat hij Lucretia een te erge naam vond om een kind mee op te zadelen, hoe groot de erfenis ook was die je er misschien door binnen zou kunnen slepen.

Je had eens moeten horen hoe ze me er op school mee gepest hebben.

Als ik een slecht cijfer kreeg voor een opstel, als ik met rekenen een som niet wist of als ik met hockeyen een pass miste, was er altijd wel iemand die zei: 'Niet zo lucky, hè Lucky?' alsof ik dit niet al duizenden keren had gehoord.

Ik was ook al niet zo lucky toen ik in de zomer in New York in een *diner* wilde gaan werken. Je zou toch denken dat mijn ouders blij zouden zijn met dit plan. Ik wilde niet zoals mijn halve klas na mijn examen naar zo'n toeristenoord aan de Middellandse Zee om dag en nacht dronken te zijn en met Jan en alleman seks te hebben. Ik wilde ook niet naar de universiteit, aangezien ze dan failliet zouden gaan. Ik vroeg ze niet om geld om ergens naartoe te gaan waar het volgens hen primitief en gevaarlijk was.

Het enige wat ik wilde, was met witte sokjes aan en op stevige schoenen in een roze jurkje van streepjeskatoen in Manhattan zijn. Ik wilde pannenkoekjes met moerbeisiroop serveren, ik wilde *over easy* gebakken eieren met donkerbruin gebakken aardappelblokjes voor de klanten neerzetten, klanten die 'Hi, Lucky' tegen me zeiden.

Of misschien kon ik daar wel van naam veranderen, mezelf een normale Ierse naam aanmeten, zoals Deirdre of Orla. Zo'n heel waanzinnige droom was dat toch niet? Ik zou mijn eigen brood verdienen, met iets respectabels, iets waardigs zelfs, bijvoorbeeld met mensen ontbijt serveren. Het was niet alsof ik van plan was naakt op tafels te gaan dansen. Maar je zou denken dat ik had voorgesteld om een solovlucht naar de maan te maken. Hoe kreeg ik het verzonnen om in zo'n gevaarlijke stad als New York City te willen wonen? Er viel zelfs niet over te praten. Ik begreep maar niet hoe het kwam dat wij geen familie in Amerika hadden – van die geweldige neven of zo waar ik in het weekend naartoe zou kunnen om te barbecueën of kokkels te bakken en naar basketbalwedstrijden te gaan of meer van die Amerikaanse dingen die ik uit films kende en allemaal even geweldig vond.

Maar nee hoor. De O'Leary's leken in Ierland zo'n beetje de enigen te zijn die geen emigranten in de familie hadden. Wij kregen nooit pakketten toegestuurd met supergave Amerikaanse kleren, wij hadden geen ooms en tantes die hun halve leven in van die crèmekleurige regenjassen liepen en zo'n raar accent hadden. En mijn vader en moeder wilden maar niet begrijpen wat een toonbeeld van een dochter ze aan mij hadden. Ze wilden dat ik met ze meeging naar een of ander gat dat Rossmore heette.

Ze hadden God op hun knieën moeten danken dat ik, een zeventienjarige, nog maagd was, niet rookte en maar heel af en toe alcohol dronk. Want je kon wel zeggen dat ik er wat dat betrof erg uitsprong, vergeleken bij mijn leeftijdgenoten. Het was wel duidelijk dat ik zonder problemen zou slagen voor mijn examen, en ik was niet zo'n puber die thuis de hele boel bij elkaar schreeuwde. Ik deed zelfs redelijk normaal tegen mijn krengerige zusje Catriona, zelfs als ze met een mes de la van mijn toilettafel open wrikte om bij mijn make-up te kunnen. En ook tegen mijn ontzettend vervelende broertje Justin die iedere keer chips meenam naar mijn kamer omdat hij dacht dat hij hier niet zo snel gesnapt zou worden; hij maakte er een geweldige stinkzooi van.

Wat wilden ze dan van hun oudste dochter? Dat ik een soort Moeder Teresa in Calcutta werd?

In het gezin O'Leary was de sfeer dit jaar in juni dan ook behoorlijk gespannen door al het gedoe. Ik zei heel beleefd nee bedankt tegen ze, ik wilde níet mee op zo'n gezellige familievakantie in Rossmore. Ik zei zelfs nog beleefder dat dit géén stank voor dank was, want dat ik gewoon geen zin had om langs een of andere rivier te wandelen of door een doornbos te lopen of op te passen dat Catriona en Justin hun nek niet braken in het pretpark. Néé, zei ik ook nog, ik dacht niet dat ik in twee weken tijd daar heel leuke vriendinnen zou krijgen. Ze hoefden alleen maar ja te zeggen, dan zouden ze geen last meer van me hebben en dan zat ik zo in New York tussen bergen pannenkoeken en bagels.

En toen zeiden ze weer dat ik er niet meer over moest beginnen, want er kwam toch niks van in.

Dus ging ik naar mijn kamer, deed de deur op slot zodat Catriona en Justin er niet in konden en ik bekeek mezelf in de spiegel. Ik zag er best aardig uit, vond ik, ik was niet te dik, had geen haar op mijn bovenlip en zat niet onder de puisten. Ik was nou ook niet direct knap, maar ik had in ieder geval een vriendelijk gezicht, zo'n gezicht dat alle klanten in de diner vast wel zou bevallen, vooral omdat ik een goed geheugen had. Ik zou me mensen heel goed kunnen herinneren en zou meteen weten of ze cappuccino wilden of extra jam bij hun toost. Ik luister bijna nooit naar de radio, want ik heb een cd-speler. Ik zou het liefst een eigen tv'tje op mijn slaapkamer hebben, maar pa zegt dat het geld hem niet op de rug groeit en dat ik niet zulke rare dingen moet vragen. Maar goed, ik zette laatst de radio aan en toen was er zo'n ouwe taart op die problemen oploste. Je weet wel, dan doet zo iemand of ze jong en hip en cool is maar intussen zegt ze alles fout. Een of andere duffe meid had geschreven dat haar moeder een wantrouwige ouwe heks was en dat ze nooit uit mocht en niks mocht doen. Dus ik begon al te gapen en zei bij mezelf: 'Hè, hè, vertel mij wat.' Maar ik was toch nieuwsgierig waarom ze dacht dat die ouwe vrouw op de radio iets te zeggen had waar ze iets mee kon.

De ouwe taart zei dat het inderdaad heel erg was dat oude en jonge mensen elkaar zo slecht begrepen maar dat er wel een oplossing was. Ja hoor, dacht ik, tuurlijk is er een oplossing. Doe wat je moeder zegt, laat het erbij zitten, geef je over, laat alle hoop maar varen.

Ik wachtte tot ze dit ging zeggen, maar ze zei in plaats daarvan: 'Je moeder is eenzaam, liefje, ze is eenzaam en ze weet niet wat ze moet doen. Neem haar in vertrouwen, maak haar tot je bondgenoot.'

Goh zeg, wat een goed idee. Ik maak van mijn moeder een bondgenote en het volgende moment zegt ze: 'Denk maar niet dat je je zin krijgt.'

'Vertel je moeder wat je dwars zit, vertel haar waarover jij je zorgen om maakt, en vraag haar waar zij over inzit. Misschien reageert ze niet onmiddellijk, maar na een tijdje zal ze dat wel doen, liefje. Moeders van puberende dochters lijken vaak heel zeker van zichzelf, maar vaak zijn ze juist heel onzeker en weten ze zich geen raad. Toon je interesse, doe desnoods eerst alsof je geïnteresseerd bent, want voor je het weet raak je dan echt geïnteresseerd. Houd in gedachten dat je bezig bent om van je moeder je allergrootste vriendin te maken. Doe eerst alsof je haar vriendin bent, dan worden jullie na verloop van tijd vanzelf echte vriendinnen...'

Ja, hoor. In wat voor wereld lééfde die bejaarde *girl*? Moet je nagaan, ze kreeg bakken met geld om op de radio allerlei shit uit te kramen. *Weird* toch zeker.

De taart op de radio begon toen over twee goeie vriendinnen die ruzie hadden en zei tegen degene die geschreven had dat zij het eerste gebaar moest maken. Ze moest haar vriendin de hand reiken en zeggen: 'Hoor eens, ik wil helemaal geen ruzie...' Duh, zo pakte je dat aan, ja, maar waarschijnlijk had ze dat ergens gelezen. Moeders die onzeker waren en zich geen raad wisten. *Give me a break.*

Ze hadden ruzie gehad, pa en ma, dat wisten we allemaal, ze waren bij het avondeten zó beleefd tegen elkaar. Ik wist niet waar het om te doen was en het maakte me eigenlijk niet uit ook.

'Haal je ellebogen van tafel, Catriona, en laat zien dat je het waardeert dat je moeder weer zo'n heerlijke maaltijd voor ons allemaal heeft klaargemaakt...'

'Niet door elkaar praten, kinderen, je vader heeft weer een héél lange dag gehad op zijn werk...'

Ik wist niet waar het om ging, en eerlijk waar, het kon me niet schelen ook. Soms deden ze gewoon erg kil tegen elkaar. Het zou wel weer overgaan. Ik deed net alsof ik het niet merkte. Catriona en Justin, die met z'n tweeën bij elkaar nog niet het verstand van een vlieg hebben, merkten het wel en begonnen er dan ook over.

'Hebt u ruzie met papa?' vroeg Catriona.

'Nee, lieverd, natuurlijk niet,' zei ma met zo'n akelig dun stemmetje.

'Gaan jullie scheiden, papa?' wilde Justin weten.

'Nee, Justin, eet je bord leeg,' zei pa.

'Bij wie van jullie ga ik dan wonen?' vroeg Justin, angstig van de een naar de ander kijkend.

'Doe niet zo gek, Justin, hoe zou een stel met zo'n geweldige zoon als jij nu ooit kunnen scheiden?' Ik zei het sarcastisch, maar Justin snapt zoiets niet.

'O, oké dan,' zei hij en hij viel vrolijk op de rest van zijn eten aan.

Ik hielp ma met het inruimen van de vaatwasser.

'Wat goed van je dat je dat zei, Lucky,' zei ze.

'Ach, je kent ze toch. Mannen!' verzuchtte ik.

Ze keek me ineens aan en even dacht ik dat ze tranen in haar ogen had. Maar ik had geen zin om soft te doen. Ik dacht er niet over dikke vriendinnen met haar te worden, zoals die ouwe taart op de radio zei.

De volgende ochtend zei pa dat ik een geweldige dochter was, en omdat hij me daarvóór wekenlang alleen maar voor een geweldig lastpak had uitgemaakt, begon ik me een beetje zorgen te maken, want ik dacht dat ze misschien echt wel uit elkaar gingen.

Dus zei ik niets. Ik ben heel goed in mijn schouders ophalen.

Pa kwam de volgende avond niet thuis eten en ma sloot zich met haar zus op in de eetkamer. Ik probeerde hen af te luisteren totdat ik merkte dat Catriona hetzelfde deed. Ik stuurde haar naar boven met de vermaning dat het verschrikkelijk onbeschoft was om persoonlijke gesprekken af te luisteren.

Pa kwam pas heel laat thuis. Ik luisterde aan hun slaapkamerdeur, maar er viel niets te horen. Er heerste complete stilte.

De volgende dag besloot ik iets anders te doen. De sfeer thuis was inmiddels erg vervelend, want pa en ma bemoeiden zich helemaal niet meer met elkaar.

Ma werkte in een kinderkledingboetiek, maar alleen 's ochtends, zodat ze ons 's middags fijn kon koeioneren. Ik had niks te doen, dus ging ik naar de boetiek (we mochten het nooit een winkel noemen). Ze schrok, zoals ouwe mensen altijd schrikken als ze iemand van thuis zien aankomen. Ze dacht dat er iets aan de hand was.

Ik zei dat er helemaal niets aan de hand was, maar dat er in de buurt een nieuwe pastabar was geopend. Of ze zin had om daar met mij te gaan lunchen. Haar gezicht straalde ineens als de vuurtoren van Kish.

Onder het eten zei ma: 'Ik weet het wel, hoor, dat je het helemaal niet leuk vindt om dit jaar mee te gaan naar Rossmore op vakantie.'

Ik had haar nog niet verteld dat ze het wel konden vergeten dat ik meeging op zo'n saaie vakantie. Maar om de een of andere reden moest ik denken aan de raad van die bejaarde op de radio met haar gepraat over onzekere moeders die zich geen raad wisten. Het viel te proberen. Stel dat ik zo voor elkaar kon krijgen wat ik wilde.

'Ach ja, mama, voor u is alles ook niet even leuk, toch?' zei ik.

Ze keek me heel lang aan. 'Nee, soms is het allemaal niet leuk, Lucky,' zei ze. Ze zweeg even alsof ze iets heel belangrijks zou gaan zeggen. Dus wachtte ik af. Ik vroeg me af of ze zou gaan vertellen dat pa haar op een verschrikkelijke manier haar neus uitkwam, of dat ze een minnaar had, of dat ik naar New York mocht, maar dat zei ze allemaal niet.

'Meestal komen de dingen gewoon op hun pootjes terecht,' zei ze uiteindelijk. *Bóring*. Ik kon er zo weinig mee dat ik geen idee had wat ik moest antwoorden.

Dus zei ik maar: 'Misschien hebt u wel gelijk, mama.' Toen glimlachte ze naar me en klopte op mijn hand zodat alle spaghetti van mijn vork viel. Ik had zo de smoor in dat ze me niks beters te vertellen had, dat ik de hele weg naar huis tegen steentjes liep te schoppen, wat niet zo slim was omdat de neuzen van mijn tamelijk nieuwe schoenen er kaal van werden.

Ma ging shoppen, maar ik zei dat ik andere dingen te doen had. Ik was bang dat ik haar in een winkel hartstikke zou killen als ik met haar meeging. In plaats daarvan ging ik thuis op mijn bed liggen wensen dat ik drieënveertig was of nog bejaarder, dan had ik mijn leven tenminste al achter me. Ik deed de radio aan en daar was een afschuwelijk programma op over James Joyce en al die maffe buitenlanders die hier altijd heen komen.

Een of andere vrouw interviewde zo'n Yankee-meisje dat haar zestiende verjaardag vierde met een ellenlange wandeling, samen met haar moeder. Ze volgden de hele route die ze in *Ulysses* hadden gelopen. Nou, dacht ik, mijn moeder is vreselijk

– en knettergek ook nog – maar zoiets zou ze me gelukkig nooit aandoen.

Dat meisje June, met een Italiaanse achternaam – Arpino of zoiets – vertelde dat ze Ierse familieleden had die O'Leary heetten en oorspronkelijk uit dat oersaaie Rossmore kwamen – wij ook – en die later aan de North Circular Road hadden gewoond, waar de familie van mijn pa ook vandaan kwam. En opeens begon ik me af te vragen of zij soms een nicht van me was. Zouden June Arpino en haar familie er niet voor kunnen zorgen dat ik in New York in een diner kon gaan werken? Ik luisterde gespannen om meer te weten te komen. Ze logeerde in dat budgethotel dat eruitzag als een Oost-Europese gevangenis. Ik belde naar het radiostation en daar zeiden ze dat dat meisje, die June Arpino, daar niet was, dat het interview eerder op de dag was gemaakt. Maar ze gaven me het telefoonnummer van het hotel en zeiden dat het halve land al gebeld had en op weg was naar dat hotel.

Stel je voor! Misschien wilden ze haar allemaal vragen om een baantje in een diner voor ze te regelen. Mensen kunnen zo raar doen.

Misschien moest ik ook maar gaan. Dat kon nog lachen worden.

Ma klopte op mijn deur. Ze zei dat ze op zoek was geweest naar een rok, maar ze had er niet een kunnen vinden die haar paste. Dus had ze er maar een voor mij gekocht. Hij was best tof eigenlijk, van roze fluweel – helemaal niet zoals de dingen waar ze meestal mee aan komt zetten, waarvoor een kind uit een negentiende-eeuws weeshuis zich nog zou schamen.

'Was er in pa's familie ooit iemand die naar Amerika is gegaan? Iemand van de North Circular Road?' vroeg ik.

'Ja, zijn oom ging daar naartoe na een beledigende opmerking of iets anders onzinnigs, niemand weet meer wat het was. En niemand weet waar hij en zijn gezin gebleven zijn, lieve schat, dus voor je Amerika-plannen heb je jammer genoeg niks aan ze.' Ze keek alsof ze het echt jammer voor me vond.

'Ik geloof dat ik ze gevonden heb,' zei ik en ik vertelde mijn moeder erover. Verrassend genoeg leek ze geïnteresseerd te zijn. En blij. Opgewonden zelfs.

'Laten we erheen gaan, ja,' zei ze.

Het hotel was vanbinnen net zo afschuwelijk als van buiten. Het wemelde er van de mensen en geloof het of niet, er waren ook een paar van die vreselijke neven en nichten van pa bij. Ze waren allemaal opgewonden door elkaar aan het roepen en ergens in het middelpunt van het kabaal stonden die twee Amerikanen. Dat moesten June en haar moeder zijn.

June was net mijn evenbeeld, we leken wel zussen. En ze droeg ook een rokje van roze fluweel. Ma en de anderen kletsten er meteen onder veel gegil op los en ma vertelde de meest vreselijke details uit haar privéleven, over haar ruzies met pa en dat die nooit eens zijn excuses aanbood en dat ze er schoon genoeg van had om steeds maar weer als eerste sorry te zeggen.

Junes moeder deed ineens ook een duit in het zakje. Ze zei dat ze, als ze haar leven nog eens kon overdoen, zich beslist op een of andere manier tegenover Junes vader verontschuldigd zou hebben in plaats van dat ze hem ervandoor liet gaan met een jonge sloerie met wie hij nog twee kinderen kreeg...

June en ik praatten met elkaar om niet meer te hoeven luisteren naar al dit gepraat over ouwe koeien. Ze was een heel jaar jonger dan ik natuurlijk, maar omdat ze Amerikaanse was, werd het verschil zo'n beetje uitgevlakt: ze zijn daar eerder volwassen. We vonden het allebei ongelófelijk dat we familie waren en toch nooit van elkaars bestaan hadden geweten.

Ma belde pa met haar mobieltje en een halfuur later kwam hij aanzetten. Het eerste wat hij tegen ma zei, was dat het hem speet dat hij altijd zo moeilijk deed en toen gaf ma hem een kus waar iedereen bij stond. En het volgende moment was hij druk aan het handen schudden met zijn familieleden en vertelde hun dat ma de beste vrouw op de hele wereld was.

June was fantastisch.

Ik zei dat er op mijn kamer twee bedden stonden en dat ze dus zo kon komen logeren als ze er zin in had. Ze zou zelfs met ons mee kunnen naar dat achterlijke plaatsje Rossmore, waar een wonderbron was die nooit dienst weigerde. Mijn moeder zei dat ze graag bij die bron een woordje met de heilige wilde spreken, want dat de eerste echtgenoot die ze haar gestuurd had niet zo geweldig was gebleken. Maar misschien was hij wel om te oefenen en wachtte haar echte man daar nog altijd op haar. Ze gedroeg zich werkelijk stuitend voor haar leeftijd maar June en ik konden er wel tegen.

Junes moeder zei dat ze de terugvlucht natuurlijk wel konden verzetten. En als ze hier dan met ons vakantie hadden gevierd en naar Rossmore waren geweest, kon ik daarna met hen meereizen naar New York en daar bij hen logeren. Ze wisten een geweldige diner waar ik vast wel zou kunnen werken. Een zeer respectabele gelegenheid waar veel gezinnen kwamen.

Ma en pa waren in het begin niet erg overtuigd, maar June fluisterde tegen mij dat het alternatief was dat ik naar Cyprus of Majorca ging en mijn onderbroek op het vliegveld in de vuilnisbak dumpte. Dat gaf hun stof tot nadenken. Ze gingen weliswaar niet meteen overstag, ik zou nog wel wat op ze moeten inwerken. Maar ik wist zeker dat ik ze met de hulp van mijn nieuwe nicht June wel over de streep zou trekken.

Ik merkte dat ma nogal klef naar me zat te kijken.

'Je bent toch niet dronken, mama?' vroeg ik ongerust.

'Nee, hoor, helemáál niet. Weet je nog wat ik vanmorgen tegen je zei, Lucky?' vroeg ze met zo'n afgrijselijk Mary Poppins-stemmetje.

June en ik hadden het erover gehad dat het zo'n koud kunstje was om je moeder blij te maken. Je hoefde alleen maar te praten zoals ze zelf deed. Ze had toch niet in de gaten dat je haar napraatte.

'Ja, je zei dat dingen meestal vanzelf op hun pootjes terechtkomen,' zei ik.

Ma's gezicht lichtte op van blijdschap. 'Zie je nou, je weet het nog! Je bent echt de beste vriendin die ik heb, Lucky!' zei ze. 'Ik zal je zo missen als je naar Amerika gaat.'

Ik glimlachte terug. Het was een gecompliceerde glimlach, hij bestond uit meerdere lagen.

Ten eerste was het een glimlach van immense opluchting. Ik had de strijd gewonnen, ik zou naar New York gaan om in een diner te werken. Mijn moeder had dat min of meer toegezegd.

Ten tweede was het de glimlach van een vriendin, die die ouwe vrouw op de radio iedereen had aangeraden. Ze had gezegd dat zo'n glimlach wonderen deed. Ze had gezegd dat het aanvankelijk een act zou zijn, maar dat we na verloop van tijd zouden merken dat hij echt gemeend was. Ik vond het echt een openbaring, dat volwassen worden. De tijd ging ineens zo snel.

Volgens mij begon ik al te merken dat ik niet alleen deed alsof.

Toen ik tegen mijn moeder zei dat zij ook mijn grootste vriendin was, meende ik het echt. Ik speelde geen toneel meer. Ik meende het echt.

Misschien was ik echt lucky Lucky en hoefde ik mijn naam helemaal niet te veranderen.

11

Waarom?

Deel 1 – Emer

Vertel mij eens waarom. Wáárom moest ik in godsnaam zo'n knots van een digitale klok kopen, waarvan je de cijfers vanaf de andere kant van het Rossmore Hotel kunt lezen? Waarom heb ik niet gewoon een reiswekkertje gekocht zoals elk normaal mens, in plaats van dit gedrocht zo groot als een etensbord, waarvan de rode cijfers naast mijn bed elke minuut veranderen? Ik lig er nu al vierenhalve minuut naar te kijken, van 9.08 tot... bíjna 9.13. Ik herinner me vaag dat ik de wekker op 9.30 uur heb gezet. Ja, ik herinner me min of meer dat ik dat gedaan heb. Mijn gedachte daarbij was dat ik, als ik om halftien opstond, om tien uur gedoucht en aangekleed en met een kop koffie achter mijn kiezen op de weg zou kunnen zitten.

Het is erg belangrijk dat ik vandaag uitgerust op pad ga. Ik heb een sollicitatiegesprek voor de baan die ik al jaren wil hebben: directeur van Galerie Heartfelt, een geweldige tempel voor de kunst waar ik al heel lang heb willen werken. Ik beschikte steeds over bijna alle kwalificaties, maar altijd was er iemand anders die voorging. Maar nu is de vent die de tent drie jaar gerund heeft naar Australië. Vandaag ga ik solliciteren.

Dus vertel mij eens... Wáárom ben ik niet vroeg naar bed gegaan, zonder drank en zonder gezelschap?

Zie je, ik kan me niet bewegen, want dan wordt hij wakker. En dan denkt hij misschien dat dat een teken is dat ik het nog eens dunnetjes wil overdoen. Ik moet hier doodstil blijven liggen tot ik vóél dat de wekker zal afgaan, bij het eerste geluid druk ik het dan de kop in, spring uit bed en verdwijn in de badkamer: alles in één vloeiende beweging.

Ik heb niks aan, uiteraard, dus ik moet wel snel te werk gaan. Geen tijd om lekker te treuzelen terwijl een bruiswatertje mijn hoofdpijn verdrijft en de koffie in de percolator geruststellend aan het pruttelen is. Nee, alles moet snel en zakelijk. Alsof het de normaalste zaak van de wereld is dat ik de taxichauffeur mee naar binnen heb genomen en met hem naar bed ben geweest.

Vertel mij eens, waarom heb ik hem niet gewoon in zijn taxi achtergelaten zoals negenennegentig-komma-nog-wat procent van de bevolking zou hebben gedaan? Hoe komt het dat ík dat dan niet doe?

Eigenlijk is het natuurlijk de schuld van die receptie waar ik geweest ben. Wat een chateau migraine – hij was zo zuur dat je slokdarm wegbrandde. En niks te eten, natuurlijk. Nog geen chipsje of toostje om de boel op te zuigen. Dat bocht klotste ongestoord naar binnen om zijn gemene werk te doen en in elke ader, orgaan en spiervezeltje door te dringen om tot slot meedogenloos mijn brein compleet lam te leggen. Daar kwam het door, natuurlijk, en natuurlijk ook door het feit dat ik een onblusbare haat koester tegen Monica, de vrouw wier schilderijen daar hingen.

Ik heb altijd al de pest aan haar gehad, al op de kunstacademie, al ver voordat ze met haar wimpers zat te wapperen naar Ken op mijn verjaardag, tijdens een etentje op mijn kosten. Terwijl ze wist dat ik hem leuk vond.

En tegenwoordig haat ik de manier waarop ze glimlacht met haar mond, maar niet met haar ogen. Ik haat de manier waarop iedereen altijd naar haar kijkt, haar complimenten maakt en haar bewondert. Ik haatte het dat iedereen weer in de rij stond om haar schilderijen te kopen. Er zaten overal van die rode ronde plakkertjes op om aan te geven dat ze verkocht waren. Als mazelen op haar afgrijselijke, mierzoete schilderijen.

Nou, waarom moest je er dan ook zo nodig naartoe, zou je

kunnen vragen. Waarom bleef je niet gewoon weg en bereidde je je niet grondig voor op je sollicitatie? Inderdaad. Goeie vraag. Maar toen ik ging, leek het nog een goeie zaak. Ik wilde Monica laten zien dat ik me niet liet afschrikken, dat ik niet jaloers was, dat het me niet uitmaakte dat zij en Ken vrienden waren. Of misschien wel meer dan vrienden. Wie weet wat ze nu waren?

Bovendien had ik me een nieuw kapsel laten aanmeten voor mijn sollicitatiegesprek en ik had een nieuw linnen jasje gekocht voor onder mijn mooie suède overjas. Die vroegen erom geshowd te worden. Het kon toch geen kwaad om Ken te laten zien hoe geweldig ik eruit kon zien?

Maar wát een slecht idee, achteraf. Mocht Ken deze ochtend iets ten opzichte van mij voelen, dan zal het wel geweldige opluchting zijn dat zijn voorzichtige, nuchtere Canadese inborst heeft gezegevierd over de neiging die hij mogelijk had om op mij te vallen. Ja, Ken heeft vanochtend vast een licht gevoel. Heel anders dan ik. Ik lig bezwaard in mijn bed, tegen een taxichauffeur aan.

Vanwaar ik lig, op de rand van mijn bed, kan ik het linnen jasje zien liggen met zo'n beetje een halve fles rode wijn eroverheen gemorst. En wat mijn prijzige kapsel betreft... Ik heb nog niet in de spiegel kunnen kijken, maar mijn haar zal wel alle kanten opstaan.

De wijn was niet alleen verschrikkelijk, het was ook nog eens een ontzettend vervelende opening. Ik bedoel maar, de schilderijen waren vreselijk, dat zag iedereen. Als ik mijn baan heb in Galerie Heartfelt (dat wil zeggen áls ik die krijg), dan pieker ik niet eens over zo'n soort tentoonstelling. Niemand vond ze mooi... iedereen mompelde wat, zei de juiste dingen en kocht zo'n schilderij, want allemaal willen ze in de gunst blijven bij Tony, de galeriehouder. Want als ze het goed speelden, zou Tony op een goeie dag misschien ook hún schilderijen ophangen.

Monica deed ontzettend akelig tegen me, ze was heel erg onbeschoft en beledigend. Geen wonder dat ik het op een zuipen zette. Ze leek moeite te hebben zich mijn naam te herinneren. Of die zo moeilijk is, zelfs een demente bejaarde zou de naam Emer moeten kunnen onthouden. Hij is beslist niet lastig uit te spreken of zo.

Maar Monica kreeg het maar niet voor elkaar. Als ze me aan mensen voorstelde, pijnigde ze haar hersens steeds weer. 'Geloof het of niet, maar ik heb met deze dame op de kunstacademie gezeten,' kirde ze dan. Alsof ik er zo oud en aftands uitzag en zij zo piepjong dat niemand zou kunnen geloven dat we dezelfde leeftijd hadden.

Kom op zeg, Monica, we zijn alle drie eenendertig, jij, Ken en ik. We zijn geen van drieën getrouwd.

Ken is tekenleraar, jij maakt schilderijen in afschuwelijk sentimentele pasteltinten en ik werk in de kunsthandel. Vanochtend zou ik een topbaan in een van de beste galerieën van het land in de wacht kunnen slepen. Dan word ik directeur, al zou je het eigenlijk eerder nog conservator moeten noemen.

Ik wil die baan zo ontzettend graag. Vertel me eens, waarom ben ik in deze afschuwelijke situatie verzeild geraakt.

Want zie je, ik kan me niet eens bewegen. Ik wil opstaan om mezelf een beetje op te lappen, om de schade zo veel mogelijk te beperken. Ik moet iets anders zoeken om aan te trekken. O, mijn god, nu zie ik pas dat er behalve wijn ook nog spaghetti op mijn jasje zit!

Ja, natuurlijk moesten we na afloop nog zo nodig naar een pastabar. In plaats van als een normaal mens de bus naar huis te nemen, slaakte ik een verrukte kreet toen Ken voorstelde om daar met een paar mensen naartoe te gaan. En natuurlijk ging Monica ook mee, die vond het een erg leuk idee en ze nam Tony van de galerie ook maar mee en nog een aantal van die schreeuwerige types. Maar uiteindelijk was ik misschien wel het gillerigst van allemaal. Een van de obers kwam naar me toe en gaf me een fles wijn omdat ik het uithangbord voor de fietsenreparatiewerkplaats van zijn vader had beschilderd. Monica vond het om te gillen: Emer die uithangborden schilderde voor reparatiebedrijven, fantastisch toch, wat een type, wat een type.

Ik geloof dat Ken me op een bepaald moment toefluisterde dat ik me er niets van aan moest trekken, dat ze me alleen maar zat te stangen.

'Waarom?' vroeg ik.

'Omdat ze jaloers op je is.'

Althans, ik dacht dat hij dat zei. En misschien heeft hij het ook werkelijk gezegd, maar ik kan het me ook verbeeld hebben. Om je de waarheid te zeggen staat de hele avond me niet helder meer voor de geest. Er hangt vooral een dichte mist over het gedeelte van de avond dat de obers op een rij 'By the Rivers of Babylon' stonden te zingen en ik mee ging doen. Ik dacht dat iedereen me geweldig vond. Maar misschien was dat wel helemaal niet zo.

En hoe hebben we betaald uiteindelijk? Hebben we wel betaald? O, god, alsjeblieft, alsjeblieft, laat ons betaald hebben.

O ja, ik weet het weer. Ken zei dat iedereen hem een briefje van tien moest geven, en iedereen vond dat een prachtig idee, alleen ik leek heel even te ontnuchteren en zei dat hij op z'n minst vijftien van me aan moest nemen voor de rekening. En toen zei hij 'Nonsens', althans ik geloof dat hij dat zei, hij zei dat het wel goed kwam, dat hij het alleen al prettig vond me weer te zien. En dat hoorde Monica en die zei toen met dat verschrikkelijke babystemmetje dat ze kan opzetten – om te kotsen werkelijk – dat niemand toch zeker van háár verwachtte dat ze betaalde, want dat ze iedereen de hele avond in de galerie al wijn had gevoerd. Toen raakte Tony nogal geïrriteerd. Hij zei dat híj iedereen de hele avond op wijn had getrakteerd. En ik vrees dat ik toen zei dat ze geen ruzie moesten maken om wie er nu voor de wijn had gezorgd, want dat die niet om te zuipen was. Ken betaalde haastig met zijn Visa-card en dreef ons toen allemaal de straat op.

Ik voelde me helemaal duizelig in de frisse buitenlucht en ik zou het heerlijk hebben gevonden als Ken met mij mee naar huis was gegaan, helemaal niet om te... nee, gewoon om voor me te zorgen, me melk te laten drinken of water of wat ik ook had moeten drinken. Maar nee hoor, natuurlijk stond madame

Monica erop dat hij háár naar huis bracht en we woonden allemaal ergens anders. Hij hield een taxi voor me aan, deed de knopen van mijn fantastische suède jas voor me dicht en vroeg de chauffeur goed voor me te zorgen omdat ik een heel speciaal persoon was.

En of die taxichauffeur vannacht voor me gezorgd heeft.

Maar ik kan Ken er de schuld niet van geven, al zou ik dat nog zo graag willen. Hij vroeg die chauffeur niet om mee naar binnen te gaan en bij me in bed te komen. Nee, het is jammer, maar ik kan niet beweren dat het zijn schuld was. Het moet in zekere zin wel mijn eigen schuld zijn geweest.

Maar waarom? Vertel me dat eens. Het is niet mijn gewoonte om met vreemden naar bed te gaan, ik heb zoiets zelfs nog nooit eerder gedaan. Had het te maken met mijn teleurstelling om Ken? Was deze man opdringerig geweest? Vond ik hem aantrekkelijk?

Denk na, Emer. Denk goed na. Probeer de rit naar huis te reconstrueren. Maar zachtjes. Maak hem niet wakker.

Hij was jong, begin twintig zou ik zeggen. Een smal, spits gezicht, een beetje als van een vos. Zo'n gemene, slinkse vos die zijn kans afwachtte.

'Je ziet eruit alsof je de avond van je leven hebt gehad,' zei hij toen ik zijn taxi binnenviel, maar gauw weer overeind kwam om naar Ken te wuiven en net te doen alsof ik minder dronken was dan ik was.

'Ik heb juist een pestavond gehad, als je het weten wilt,' zei ik ijzig.

'Wat had je dan liever gedaan?' vroeg hij.

'Ik wou dat ik niet gegaan was. Dat ik niet van die goedkope wijn naar binnen had gegoten, niet met die draak van een vrouw had gepraat, niet naar haar waardeloze horrorschilderijen had gekeken.'

'Dat klinkt inderdaad verschrikkelijk,' zei hij. Ik vond het niet prettig dat hij medelijden met me had.

'Hoe was jouw avond dan?' vroeg ik uit de hoogte. Ik geloof dat hij zei dat het zo'n beetje een avond als alle andere was geweest – hij deed nogal onverschillig en gelaten. Ik zei dat hij de verkeerde instelling had.

God, waarom zei ik dat nou, waarom liet ik hem niet gewoon een avond als andere hebben in plaats van hem met zijn passagier naar bed te laten gaan? Maar misschien deed hij dat wel elke avond. Wat weet ik er nu van? Niks toch? Hij zei zoiets dat hij nu eenmaal zijn geld moest verdienen en toen vroeg ik of hij een vriendin had. Volgens mij zei hij van wel, een meisje dat Hissie of Missie heette, zoiets, een afschuwelijke naam in ieder geval. Maar blijkbaar hield hij niet zo heel erg van d'r, want anders was hij niet hier beland.

Hij zei dat ze een moderne vrouw was, dat ze veel van relaties wist omdat ze in een bloemenzaak werkte, dat het volgens haar allemaal neerkwam op schuldgevoel, angst en leugens. Zij wilde zich niet binden, ze liet hem zijn gang gaan en hij haar de hare. Dat ze allebei hun ogen open hadden, of zoiets onzinnigs.

Ik zei dat het vast allemaal leugens waren, dat Hissie niets liever wilde dan een vaste relatie met hem, maar dat ze moest doen alsof dat niet zo was, omdat dat tegenwoordig nu eenmaal zo ging. Ik zei dat ik dat zeker wist, want dat ik tegen Ken ook net deed alsof hij me koud liet, terwijl ik van hem hield en wat voor baan dan ook op zou geven als ik dacht dat het iets zou worden tussen ons. Maar dat je nu eenmaal niet alles kon hebben.

'Heb je het vanavond dan geen enkel moment naar je zin gehad?' vroeg hij. Hij probeerde me op te vrolijken.

'Jawel, ik heb samen met de obers een lied gezongen.'

Ik zong ook voor hem 'By the Rivers of Babylon' om hem te laten horen hoe goed ik was, en hij zong het refrein met me mee. Toen vroeg hij of ik 'Stand by Your Man' kende. Ik zei van wel, maar dat ik het niet zo eens was met de inhoud. Maar om geen spelbreker te zijn zong ik het toch samen met hem en stelde toen 'Hey Jude' voor. En toen waren we thuis.

Maar waarom, vertel me dat eens, waarom beschouwde ik dit niet gewoon als een mooi muzikaal einde van een rottige avond en wenste ik hem niet gewoon goedenacht? Maar nee hoor, waarom makkelijk doen als het ook moeilijk kan? Ik heb hem blijkbaar binnen gevraagd en tot mijn schande moet ik bekennen dat ik niet meer weet wat er verder gebeurd is.

Heb ik cd's tevoorschijn gehaald? Heb ik nog meer gedronken, zou dat mogelijk zijn? Want hij moest toch nuchter zijn, hij bestuurde een taxi, dus natuurlijk was hij nuchter. Doken we meteen het bed in?

Ach, kon ik me maar herinneren hoe ik ertoe gekomen ben. Dan was ik misschien in staat me met een klein beetje minder schaamte uit deze situatie te redden.

Ik reikte naar de digitale wekker net voordat hij zou afgaan. Godzijdank had ik hem niet wakker gemaakt. Hij lag daar maar als een zoutzak aan de andere kant van het bed. Hij snurkte tenminste niet en lag ook niet te woelen.

Waar had hij zijn taxi geparkeerd? Je mag in deze buurt nergens parkeren, het barst hier van het verkeer. Er komt binnenkort een rondweg en dat is maar goed ook. Maar die is er nu nog niet en dus moet hij de taxi kilometers verderop geparkeerd hebben. Of misschien heeft hij hem in zijn opwinding wel pal voor de deur laten staan.

Maar dat was dan zijn probleem.

Heeft hij me zijn naam wel gezegd? Dat zal toch wel? Ik wilde hier niet meer over nadenken, het was allemaal te erg. Ik kon beter bedenken wat ik voor het sollicitatiegesprek moest aantrekken. Als ik nu eens gewoon mijn suède jas tot bovenaan dichtknoopte en er een sjaal overheen drapeerde?

O nee, mijn jas!

Heb ik die in zijn taxi laten liggen? Hij hangt niet aan de hanger aan de deur, waar hij hoort. O nee! O, mijn God, ik weet dat U niet blij zult zijn met wat ik heb gedaan. Ik weet dat het verkeerd was om met de taxichauffeur in bed te kruipen, verkeerd en heel stom was het, maar verder doe ik nauwelijks aan zondigen, als je het een beetje breed bekijkt tenminste. Ik ben ook naar de bron van de heilige Anna geweest om de heilige te smeken dat ze Ken van mij laat houden. Dat heeft ze nog niet gedaan, en ik denk niet dat ze dat nu nog gaat doen. Maar God, alstublieft, luister naar me. Ik voel me net een lijk, ik ga dat gesprek verknallen, dat weet ik nu al, ik heb mijn nieuwe linnen jasje verpest en gaat U me nou ook nog vertellen dat ik mijn mooie suède jas kwijt ben?

Ik was zo van streek door het verlies van mijn jas dat ik de taxichauffeur die ik niet wilde wekken totaal vergat.

Ik ging rechtop in bed zitten en keek met mijn gekwelde katerhoofd naar hem.

Daar lag niemand.

Op het bed naast me lag mijn dikke suède jas, helemaal opgerold. Zwaar en opdringerig. Hij nam een onbehoorlijk groot deel van mijn bed in beslag. Hij deed net alsof hij een taxichauffeur was en hij had me de stuipen op het lijf gejaagd.

Dolblij sprong ik uit bed. Ik had nog een toekomst. Te beginnen met een lange douche, een hoop gegorgel en een speurtocht naar iets nets in mijn flat om aan te kunnen trekken. Dan ging ik die baan krijgen bij Galerie Heartfelt. En dan moest ik naar de stomerij met de kleren die ik verpest had. En ten slotte zou ik Ken bellen en hem mee uit vragen om het allemaal te vieren en dan had ik hem weer terug.

Tjonge, wat goedkope wijn allemaal niet met je kan doen. Je gaat er zelfs van hallucineren.

Alsof ik ooit zomaar met een vreemde taxichauffeur het bed in zou duiken.

Deel 2 – Hugo

Het is niet dat er iets mis is met het beroep van taxichauffeur. Het is een prima baan in een heleboel opzichten en je kunt er net zoveel uren in steken als je wilt. Als je moe bent, hou je er vroeg mee op, en als je voor je vakantie wilt sparen dan rijd je 's nachts wat uurtjes extra. Iedere keer als je stopt krijg je weer andere mensen op je achterbank en dagelijks heb je wel een paar leuke ontmoetingen, tenzij je een heel erge chagrijn bent, natuurlijk.

Ik heb eens een vrouw gereden die naar een tuinfeest in Buckingham Palace in Londen moest. Ze was zo zenuwachtig dat ze twee keer de taxi uit moest om over te geven. En een andere keer reed ik een acteur die moeite had om zijn tekst in zijn hoofd te krijgen; we hebben samen veertig minuten zitten repeteren terwijl de meter gewoon doorliep. O, en ik had ook een keer een stel in mijn auto dat zich net verloofd had. Ik moest wel vier keer de ring van de man passen en zeggen dat ik nog nooit een grotere diamant had gezien.

Dus het is best leuk om in een taxi te rijden,

Mijn oom Sidney, die ook taxichauffeur was en me min of meer dezelfde kant op heeft gestuurd, vertelde dat hij aan elke rit nuttige informatie probeerde over te houden; op die manier kon hij zijn algemene ontwikkeling fors opkrikken terwijl hij toch gewoon zijn werk deed. Hij kwam thuis met informatie over weersvoorspellingen, hij wist waar je aan het eind van de middag op de markt groenten voor de halve prijs kon krijgen, en hoe je via internet dames kon opsnorren om mee te bridgen of andere dingen te doen.

Chrissie, een aardig meisje dat ik af en toe zie – ze werkt in een bloemenzaak – zegt dat ik erg grappig kan vertellen over de mensen die ik in mijn taxi krijg en dat ik er eigenlijk een boek over zou moeten schrijven. Ik, Hugo? Nee, echt niet, mij niet gezien.

Eerlijk gezegd had ik het liefst zanger willen worden, ik droomde ervan om op het podium te staan, met drommen mensen tegenover me. Ik ben niet mensenschuw of zo, en trouwens, als je een baan hebt als ik, dan krijg je stalen zenuwen. Ik kan noten lezen en gitaar spelen, maar het is me nooit gelukt om door te breken.

Want dat heb ik wel geprobeerd, vaak zelfs. Ik deed mee aan talentenjachten, ik stuurde bandjes en daarna cd'tjes met nummers naar platenmaatschappijen en dj's. Maar niemand deed er wat mee. Ik ben heus niet slechter dan veel mensen die wel een kans hebben gekregen. Ik schreef mijn eigen liedjes, en ik bewerkte liedjes van anderen. Maar het leidde allemaal tot niets.

Ik had geen vrienden die aan muziek deden. Ik weet dat het raar klinkt. Want als je een bepaalde interesse hebt, waarom zou je dan geen vrienden zoeken die dezelfde interesse hebben? Maar om een of andere reden ging ik alleen maar om met mijn vrienden van school.

Ze gingen graag naar de disco, dat wel, en ze dansten graag met chicks op goeie muziek, maar echt muzikaal waren ze niet. Ze hadden er in ieder geval nooit behoefte aan om zelf een instrument te bespelen, zelf muziek te maken, er helemaal in op te gaan. Dus hadden we het er ook niet vaak over.

Ze hebben allemaal een baan, zo her en der verspreid, en sommigen zijn ook taxichauffeur. Wij taxichauffeurs praatten onderling over het werk, over vakantie, over onze favoriete sportclubs, en soms hadden we het erover om te gaan joggen of naar het fitnesscentrum te gaan omdat we allemaal een dikke reet en een dikke buik kregen van het in de taxi rijden. En op zondagochtend speelden we een potje voetbal en dronken daarna een paar biertjes. Maar de een na de ander kreeg verkering en ging trouwen en nu we allemaal vijf- zesentwintig zijn, ben ik nog de enige die niet getrouwd is.

Dus nu heb ik niet meer zoveel om met ze over te praten. Zij hebben het steeds over dingen als hypotheken, een nieuw dak, hun tuin of het leggen van parket. Ik benijd ze op een bepaalde manier, omdat ze er blijkbaar zo in opgaan en al hun weekends besteden aan het opknappen van hun huis. Sommigen hebben al kinderen; naar mijn idee lijken die allemaal erg op elkaar.

Op een goeie dag ga ik ook trouwen en dan krijg ik ook kinderen, maar nu nog maar even niet. Ik wacht wel tot ik de enige ware ontmoet, een vrouw voor wie ik alles over heb.

Ik hoop dat het dan iemand is die iets met de muziekindustrie te maken heeft, want ik heb mijn droom nog niet opgegeven. Bijna wel, als ik eerlijk ben, maar nog niet helemaal. Als je sterren in interviews hoort praten, dan hebben ze het meestal over de mazzel die ze hebben gehad, over iemand die ze ontmoetten die weer iemand anders kende die hun een kans wilde geven.

Ik woon nog thuis bij mijn ouders, al ben ik al zesentwintig, maar zo sullig en slap als het klinkt is het heus niet.

Er is namelijk een groot verschil tussen thuis wonen en thuis wonen als je begrijpt wat ik bedoel. Bij ons tuis hebben we een magnetron en een grote vrieskast met drie aparte laden met daarop stickers met 'pa', 'ma' en 'Hugo'.

Mijn zus Bella, die op zichzelf woont met twee feministes, zei dat het – ons huis – de zieligste plek was die ze kende, zieliger nog dan een documentaire over lichamelijk gehandicapten, want bij hen was er alleen met hun lichaam iets mis, maar wij hadden een kreupele geest. We waren drie zielige, zíelige, disfunctionele figuren die compleet vastzaten in hun armetierige manier van leven. Als ze aan ons dacht kreeg ze de kriebels: drie volwassen mensen die net zo goed een echt leven konden hebben.

Ik heb eerlijk gezegd nooit zo goed begrepen waar ze eigenlijk zo over doorzanikte. Wij functioneren prima. Ik stort iedere maand een behoorlijk bedrag voor mijn ouders op het postkantoor, hun appeltje voor de dorst. Mijn vader werkt als assistent bij een dierenartsenpraktijk. Dat heeft hij zijn hele leven gedaan. Hij heeft weliswaar geen opleiding gevolgd tot dierenartsassistent, maar ze kunnen gewoon niet zonder hem. Hij houdt katten vast als ze een injectie krijgen en stelt honden op hun gemak. Of hij maakt de boel weer schoon als de hamsters alles hebben ondergescheten. Hij is gek op dieren, maar jammer genoeg is mijn moeder er allergisch voor; haar ogen gaan ervan tranen, ze moet er verschrikkelijk van niezen en ze krijgt er uitslag van. Dus gaat hij op zijn werk met dieren om, en laat hij bijna iedere avond honden van anderen uit in het park.

Mijn moeder werkt op een reisbureau, de hele dag is ze voor klanten op zoek naar de goedkoopste vakanties en daar is ze onderhand erg goed in. Ze bedingt fikse kortingen voor allerlei bestemmingen. Mensen boeken bij haar voor de helft van de prijs lastminute-reizen naar het Caribisch gebied, of een lang weekend buiten het hoogseizoen in Venetië... Maar pa wil niet vliegen. Hij heeft het ooit een keer geprobeerd en omdat z'n oren toen zo raar gingen doen, wil hij nooit meer. Ma moet wel met collega's op reis gaan, wat natuurlijk heel wat anders is dan met mijn pa. Maar ze zijn gelukkig allebei, veel gelukkiger in ieder geval dan de meeste mensen.

Pa is vegetariër en ma is altijd op een of ander maf dieet, dus is het niet meer dan logisch dat we alle drie onze eigen la in de vrieskast hebben. En ook verder is alles bij ons in huis prima geregeld.

We hebben twee televisies, een in de keuken en een in de huiskamer, dus er wordt nooit gekibbeld over waar we naar kijken. We doen elk om de beurt de was gedurende een week en strijkwerk is er niet want alles wat we aan kleren hebben, is strijkvrij. Ook dat vindt mijn zus Bella een droeve zaak. Alsof haar leven met twee van die saaie tantes zo leuk is. Alles is organisch bij hen: ze dragen organische kleren, eten organisch voedsel en praten organische praat.

Met ma en pa gaat het gewoon goed en ik rij al lang genoeg in een taxi rond om te weten dat ze heel wat beter af zijn dan veel mensen van hun leeftijd. Vanaf mijn plekje achter het stuur krijg je heel wat menselijk leed te zien, laat ik je dat vertellen.

Maar goed, vanochtend zei ma dat ze het volgend weekend voor een achtdaagse reis naar Dubai vertrekt en toen zei pa dat dat een geweldig idee was, want dat ze het vast heerlijk zal vinden. Hij ging dan misschien naar een opvanghuis voor gewonde dieren, hij had altijd al graag zielige dieren willen vertroetelen, zoals ezels die vel over been zijn, of schrikachtige honden met maar drie poten en verwilderde ogen. Ze vroegen me of ik het wel alleen zou redden. Natuurlijk, zei ik. Ik ben dit weekend trouwens toch weer aan de beurt om de was te doen, dus konden ze alles gerust voor mij laten liggen.

'Je bent een heel goeie jongen, Hugo,' zei mijn ma.

'Nou, meer een man, eigenlijk,' zei mijn pa.

'Misschien ga je wel het huis uit om te trouwen als we terug zijn,' zei mijn ma.

Ze zei het als grapje, maar eigenlijk bedoelt ze het serieus. Dat weet ik gewoon. Ze zou het heerlijk vinden als ik ging trouwen. Ik heb altijd een beetje het gevoel dat ik tekortschiet tegenover hen. Toen zij zo oud waren als ik, was Bella vijf en ik vier. Ik had behalve wat geld op de bank eigenlijk niet veel om trots op te zijn.

'Nee, hoor, ik denk dat ik hier blijf wonen tot jullie stokoud zijn,' zei ik.

'Dat hoop ik niet, jongen. Ik zou het erg fijn voor je vinden als je iemand tegenkwam voor wie je echt zou kiezen, in plaats van hier bij ons te blijven. Want ons heb je niet kunnen kiezen,' zei mijn vader.

Plotseling bekroop me de beangstigende gedachte dat ik misschien wel nooit iemand zou ontmoeten van wie ik zeker zou weten dat het de ware was, omdat ik nu eenmaal nooit beslissingen kan nemen.

Ik houd me alleen bezig met dingen als ze me in de schoot worden geworpen. Zo werd ik bijvoorbeeld taxichauffeur omdat mijn oom Sidney het me aanraadde. Of ging ik uit met een meisje omdat ze de zus van iemand was, of met een ander meisje omdat ze een vriendin was van de vriendin van een van mijn maten. Ik voetbal op zondag omdat iemand anders een team bij elkaar heeft gehaald en heeft gezorgd dat we ergens kunnen spelen. Ik koop mijn kleren in een winkel waar Gerry, een vriend van me, werkt. Hij houdt altijd kleren apart voor me als er uitverkoop is.

'Als je maar wilde, zou je er te gek kunnen uitzien, Hugo,' heeft hij meer dan eens tegen me gezegd. 'Je hebt zo'n smal, spits gezicht waar vrouwen op vallen. Je zou eens een mooi leren jasje moeten aantrekken.' Maar ach, Gerry is zo'n goedmoedige dikkerd die alleen maar aardige dingen zegt tegen iedereen.

Wat weet hij er nou van? Waarschijnlijk ziet hij het verschil niet eens tussen een knappe vent en de achterkant van de bus van Rossmore naar Dublin. Dus ga ik bijna nooit uit om te testen hoe goed ik er zogenaamd uitzie.

En het is raar misschien, maar behalve Chrissie heb ik eigenlijk nooit een meisje ontmoet dat ik graag beter zou leren kennen. En zelfs met haar weet ik het niet zo.

Het zou toch dwaas zijn als we aan iets begonnen terwijl we niet zeker zijn van onze zaak? Ik bedoel, Chrissie is erg leuk en ze is erg enthousiast over bloemen en zo, maar om nou voor altijd bij haar te zijn... Dag en nacht? Ik weet het niet hoor.

Chrissie ook niet trouwens, als ik eerlijk ben. We hebben tegen elkaar gezegd dat niets erger is dan vastzitten in een relatie zonder liefde. Chrissie ziet dat voortdurend om zich heen. Ze zegt dat minstens zestig procent van de vrouwen die een bruidsboeket bij haar bestellen, er ellendig aan toe is.

En ik weet dat veel van de mensen die ik in mijn taxi krijg ook ongelukkig zijn, ze lijken aldoor ruzie te hebben met hun partner. Vooral stellen die op vakantie gaan. Vaak zou je zeggen dat ze elkaar echt haten.

De avond nadat mijn moeder naar die Golfstaat was vertrokken om bruin te worden en een gouden armband te kopen, en mijn vader ook vertrokken was om ergens zielige hertjes met flesjes warme melk te voeden en wonden op de rug van ezels te verzorgen, reed ik een extra dienst. Ik zat te mijmeren hoe heerlijk het zou zijn als iemand je verafgoodde en werkelijk alles voor je over had, zoals je in films wel zag.

Ik reed langs zo'n Italiaanse eetgelegenheid waar net op dat moment een heleboel mensen naar buiten kwamen, de meesten waren behoorlijk boven hun theewater zogezegd. Meestal kijk ik wel uit voordat ik dat soort dronken lieden meeneem in de taxi. Oom Sidney zei altijd: zet de meter af, maar rij langzamer om te kijken of ze nog op hun benen kunnen staan en je gaan betalen voor de rit. En kijk vooral goed uit of er niemand bij is die je taxi gaat onderkotsen.

Een jonge vent die er aardig uitzag, liep de weg op om me te wenken. Hij was nuchter in ieder geval, het was een Amerikaan of Canadees denk ik. Hij was heel beleefd.

'Ik vroeg me af of ik u zou kunnen vragen deze jongedame naar huis te rijden?' Hij gaf me het adres en een briefje van tien, wat veel te veel was voor waar ze naartoe moest.

De 'jongedame' was erg aangeschoten, maar ze zag er niet

uit als het kotsende type – daar ontwikkel je een soort antenne voor, ze had niet die uitstraling, als je me kunt volgen. Ze belandde op haar knieën in de taxi, wat wel weer te denken gaf.

Hij boog zich naar binnen en hees haar overeind, heel teder.

Ik vroeg of hij misschien ook mee reed, want dat leek me wel handig, dan kon hij haar naderhand ook weer helpen de taxi uit te komen.

'Nee, ik zou het graag willen, maar zie je, Monica... staat daar nog... en eigenlijk is het Monica's feestje en wij moeten dezelfde kant op. Emer, hé, Emer, je zit toch goed? Wakker worden, liefje, word eens wakker. Praat maar een beetje met de chauffeur.'

'Ik wil niet praten, Ken, ik wil zingen voor de chauffeur,' zei ze opstandig.

'Vindt u dat goed, chauffeur?' vroeg hij bezorgd.

'Ja, hoor, Ken,' zei ik, 'ik zing wel met haar mee.'

'Ik háát Monica, Ken, jij bent veel te goed voor haar, ze heeft een gezicht als een marshmallow en ze schildert alsof ze een andere marshmallow in roze, blauw en geel heeft gedoopt. Ze is echt een vreselijk persoon, Ken, alleen zie jij dat niet.'

Ken leek bang dat Monica deze beschrijving van zichzelf gehoord had en keek me nogal verwilderd aan. Vaak heb ik het gevoel dat je als taxichauffeur een kruising bent tussen een diplomaat en een huwelijksconsulent.

'Ik ga maar eens rijden,' zei ik.

'Pas goed op haar, ze is een heel speciaal iemand,' zei hij nog. En toen waren we onderweg. Ze zat mopperend op de achterbank. Als zij dan zo speciaal was, vroeg ze, waarom ging hij dan die Monica naar huis brengen? Die trut met een kop als een amandelbroodje.

'Eerder van een marshmallow, dacht ik,' corrigeerde ik haar. Ze was in haar nopjes.

'Precies, precies, je hebt helemaal gelijk. Wat knap dat je 't zag.' Ze glimlachte verheerlijkt en bleef het maar herhalen: 'Net een marshmallow,' alsof ze de vergelijking zelf had bedacht.

260

'Zeg,' zei ze uiteindelijk, 'Ken vroeg of ik voor je wilde zingen. Wat wil je horen?'

'Kies jij maar,' zei ik beleefd als altijd. Ze was een leuke meid, eind twintig misschien, met lang, blond, steil haar. Ze had veel te veel wijn op, maar was uiterst goedmoedig, behalve waar het om Monica met haar platte gezicht ging.

'Ken is erg aardig, weet je, hij weet dat het erg saai is om in een taxi te rijden en dat je misschien op de terugweg wel wat vermaak wilt. Daarom vroeg hij het zeker. Ik zal "By the Rivers of Babylon" voor je zingen.' En dat deed ze. Helemaal niet slecht overigens.

Toen stelde ik voor om samen 'Stand by Your Man' te zingen. Ze zei dat mannen dom waren en dat het helemaal niet nodig was om ze bij te staan. Je kon ze beter een schop voor hun kont geven. Maar we zongen het toch, en daarna nog een paar liedjes.

Maar toen begon ik bang te worden dat ze in slaap zou vallen en dat we dan een probleem zouden krijgen met het vinden van haar huis, of van de juiste flat mocht ze in een flat wonen. Dus deed ik erg mijn best om haar aan de praat te houden. Ik vroeg haar waarom mannen een schop onder hun kont moesten krijgen.

'Nou, omdat ze vaak een vrouw vlak voor hun neus hebben die heel erg goed voor ze is, maar ze het gewoon niet zien.' zei ze boos. Ze begon een lang verward verhaal over die Ken en hoe die zich door het onnozele gedoe van Monica volledig had laten inpakken en geheel onterecht dacht dat die stomme vrouw zijn hulp nodig had. Ze dacht niet dat ze met elkaar naar bed gingen, maar met mannen wist je het maar nooit. En misschien was vannacht wel dé nacht. Misschien was dit wel de nacht dat ze het gingen doen. In dat vreselijke huis van Monica, in Crescent Street op nr. 35. Daar werd ze behoorlijk somber van.

'Misschien is hij te dronken om het vannacht te doen,' zei ik, in de veronderstelling dat dat misschien zou helpen.

'Nee, hij drinkt bijna geen druppel. Hij was de enige die nuchter was vanavond en hij heeft veel te veel betaald voor iedereen.'

Ze zat heel erg te piekeren over het geheel. Ze zei dat ze naar de bron van de heilige Anna was geweest om te bidden, maar dat Sint-Anna geen poot had uitgestoken. Wat Sint-Anna wel deed was akelige types als Monica de wereld in sturen om mensen te verpesten. Om mannen mee naar huis te nemen en ze onderweg te versieren.

'Nou, ik denk dat hij haar gewoon naar huis brengt en dan naar zijn eigen huis gaat.' Ik probeerde van alles om haar te troosten.

'Maar hij ziet mij niet staan, dat is het hele probleem. Hoe heet jij trouwens?'

Ik zei dat ik Hugo heette.

'Hugo... die naam hoor je niet vaak, toch?'

'O nee? Ik weet niet. Ik vond altijd dat hij wel goed zou staan op een cd of voor het raam van een tent waar ik moest spelen. Ik had grootse dromen, zie je.' Ik praatte vrijwel nooit over mezelf en ik was dan ook verbaasd dat ik het nu wel deed. Maar ach, wat deed het er ook toe, die meid was zo dronken als wat, het maakte haar allemaal niet uit, al las ik haar het Burgerlijk Wetboek voor.

Ze had zo de smoor in dat ze overal meteen bovenop sprong. 'Nou, waarom heb je dan niks met je dromen gedaan?' Het was net alsof ik een kleine kwaaie terriër achterin had zitten. 'Mijn ouders wilden dat ik verpleegster werd, of onderwijzeres, ze wilden niet dat ik me met artistieke dingen bezighield, maar ik heb ervoor gevochten en morgen heb ik een sollicitatiegesprek voor een topbaan. En ik had zo gehoopt dat Ken vanavond met mij mee zou gaan om mij te knuffelen in plaats van naar Orange Crescent 35 te gaan om die stomme marshmallow zoals jij haar zo terecht noemt, te knuffelen.' Ze was nu bijna in tranen.

Dat moest ik uit alle macht zien te voorkomen.

'Hoor eens,' zei ik, 'ik denk gewoon dat mannen nogal hopeloze wezens zijn, ze zijn een beetje op hun hoede... of zoiets. Wij beginnen gewoon liever niet aan iets wat misschien verkeerd uitpakt, aan iets waar je alleen met een hoop ellende en gedoe weer uitkomt. Daar komt het eigenlijk allemaal op neer.'

'Wat een ontzettende flauwekul,' zei ze. 'Ik wed dat er een aardig meisje is dat heel veel in jou ziet, Hugo, een dwaze, suffe meid die denkt dat jij zanger zou kunnen worden als je maar meer zou durven, die denkt dat ze jou gelukkig zou kunnen maken als jij haar maar de kans zou geven. Het barst op de wereld van dat soort vrouwen. Ik weet niet waar we uit zouden komen als je ons allemaal op een rij zou zetten. Echt niet.' Ze schudde haar hoofd, omdat het zo treurig was allemaal.

Ik meende in het spiegeltje te zien dat ze op de achterbank aan het indommelen was.

'Ik heb een vriendin, Chrissie!' riep ik hard, om haar wakker te houden, 'maar ik weet niet zeker of zij wel de ware is en zij weet het volgens mij ook niet zeker en dus zou het stom zijn om iets met haar te beginnen, want misschien willen we er wel weer vanaf ook.'

'Ach, Hugo, wat ben jij een ontzettende stommerik. Wie weet er nou ooit iets zeker? Nou, vertel me dat eens. Ik heb nog nooit zo'n twijfelaar ontmoet als jij. Als ik je over veertig jaar weer tegenkom, dan ben je nog precies hetzelfde als nu, alleen ouder en kaler, natuurlijk. En dan heb je ook niet meer zo'n lekker mager gezicht dat het heel goed zou doen op een cd, maar dan heb je een dikke kop en draag je zo'n vettige pet met ruitjes. Maar verder ben je dan nog precies hetzelfde.'

Ik wilde me door haar niet op de kast laten jagen. Ik vroeg wat ik volgens haar dan moest doen. En verrek, dat wist ze nog ook.

Ik moest die avond nog naar Chrissies huis gaan en tegen haar zeggen dat ik er wel voor voelde om het te proberen, dat het leven maar kort was en de liefde mooi en dat we er allebei het beste van moesten maken.

'Misschien,' zei ik.

'Je doet het toch niet,' zei ze.

263

'Waarom zeg jij hetzelfde niet tegen Ken?' vroeg ik, lichtelijk geïrriteerd.

'Omdat ik er niet tegen zou kunnen als het op niets uitliep,' zei ze zeer openhartig.

Toen stapte ze uit de taxi. Ze had moeite om op haar benen te blijven staan. Ik stapte ook uit om haar te ondersteunen en de paar treden naar de deur van haar flat op te helpen. Het lukte haar niet meteen om de sleutel in het slot te krijgen, maar eindelijk kon ze naar binnen.

'Je kunt heel mooi zingen,' zei ze voordat ze over de drempel stapte. 'Echt heel mooi. Misschien moet je wat aan je repertoire doen, maar je zingt erg zuiver.' Ze viel zo'n beetje naar binnen.

Het was een rustige nacht en terwijl ik aan het rondrijden was, merkte ik ineens dat ik in de buurt van Orange Crescent was. Ik moest er weer aan denken dat ze me een twijfelaar had genoemd. Wat nou, twijfelaar.

Ik belde aan op nummer 35.

Monica Marshmallow kwam opendoen. Ze had geen schoenen aan, maar verder had ze al haar kleren aan. Misschien was ik nog op tijd.

'Ik kom voor Ken,' zei ik.

Ken kwam naar de deur, geheel in verwarring.

'Je hebt een taxi besteld,' zei ik.

Hij was heel beleefd, al begreep hij er niets van. Er moest sprake zijn van een vergissing. Maar ik hield voet bij stuk. Hoe was ik anders aan de naam en het adres gekomen, zei ik. Ik had een heel eind gereden, speciaal om hem op te halen.

'Nou, Monica, aangezien de chauffeur voor mij is gekomen... moest ik eigenlijk maar met hem meegaan.'

De Marshmallow trok een pruilerig gezicht, maar ik had hem in mijn taxi. Ik bracht hem naar huis.

'Emer houdt van je,' zei ik.

'Nietwaar,' zei hij treurig, 'ze houdt alleen maar van haar werk.'

'Daar vergis je je in,' zei ik. 'Daar vergis je je heel erg in. Toen ze klaar was met zingen heeft ze me verteld hoeveel ze van je houdt.'

'Maar ze is dan ook ladderzat,' zei Ken.

'Ladderzat of niet, dat maakt niet uit,' zei ik. 'Ze houdt van je. En morgen heeft ze een geweldige kater. Misschien moet je naar haar toe om haar een beetje op te kalefateren voordat ze dat sollicitatiegesprek heeft.'

Zijn gezicht had een peinzende uitdrukking. 'Ben je in je vrije tijd soms therapeut?' vroeg hij. 'Doe je aan crisisinterventie?'

'Nee, ik doe aan zingen. Weet jij toevallig niet een plek waar ik zou kunnen optreden?'

Het leven zit vol verrassingen. Wat bleek: Kens studenten hadden de volgende avond een disco op de kunstacademie. De gitarist die live zou komen optreden had hen laten zitten. We hielden in de taxi een auditie. Ik zong drie nummers en toen zei Ken dat hij me inhuurde en hij gaf me het adres waar ik naartoe moest komen. Hij vroeg of ik een vriendin had, want dat er na afloop een groot feest zou zijn.

Ik zei dat ik een heel lieve vriendin had die Chrissie heette. Misschien kon hij zelf Emer meenemen om te vieren dat ze die baan bij de galerie had gekregen. Hij keek alsof hij zelf nooit op dat idee zou zijn gekomen.

En weet je, Emer had helemaal gelijk.

Mannen hebben helemaal geen vrouw nodig om hen bij te staan. Als het erop aankomt, hebben ze iemand nodig die hun een schop voor hun kont geeft.

En of haar wonderbron nu bestond of niet, het was zeer on- waarschijnlijk dat ik zo'n schop van de heilige Anna gekregen zou hebben.

12

De zilveren bruiloft

Deel 1 – Pearl

Ik heb het altijd heerlijk gevonden om van alles en nog wat op te zoeken, onnozele feitjes, nutteloze informatie. Als ik een computer had, zou ik er de hele dag mee bezig zijn. En als wij het slag mensen zouden zijn die meededen aan quizzen in de pub, dan zou ik het er erg goed afbrengen en zelfs prijzen in de wacht slepen. En als ik de moed zou hebben om mee te doen aan de voorrondes voor *Wie wordt miljonair?*, dan denk ik dat ik best eens zou kunnen doorgaan. Echt waar. Vaak heb ik alle vragen goed die de echte kandidaten fout hebben.

Pientere Pearl noemden ze me vroeger op school, maar dat was ook echt alleen maar op school. Meisjes uit mijn straat gingen nooit naar een 'hogere school' zoals dat genoemd werd. Mijn familie was uit Ierland naar Engeland gekomen om rijk te worden, zoals zoveel Ieren in de jaren vijftig en zestig. We kwamen oorspronkelijk uit een plaatsje dat Rossmore heette, en dat in die tijd erg arm was. Maar inmiddels is het erg veranderd. Je kunt je nu zelfs helemaal niet meer voorstellen hoe familieleden van mij daar vroeger geleefd hebben. Mijn Bob kwam oorspronkelijk uit Galway, we hebben elkaar ontmoet op een Ierse dansavond.

Mijn vader was wegwerker en wij gingen allemaal in fabrieken of winkels werken en iedereen vond dat we het erg getroffen hadden in vergelijking met onze moeders in het oude land zoals ze het noemden. Wij hoefden tenminste geen dienstbode te worden. Wij meisjes trouwden allemaal met negentien jaar. Op z'n laatst. Dat deed je nu eenmaal gewoon. En net als alle andere stellen hier hadden we twee kinderen toen we eenentwintig waren. We gingen ook allemaal uit werken, dat sprak gewoon vanzelf, want geen van onze mannen verdiende genoeg om in zijn eentje een gezin te kunnen onderhouden. Niemand klaagde.

We waren veel meer Engels dan Iers. We waren supporters van Engelse voetbalclubs, Bob en ik. Een keer per jaar gingen we met de trein en de boot en nog een trein naar Rossmore. Mijn nicht Lilly was precies even oud als ik. Ze waren erg arm bij haar thuis en ze was altijd jaloers op me omdat ik van die mooie kleren had.

Mooie kleren! Mijn moeder naaide ze zelf, zo kwamen we aan onze kleren. In Rossmore lachten ze ons altijd uit om ons Engelse accent, maar daar trokken we ons niks van aan. Onze oma was heel lief, ze stuurde mij en Lilly altijd naar een bron in het bos waar een beeld van de heilige Anna stond; daar moesten we bidden om een goeie echtgenoot. Vooral voor mij was het belangrijk dat ik erg veel bad, want omdat ik in Engeland woonde, zou ik eerder een man tegen het lijf kunnen lopen die niet van ons geloof was.

En blijkbaar werkte het, dat bidden bij de bron, want ik ontmoette Bob en dat was geweldig, en Lilly ontmoette Aidan en ook dat was fijn. In die tijd hadden we niet genoeg geld om naar elkaars bruiloft te gaan, maar we waren allebei erg gelukkig en we stuurden elkaar een heleboel brieven over wat we meemaakten.

Ik was in verwachting van Amy in ongeveer dezelfde tijd dat zij zwanger was van haar eerste, Teresa, en dus hadden we elkaar heel wat te vertellen. Toen gebeurde er iets verschrikkelijks.

Het was iets waarvan je denkt dat het alleen andere mensen gebeuren kan, niet iemand die jij kent. Iemand roofde Teresa uit de kinderwagen en ze werd nooit teruggevonden en werd ook nooit teruggebracht. Die arme hond die bij de kinderwagen zat blafte als een waanzinnige en er waren honderden mensen in de buurt, maar niemand had iets gezien.

Daarna was niets meer hetzelfde. Ik bedoel, ik kon Lilly hierna niet meer vertellen over Amy, na alles wat ze had doorgemaakt. En toen oma gestorven was, gingen we ook nooit meer naar Ierland. We hadden hier in het noorden van Engeland een heel fijn leven, en toen John geboren was, leek ons geluk compleet.

Iedere week deden we mee aan de voetbaltoto en de Grote Loterij, en we hadden het er heel vaak over hoe we al dat geld – als we het wonnen – zouden besteden. We zouden uiteraard eerst een cruise gaan maken en dan kochten we een villa aan de Middellandse Zee en een groot huis in de deftige wijk van onze stad; en onze ouders zouden we een leuk huisje met een tuin geven. En onze kinderen! Wat we voor hen niet allemaal bedachten!

Ze zouden naar de allerduurste scholen gaan, ze kregen muziekles en dansles, ze gingen paardrijden en tennissen. Ze zouden alles krijgen wat wij zelf nooit gehad hadden. En nog veel meer!

Maar om onszelf geen onrecht aan te doen: we deden heus wel meer dan dromen voor onze kinderen, hoor, Bob en ik. We wisten ook wel dat we waarschijnlijk nooit een hoofdprijs zouden winnen en toch wilden we niets liever dan hun meer kansen geven dan we zelf gehad hadden. Dus openden we een spaarrekening en stortten er iedere week een bepaald bedrag op voor hen allebei. Via het postkantoor groeide er een mooi sommetje voor Amy en John.

Ik had in een boek gelezen dat je je kinderen klassieke namen moest geven als je wilde dat ze in het leven vooruit kwamen. De namen die wíj mooi vonden, konden later wel eens echte arbeidersnamen blijken te zijn. En dus werd het Amy en John. Twee prachtige kinderen, maar ja, dat zegt iedereen natuurlijk over zijn eigen kroost.

Ze kregen allebei een gloednieuwe fiets toen ze eraan toe waren, geen opgelapte afdankertjes. We gingen met ze naar het

pretpark en als ze jarig waren, mochten ze vriendjes en vriendinnetjes uitnodigen; we gaven ze hamburgers en ze mochten
een video kijken. We kochten voor John een computer voor op
zijn kamer. Ik had hem dolgraag ook gebruikt, maar John was
er met zijn vijftien jaar ontzettend handig mee en ik wilde het
ding niet kapot maken.

We stuurden Amy naar een heel dure secretaresseopleiding.
We moesten de spaarrekening behoorlijk aanspreken voor dit
soort dingen, want ik werkte achter de kassa in een supermarkt
en Bob was vrachtwagenchauffeur en dat zijn geen baantjes
waar je rijk van wordt. Maar voor de kinderen was het allemaal
een geweldige investering.

John bleek een technologische knobbel te hebben en kreeg
een geweldige baan in wat ze de IT noemen, en dus was het
maar goed dat we hem die computer gegeven hadden toen hij
nog zo jong was. Amy's dure secretaresseopleiding bleek ook
een prima investering, want ze kreeg een geweldige baan als re-
ceptioniste bij een groot bedrijf en werkte zich verder op tot
persoonlijk assistent.

Allebei in Londen! Stel je voor!

Ze kwamen af en toe nog op bezoek, maar brachten natuurlijk geen vrienden meer mee. Ze hadden hun eigen leven, ze
waren onafhankelijk en ze hadden succes. Daar hadden we immers voor kromgelegen? We begrepen best dat ze niemand
konden meenemen naar ons rijtjeshuis. En toen Amy vierentwintig en John drieëntwintig was, woonden ze allebei in een
flat met andere jonge mensen. En zo hoorde het ook.

Vrienden van ons vroegen Bob en mij wat we van plan waren met onze vijfentwintigste huwelijksdag, ons zilveren jubileum. We zeiden dat we dat niet wisten, want we waren er zeker
van dat onze kinderen iets voor ons hadden georganiseerd. Ze
kenden de datum heel goed: 1 april, want toen ze jong waren
vierden we het altijd.

Eén april!

Moet je je voorstellen: we deden elkaar de grootste belofte
die je maar kon doen op 1 april. Typisch toch! Om je rot te la-

chen. We kochten altijd een grote ijstaart, iedereen kon op z'n minst twee keer opscheppen. Onze vrienden uit de straat en Bobs zus en mijn nicht hadden allemaal een groot feest met hun zilveren bruiloft. Er kwamen heel veel mensen en er werden platen gedraaid die erg populair waren in de tijd dat we trouwden.

Ik vroeg me af waar John en Amy het feest wilden houden.

Onze vrienden en familie wisten het natuurlijk al, ik begreep best dat ze er alleen maar naar vroegen om de verrassing voor ons nog groter te maken. Omdat we zo gewend waren geweest om voor onze kinderen te sparen, hadden we wat geld te besteden. Dus ging ik met Bob een nieuw pak kopen, donkergrijs, met een mooi wit overhemd erbij. En voor mezelf kocht ik een donkerblauwe jurk van crêpe met een bijpassende handtas. Dus we waren in ieder geval goed gekleed voor welk verrassingsfeest dan ook.

De datum naderde, maar we hadden nog steeds geen idee wat ze van plan waren. Amy maakte het extra spannend door te vertellen dat zij en Tim – dat was de man van wie ze de persoonlijke assistente was, als je me begrijpt – dat weekend naar Parijs zouden gaan. Ik deed net alsof ik haar geloofde. Zo deed ik ook alsof ik John geloofde die zei dat hij met een aantal luitjes van kantoor ging diepzeeduiken, hij had er een nieuwe wetsuit en alle benodigde spullen voor aangeschaft.

Twee dagen voor ons jubileum begon ik me ongerust te maken. Twee stellen hadden ons mee uit eten gevraagd, het ene in een Indiaas, het andere in een Italiaans restaurant.

Ze zeiden dat het toch een dag om te vieren was. En toen ik zei dat we dat ook zeker gingen doen, keken ze me aan op een manier die me niet aanstond. Ik vond toen dat ik de zaak moest ophelderen voordat Bob een al te grote teleurstelling te verwerken zou krijgen. Hij trok zo'n beetje om de andere dag zijn nieuwe pak aan om zichzelf voor de spiegel van de slaapkamer te bewonderen. Ik belde Amy op haar werk.

'Ach, moeder,' zei ze... Vroeger noemde ze me altijd 'mam', maar tegenwoordig was het 'moeder'.

270

'Ik wou het even over het weekend hebben,' zei ik. 'Ga je echt naar Parijs, lieverd? Dít weekend?'

Ze zat meteen op de kast. 'Hè, god, moeder, alsjeblieft. Je hebt je er nooit mee bemoeid, je hebt me altijd mijn gang laten gaan... Je gaat me nu toch niet ineens vertellen dat je ook de grootste moeite hebt met Tim. Zijn huwelijk is voorbij, moeder, we doen helemaal niets stiekems als we naar Parijs gaan. Alsjeblieft, begin jij nou niet ook moeilijk te doen...'

Ik zei dat het helemaal niet mijn bedoeling was om kritiek te leveren op haar uitje naar Parijs, dat ik zelfs geen idee had dat die Tim getrouwd was. Daar belde ik niet voor, helemaal niet.

'Nou, maar waarom bel je dan, moeder?' Mijn dochter kon soms zo onaangenaam uit de hoek komen. Dat deed pijn.

Ik gooide het eruit. 'Omdat ik wilde weten of je ons zilveren huwelijksfeest op zaterdag soms vergeten was.' Het was eruit voor ik het wist.

'Jullie wát?'

'Je vader en ik zijn zaterdag vijfentwintig jaar getrouwd. We dachten dat John en jij misschien... eh, dat jullie iets voor ons georganiseerd hadden, een feestje of iets. Want zie je, de buren blijven er maar naar vragen en...'

Ik hoorde dat ze naar adem hapte. 'O, moeder, ja! 1 april. O, god, ja...' zei ze.

Toen wist ik dat ze het echt vergeten was. En John ook. Dat er geen feest zou zijn.

Het was al donderdag, te laat om zelf nog mensen uit te nodigen om het te komen vieren. Bobs hart zou breken, hij had het er toch al zo moeilijk mee dat zijn kleine meid nauwelijks nog bij haar ouders op bezoek kwam. Veel moeilijker dan ik. Hij had zich er zo op verheugd zijn nieuwe pak te kunnen dragen en hij was van plan 'You Make Me Feel So Young' te zingen. Hij dacht dat ze misschien het zaaltje boven pub De Gele Vogel hadden afgehuurd, want hij had gehoord dat daar zaterdag een feestje was.

Ik dacht aan Bobs zus, die altijd nogal de neiging had om op onze kinderen af te geven, en aan mijn joviale neef, en aan de geweldige feesten die zij en hun familie georganiseerd hadden. En ik dacht aan mijn blauwe jurk van crêpe met de bijpassende handtas. Aan al de jaren dat ik op een tochtig plekje achter de kassa in de supermarkt had gezeten om meer te kunnen sparen voor de kinderen. Ik dacht aan het mooie pakje waarin mijn dochter naar haar eerste sollicitatiegesprek was gegaan en dat ook van dat geld betaald was. Ik dacht aan alle vriendjes en vriendinnetjes die Amy en John altijd voor hun verjaardag mochten uitnodigen. Ik dacht aan al die uren die Bob in de wegenbouw had overgewerkt om hun fietsen, hun radio's en later hun cd-spelers te kunnen betalen; dan kwam hij doodvermoeid thuis, met rode ogen en stijve schouders. Ik dacht aan de uitjes naar Legoland en de dierentuin, aan de dagtochtjes die we per boot naar Frankrijk hadden gemaakt.

Eén hachelijk moment lang had ik het gevoel dat het me niets zou kunnen schelen om Amy en John nooit meer te zien.

Maar het volgende moment riep ik mezelf streng tot de orde. Die vijfentwintig jaar van werken en sparen en het gezin bij elkaar houden om onze kinderen meer te geven dan wij zelf ooit hadden gehad... waar waren die goed voor geweest als ik ze nu uit boosheid op een akelige manier liet eindigen? Ik moest Amy en John uit deze netelige toestand redden, hun deze enorme nalatigheid van hun kant vergeven, ze geruststellen en zeggen dat het niet uitmaakte. Ik moest heel snel iets zeggen voordat Amy zich in verontschuldigingen ging uitputten.

Dus sneed ik haar de pas af terwijl ze nog aan het bedenken was wat ze moest zeggen. 'Want weet je, je vader en ik gaan dit weekend weg en dus wilden we zeker weten of jullie niet iets anders in gedachten hadden, want...'

'Moeder, het spijt me zo...' onderbrak ze me. Maar ik moest haar niet de kans geven zich te verontschuldigen.

Alles zou anders worden als ze dat deed.

'Dus is alles zo prima in orde. Als je bloemen wilt sturen, laat ze dan afleveren bij je tante, de zus van papa. Want wij zijn er dus niet.'

Amy slikte. 'Ja, natuurlijk, moeder.'

'En dan bewaren we het feest wel tot paarlemoer.'

'Tot paarlemoer?'

'Onze paarlemoeren bruiloft. Want dat hebben je vader en ik altijd al in gedachten gehad. De zilveren bruiloft vinden we niet zo belangrijk, maar de paarlemoeren wel. Omdat ik Pearl heet, zie je...' Ik seinde via de telefoon een en al goedwillendheid en monterheid door.

'Maar wanneer is dat dan, um, die...' vroeg mijn dochter.

'Over vijf jaar natuurlijk, als we dertig jaar getrouwd zijn,' zei ik vrolijk. 'Dat duurt niet zo lang meer, dus misschien moeten jij en John maar gauw met de planning beginnen. Dan maken we er een grandioos feest van.'

Amy's stem liep over van dankbaarheid. 'Bedankt, mam,' zei ze. Nu was het geen 'moeder', viel me op.

Toen moest ik nog bedenken waar ik Bob het weekend mee naartoe zou nemen. Ik besprak een hotelletje in Blackpool. Bobs zus zou diep onder de indruk zijn van de bloemen. Ik wist dat het een enorm boeket zou worden, gezien al het schuldgevoel dat erbij kwam kijken. Alles bij elkaar was dit allemaal veel beter dan mezelf in zelfmedelijden rond te wentelen. Ik werd op school niet voor niets Pientere Pearl genoemd.

Deel 2 – Gulle John

Op kantoor noemen ze me altijd Gulle John.

Dat heeft te maken met een nogal malle gewoonte die ik daar heb ingevoerd: iedere vrijdag trakteer ik iedereen op een glaasje bubbeltjeswijn met een toastje met gerookte zalm, geserveerd op mijn bureau. Een prima start voor het vrije weekend. Mensen die nergens heen hoeven, vinden het leuk, en degenen die wel ergens heen moeten, blijven toch even hangen. Bovendien is het veel beter dan je in een pub klem te zuipen, zoals mensen elders vaak doen. En dat voor de prijs van twee, of op z'n hoogst drie flessen van iets niet al te prijzigs. Ik verwierf de reputatie een gulle kerel te zijn door dat beetje wijn, plus een lullig pakje gerookte zalm van Marks and Spencer, wat toastjes en wat schijfjes citroen.

We hebben op kantoor trouwens een prima clubje. Al is het niet echt dat je zegt: toppie. De meesten van ons willen vóór ons dertigste liever ergens anders naartoe, een tent met meer stijl, zal ik maar zeggen.

Maar ach, het is werk, en dit kantoor heeft wel een goeie naam op z'n terrein, dus wat maakt het uit.

Ik heb het hier naar mijn zin en ik woon met twee collega's in een knots van een flat, echt gaaf.

Mijn zus belde een keer naar kantoor en vroeg John te spreken. 'Bedoelt u Gulle John of de andere John?' werd haar gevraagd. Ze zei dat ze vast de andere John moest hebben, maar dat had ze mis.

Amy was verbaasd. 'Je bent helemaal niet gul,' zei ze beschuldigend.

'Nee, maar gierig ben ik ook niet,' zei ik. Ze gaf toe dat dat waar was en we kletsten verder een eind weg.

Zijn wij als broer en zus close met elkaar? Niet echt. Al hebben we natuurlijk wel met elkaar gemeen dat we onze opvoeding overleefd hebben. En we hebben een berg gemeenschappelijke herinneringen. Maar we leiden een erg verschillend leven.

Amy heeft op zo'n chique secretaresseopleiding gezeten, waar ze vrouwen niet alleen het secretaressevak leren, maar ook om zich stijlvol te gedragen en te kleden. Mijn zus heeft daar erg veel opgestoken, ze is zo slank als een den en draagt designeroutfits. Ze verzorgt zich tot in de puntjes en ziet er erg cool uit. Ze heeft maar één zwakte: die vent, Tim.

Tim heeft een rijke vrouw, een kast van een huis en een paar kinderen die op onbetaalbare privéscholen zitten. Als presidentdirecteur van een groot bedrijf heeft hij een veeleisende baan. Denk maar niet dat zo iemand die hele mikmak eraan geeft voor een romance met mijn zus, als is ze nog zo oogverblindend en zou ze een parel van een echtgenote kunnen zijn. Maar Amy kan of wil dit niet zien, en tegen de tijd dat ze het wel inziet, is het allemaal te laat natuurlijk.

Ik probeerde haar dat aan haar verstand te brengen toen we een keer samen aten, maar tjonge jonge, schoot dat haar even in het verkeerde keelgat. Ze beet me toe dat ik me er niet mee moest bemoeien omdat ik er helemaal niets van begreep.

Ze maakte me ook op niet mis te verstane wijze duidelijk dat ik zelf, als ik in de spiegel keek, geen wandelende reclame voor waarachtige, eeuwige liefde zou zien. Dat ik zelfs nooit een echte vriendin had gehad.

Dit was niet helemaal waar en wat ze zei irriteerde me behoorlijk. Maar zij en ik lijmden de brokken weer zo'n beetje aan elkaar en praatten nooit meer met elkaar over ons privéleven.

Maar toen ontmoette ik Linda. En uiteraard wilde ik het ineens met iedereen over mijn privéleven hebben.

Linda zag er werkelijk fantastisch uit. Ze was door het hoofdkantoor voor zes maanden bij ons gedetacheerd. Maar ze ging niet meer terug. Ze was Ierse, maar erg competent, ze was echt het tegendeel van zo'n onnozele Ierse troela. Ze was ontzettend intelligent en erg populair.

Ze had werkelijk elke vent kunnen krijgen die ze maar wilde, maar ze viel op mij. Dat was erg strelend voor me.

Op een vrijdagmiddag vroeg ze me bij de gerookte zalm hoe Gulle John de rest van de vrijdag sleet, en toen hoorde ik mezelf op zo'n vreselijk toontje tegen haar zeggen dat Gulle John graag zou meegaan in alles wat Mooie Linda voorstelde, en zo belandden we in een Italiaans restaurant. En vanaf die dag zagen we elkaar bijna voortdurend.

Ze nam me mee naar haar ouders. Haar vader was een Ierse bankier, een heel grote, en ze woonden in een groot huis met een tuin en een boomgaard en een stel labradors.

Ze hoorden me niet uit over mijn familie, maar Linda deed dat wel.

'Wanneer stel je me nu eens aan ze voor? Komt het er ooit nog van? Denk je dat het deze eeuw nog gaat lukken?' vroeg ze steeds.

Nu was ik niet zo stom om net te doen alsof mijn ouders

even chic waren als de hare, want met zoiets gooi je uiteindelijk je eigen glazen in. Nee, ik vertelde dat mijn ouders uit de
arbeidersklasse kwamen en dat ik in een rijtjeshuis geboren was.
Maar ik kon me er niet toe zetten met haar bij mijn vader en
moeder langs te gaan. Nog niet.

Die vreselijke zus van pa, Dervla, zou ongetwijfeld komen
binnenvallen om Linda te inspecteren. En de schreeuwerige
nicht van mijn moeder zou ook een smoesje weten te vinden
om langs te komen. En dan zouden ze beginnen over het Oude
Land en proberen uit te vinden of er geen banden waren met
Linda's familie.

Ik zou me voor hen verontschuldigen en het volgende
moment de pest aan mezelf hebben omdat ik me voor hen
schaamde.

Nee, het was maar het beste om ze zo lang mogelijk van elkaar gescheiden te houden.

Kijk, mijn zus Amy, dat was iets anders. Ik nodigde Amy uit
in een sushibar om Linda te ontmoeten, en toen bracht ze die
vreselijke Tim mee. Hij streek voortdurend met zijn hand door
zijn haar en zei steeds dat hij eigenlijk ergens naartoe moest.
Amy keek naar hem alsof ze een afgerichte spaniël was in plaats
van de superefficiënte persoonlijk assistente die ze eigenlijk is.

Toen ze weggingen, haalde ik mijn schouders op en verontschuldigde me tegenover Linda voor hem. 'Ik begrijp niet hoe
ze het met hem uithoudt.'

'Ik wel,' zei Linda.

Ik was stomverbaasd.

'Omdat ze van hem houdt,' zei Linda, alsof dat overduidelijk
was.

Ik vond het ontzettend jammer dat Linda steeds weigerde
met mij de nacht door te brengen op mijn kamer in onze grote
flat. Er bleven heel vaak meisjes slapen; ik zou zo trots zijn geweest tegenover mijn flatgenoten als ze Linda 's ochtends vers
geperst sinaasappelsap zouden zien drinken, gehuld in mijn
ochtendjas.

Maar nee, dat weigerde ze zeer beslist en ik mocht ook niet

bij haar blijven slapen in de flat die ze met een andere vrouw deelde. Af en toe, als we samen een weekend weg waren, sliepen we samen in een hotel, dus het was niet zo dat ze geen seks wilde. Nee, Linda was bang voor 'burgerlijkheid' zoals ze het noemde.

We moesten wachten tot we zeker van onszelf waren, zei ze, en dan een eigen plekje zoeken.

Ik bleef maar zeggen dat ik zeker was van mijn gevoelens, maar daar wilde ze niet van horen, want dat kon nog helemaal niet. En wanneer zou ze mijn ouders nu eens ontmoeten? Ik vroeg me af wat erger zou zijn: als wij naar hun huis gingen of als ik hen naar Londen haalde. Daar was ik nog zomaar niet uit. In Londen zou die verschrikkelijke tante Dervla in ieder geval niet in de buurt zijn en zou de halve buurt ons niet bespieden. Maar van de andere kant zouden mijn ouders zich in Londen erg onzeker gedragen.

Ik bleef het maar uitstellen.

Op een dag belde Linda op toen ze voor de zaak onderweg was. Ze zei dat ze maar een kilometer of twintig bij mijn geboorteplaats vandaan was en dat ze heel graag bij mijn ouders op bezoek zou gaan. Ik verzon een leugen, ik zei dat ze niet thuis waren. Toen ze terug was, begon ik meteen te roepen dat het toch zo jammer was dat ze elkaar gemist hadden, maar ze onderbrak me meteen.

'Ik heb ze niet gemist, John,' zei ze, 'ik ben bij ze langs geweest.'

'Maar ze waren er toch niet?' Ik hapte naar adem.

'Blijkbaar waren ze alweer terug,' zei ze.

'En?' vroeg ik.

'We hebben thee gedronken, met geroosterd brood met kaas erbij, en ik heb hun het een en ander verteld over het werk dat we doen, jij en ik, en toen kwam je tante Dervla langs. Ze zei dat we elkaar allemaal wel weer zouden zien bij Het Zilver. Wat is Het Zilver, John? Een pub of zo?'

'Ik weet het niet. Dat zal wel,' mompelde ik.

Linda had mijn ouders ontmoet, was bij mij thuis geweest. Ze had ook mijn tante Dervla gezien, en ze had het overleefd. Ze moest wel echt van me houden.

Ik probeerde Amy erover te vertellen, maar die maakte zich vreselijk druk over een reisje naar Parijs met Tim en hoorde nauwelijks wat ik zei. Ik vroeg me af of ik mijn ouders niet een keer in Londen zou moeten uitnodigen. Ze hadden Linda nu immers toch al ontmoet en dus was het ergste al achter de rug. Misschien zouden ze zich wat meer op hun gemak voelen nu Linda geen complete vreemde meer voor ze was. Maar er was eigenlijk nooit echt tijd voor, want er waren zoveel andere dingen.

We maakten lange dagen en in de zomer gingen we ieder weekend windsurfen. Sommige mensen uit ons clubje dachten erover om in de herfst te gaan diepzeeduiken. Af en toe voelde ik me wel een beetje bezwaard als ik bedacht hoe weinig mijn ouders hadden en hoe goed ik het zelf had. Maar ja, zo zijn de dingen nu eenmaal. Kijk eens naar de mensen in Afrika, die hebben het pas slecht. Daar valt niets aan te doen. Dus wat heeft het voor zin om je de hele tijd schuldig te voelen?

Linda ging heel vaak naar huis om haar ouders op te zoeken, maar voor haar lag het anders. Haar ouders woonden niet zo ver weg. Ze belde hen ook heel vaak, en hing dan allerlei onzinverhalen op. Ik belde mijn ouders nooit, want Bob en Pearl waren het soort mensen dat zou schrikken als de telefoon ging. Dan dachten ze altijd meteen dat het slecht nieuws was. Ze zouden trouwens ook zeggen dat het zonde van mijn geld was, al zou ik ze van kantoor af bellen. Ik was overigens echt van plan een keer kaartjes voor een musical of zo voor ze te bestellen, of iets anders wat ze leuk vonden en ze dan een nachtje in een hotel te laten slapen. Maar zoals ik al zei, het kwam er niet van.

Toen kreeg ik een telefoontje van Amy, zomaar ineens, pats boem, dat we eigenlijk een zilveren bruiloftsfeestje voor ze hadden moeten organiseren. Dus dat bedoelden ze toen ze tegen Linda zeiden dat ze haar bij Het Zilver wel weer zouden zien. Het was helemaal geen pub. Het was verdorie hun vijfentwintigjarig huwelijksjubileum.

'Shit!' zei ik een paar keer achter elkaar tegen Amy, en ze was het hartgrondig met me eens.

'Waarom hebben ze niks gezegd?' zei ze steeds weer. 'Nooit zeggen ze iets, we moeten het zelf allemaal maar bedenken zeker.'

Ik dacht even aan de grote verjaardagskaart die ze me ieder jaar stuurden, met in de envelop ook een linnen zakdoek of een boekenlegger of een ander prul. Maar uiteraard vergeten ouders de verjaardag van hun kinderen nooit – als wij kinderen krijgen, als Linda en ik een zoon en dochter zouden krijgen, dan zouden we hun verjaardag ook niet vergeten. Hoewel Linda er heel vaak even tussenuit piept om een cadeautje te kopen voor de verjaardag van deze of gene. Maar ja, vrouwen zijn nu eenmaal anders.

Daarom is het ook zo irritant dat Amy niet aan die verdomde zilveren bruiloft heeft gedacht. Ik zei oké, oké, laten we de schade dan zo veel mogelijk beperken, we organiseren wel iets voor ze in Londen, een dineetje met champagne of zo, en dan laten we ze in een limousine ophalen. Maar nee hoor. Amy kan er niet bij zijn. Zij en Tim hebben een weekendje in Parijs dat ze beslist niet kunnen afzeggen. Amy is soms zo egoïstisch. En dom bovendien, wat kan ze ontzettend dom doen.

Ze kwam aan met een soort psychologisch geblabla, dat we maar een gigantisch feest moesten maken van de paarlemoeren bruiloft, omdat ma Pearl heette en zo. Schijnbaar noemen ze de dertigste huwelijksdag zo: de paarlemoeren bruiloft.

God mag weten hoe we er dan allemaal voor staan. Linda en ik zijn dan getrouwd, zoveel is wel zeker, en Tim heeft intussen met een jongere versie van mijn zus aangepapt, zoveel is ook zeker.

Nou, zei ik toen, laten we dan allebei maar een boeket naar het huis van die vreselijke tante Dervla sturen. En toen zei ik dat ze misschien wel beter af waren met z'n tweetjes in Blackpool. En ik zei ook nog tegen Amy dat we voor de paarlemoeren bruiloft iets geweldigs op touw zouden zetten, maar op de een of andere manier slaagde ik er niet in mezelf of Amy geheel te overtuigen.

's Avonds vertelde ik Linda het hele verhaal. Ze luisterde naar me zonder iets te zeggen. En ze keek me aan alsof ze me nog nooit eerder had gezien.

Ik vond haar blik niet prettig. Het was net alsof er iets op mijn hoofd geschreven stond.

'Wat is er?' vroeg ik ongerust.

'Niets,' zei ze, 'helemaal niets. Vertel nou verder.'

Dus ging ik door met vertellen. Ik zei tegen haar dat mijn vader en moeder het zout der aarde waren natuurlijk... Dat wist zij ook want ze was bij hen geweest. Maar ze waren zo gauw tevreden. Het was gewoon zielig hoe erg ze aan kleine dingen gehecht waren. En mijn moeder sloofde zich altijd zo uit voor haar nicht, nota bene een verschrikkelijk mens; die had nu werkelijk totaal geen stijl en geen enkel gevoel voor van alles. En allebei waren ze vol ontzag voor tante Dervla, de bazige oudere zus van mijn vader, die dacht dat ze heel wat was, maar intussen bijna nooit uit Watford weg was geweest.

Ze waren volmaakt tevreden met hun kleine huisje daar en deden niet eens moeite om ergens anders iets beters te vinden. De tijden waren veranderd, mensen stootten op in de vaart der volkeren, alleen zij leken dat niet in de gaten te hebben. Als er alleen maar mensen als zij op de wereld waren geweest dan waren we nu nog holbewoners.

Uit Linda's gezicht viel niets op te maken. Anders was ze altijd heel geanimeerd en zei ze meteen of ze het met iets eens was of niet. Maar ze zat daar maar met een blanco uitdrukking op haar gezicht. En je weet wel hoe het gaat als iemand niet reageert... Dan ga je maar door met praten. Ik hoorde mezelf over mijn ouders zeggen dat ze kip met patat al een geweldige traktatie vonden en dat ze met Kerstmis het hele huis vol papieren slingers hingen zodat je je kont niet kon keren.

Linda zei nog steeds niets en dus vertelde ik ook over alle overuren die mijn moeder draaide om voor ons een nieuwe fiets te kunnen kopen en dat die verschrikkelijke tante Dervla ons dan melk en biscuitjes gaf voor ze ons in bed stopte. Ik zag dat Linda haar voeten langzaam van de bank liet zakken en in haar schoenen liet glijden, wat vreemd was, omdat we de flat voor ons alleen hadden en het nog lang geen tijd was om naar huis te gaan.

En toen zei ze dat ze wegging.

En ik zei: 'Je kunt nu nog niet weggaan... Wat moet ik dan met dat parelhoen dat ik gekocht heb en met die prachtige fles wijn?'

En toen vroeg Linda me zonder enige aanleiding of ik voor mijn vader en moeder wel eens parelhoen had klaargemaakt, waarop ik zei dat je in hun keuken onmogelijk kon koken en dat ze trouwens van zulke vieze dingen hielden dat ze van parelhoen waarschijnlijk misselijk zouden worden. Haar gezicht zag er opeens zo anders dan anders uit.

Dus zei ik nogal dom: 'Wat is er mis, Linda? Wat heb je toch?'

En toen keek ze heel treurig en terwijl ze mijn hand zo'n beetje aanraakte, zei ze: 'O, John, gulle John, je snapt het echt niet, hè?' En toen ging ze weg.

Ze ging weg.

Ik snapte het niet en ik snap het nu nog niet.

Dat is de moeilijkheid met mensen, namelijk. Ze zijn nooit helemaal te snappen.

13

Naar de pub

Deel 1 – Poppy

Toen ik jong was, woonde mijn oma bij ons. We waren dol op haar, want ze deed veel leukere dingen met ons dan onze ouders en ze begreep veel meer. Het was ook veel fijner om naar haar te luisteren, want ze was al oud en had heel veel meegemaakt. Ze ging vaak met Jane en mij wandelen in het Meidoornbos en liet ons allerlei interessante dingen zien, bijvoorbeeld de boomhut die haar broers jaren geleden hadden gebouwd. Ze liet ons ook zien hoe je bloemen in een boek kon drogen. Maar het mooiste vonden we de bron van Sint-Anna. Ze zei dat we mensen die daar gingen bidden nooit mochten uitlachen omdat we er zelf ook nog wel eens zouden komen bidden.

Want dat gebeurde nogal eens. Toen ze zelf jong was, vond ze al die mensen die daar zaten te mummelen en te mompelen en die van alles aan de takken van de meidoorn hingen, ook raar, maar ze zei dat ze er naarmate ze ouder werd steeds meer troost uit putte. Ze leerde ons naar mensen te luisteren. Of liever gezegd, dat leerde ze mij. Dat is waarschijnlijk ook de reden dat ik besloot om met bejaarden te gaan werken.

Thuis waren ze niet erg enthousiast over dat idee.

'Je zult toch eerst een diploma of zoiets moeten zien te halen,' zei mijn vader.

'Bejaarden kunnen erg lastig zijn,' zei mijn moeder.

'Je zult nooit een leuke man tegenkomen als je eenmaal in de geriatrie verzeild bent geraakt,' zei mijn oudere zus Jane.

Jane was een heel ander type dan ik. Ze gebruikte rouge en oogschaduw en ze had een stoomstrijkijzer aangeschaft voor haar eigen kleren. Ze was erg netjes op haar schoenen, ze stopte er altijd kranten in voordat ze ze opruimde en ze poetste ze vaak. Mijn vriendinnen en ik noemden haar altijd 'De Mannequin'.

Hoewel ze er thuis dus tegen waren, trok ik me er maar niets van aan, omdat ze eigenlijk overal tegen waren. Ik volgde de verpleegstersopleiding hier in Rossmore in het Sint-Anna-ziekenhuis en ik vroeg of ik op de zalen voor ouderen mocht werken.

Daar ontmoette ik allerlei geweldige mensen, die een hoop levenswijsheid met me deelden.

Een man leerde me van alles over de aandelen- en effecten-markt, een andere over de beste planten om in bakken voor het raam te zetten. Een oud vrouwtje dat maar liefst zeven huwe-lijksaanzoeken had gehad, vertelde me hoe je mannen naar je toe moest trekken en een ander oud vrouwtje leerde me koper poetsen. Dus toen ik de advertentie zag voor Huize Varens en Heide, dat zich een kilometer of acht buiten Rossmore bevond, wist ik al aardig goed wat er allemaal in de wereld te koop was.

Het bleek een oud huis te zijn dat ooit van twee schattige ouwe tantetjes was geweest die bezeten waren van tuinieren. Toen ze gestorven waren, was het omgebouwd tot een verzor-gingshuis. Ik was zevenendertig en ik had mijn voordeel gedaan met alle goede adviezen die ik in de loop der jaren gekregen had. Ik bezat een kleine, maar winstgevende aandelenporte-feuille. Er waren aardig wat mannen verliefd op me geweest maar ongelukkigerwijs was ik getrouwd met een man die Oli-ver heette en die aldoor verliefd werd. Na een jaar huwelijk had ik hem dan ook vaarwel gezegd.

Ik had koperen pannen die glommen als spiegels. Ik had plantenbakken waarin ik van alles en nog wat aan het bloeien kreeg, zodat er het hele jaar kleur in zat. Als kwalificaties voor de baan van directrice van Huize Varens en Heide stelde dit niet veel voor, maar ik bezat verscheidene aantekeningen en ik was enthousiast, waardoor ik de sollicitatiecommissie voor me wist te winnen. Ik kreeg de baan. Er hoorde een bescheiden huisje bij, met een compleet verwaarloosde tuin, maar daar zou ik snel verandering in brengen.

Zodra ik mijn aanstelling op zak had, belegde ik een bijeenkomst met het personeel en de bewoners van Huize Varens en Heide. Ze leken me een tamelijk vrolijk stel bij elkaar. Blijkbaar hadden ze veel op gehad met de vorige directrice, die vertrokken was omdat ze bij de televisie ging werken.

'Ik hoop niet dat u ons ook als springplank naar een carrière in de media gaat gebruiken,' gromde Garry, die – dat stelde ik in een fractie van een seconde al vast – de spreekbuis voor iedereen zou zijn zodra er iets te klagen viel.

'Nee, als ik die kant op had gewild, dan had ik dat al gedaan,' zei ik monter.

'Of dat u ons laat zitten om te gaan trouwen,' zei een breekbaar vrouwtje dat Eve heette kribbig. Ik bracht haar direct onder in de categorie Strijdlustigen.

'Trouwen? Ik ben al een keer getrouwd. Mij niet meer gezien,' zei ik.

Ze keken me met open mond aan. Ze waren misschien gewend aan behoedzamer taalgebruik.

Ik vroeg of ze er bezwaar tegen hadden om de eerste drie dagen badges met hun naam erop te dragen. Als ik iedereen daarna nog niet kende, was ik niet geschikt voor mijn functie. Ik zei dat ik Poppy heette. 'Ja,' zei ik, 'ik weet ook wel dat het een idiote naam is, maar op mijn geboorteaangifte stond iets nog veel ergers, dus als jullie er geen probleem mee hebben, is en blijft het Poppy.' Ik zei dat ik het heerlijk vond om te luisteren en te leren en dat als ze ideeën hadden, ik die maar wat graag zou horen.

Dat sprak ze blijkbaar wel aan. Toen ze wegsloften om thee te gaan drinken, hoorde ik hier en daar zeggen dat ik wel een rare was. Ik keek met enig genoegen rond in de nieuwe omgeving die mijn thuis zou worden. En ik besefte dat het een echt thuis zou zijn. Het huis waarin ik was opgegroeid, leek ontzettend ver weg.

Dat besef drong zich op toen bleek dat ik totaal niet geneigd was mijn vader en moeder op te bellen om ze over mijn nieuwe baan te vertellen. Ik had er geen behoefte aan naar alle negatieve dingen te luisteren die ze erover te vertellen zouden hebben. Ze zouden me voorhouden dat het een veel te grote verantwoordelijkheid was en dat als een van de oudjes een heup brak, dat mijn schuld zou zijn.

Mijn zus Jane belde ik al helemaal niet op, want die zou me weer vertellen dat er niks mis was met Oliver, die rijk en knap was, en dat het stom van me was geweest om hem weg te doen. Dat alle mannen wel eens buiten de pot piesten. Dat lag nu eenmaal in hun aard.

Ik belde Oliver niet op, want die belde ik nooit op.

Ik belde mijn beste vriendin Grania, die me als advocate had geholpen met het opstellen van contracten, en ik vertelde haar dat ik prima op mijn plek was en dat ze me moest komen opzoeken.

'Misschien kom ik wel sneller dan je denkt,' zei Grania. 'Mijn pa heeft te horen gekregen dat hij niet meer op zichzelf kan blijven wonen.'

Grania's vader, Dan Green, was een heerlijke man. Ik kwam altijd erg graag bij hen thuis. Hij was altijd vrolijk, had een bol rood gezicht en kon daverend lachen.

'Ik zou hem graag in Varens en Heide hebben,' zei ik tegen Grania. Als zij wilde zou ik spoorslags een kamer voor hem in orde maken.

'Dat is het probleem juist,' zei ze zuchtend. 'Hij zegt dat hij er niet over piekert naar een tehuis te gaan, dat hij blijft zitten waar hij zit, omdat hij elke avond naar de pub wil voor zijn biertje. Maar het probleem is dat hij dat niet meer kan. Dat is de grote moeilijkheid, Poppy.' Ze klonk erg van streek.

'Er is vast wel een mouw aan te passen,' zei ik. We mochten Grania's vader niet in de steek laten, maar we hoefden hem daarom nog niet te koeioneren. 'Vraag hem of hij een keer bij mij komt theedrinken... ik zal hem niet overhalen als hij niet wil.'

'Ik zal 't proberen.' Grania had er niet veel fiducie in.

Een van de eerste dingen die ik op Varens en Heide aanpakte, was de tuin. Die was ernstig verwaarloosd.

'Een gelukkige directrice is een goede directrice,' zei ik tegen de bewoners. 'En ik ben erg ongelukkig over onze tuin. Ik wil een aantal opgehoogde bloembedden aanleggen, maar voor de beplanting heb ik hulp nodig.'

Garry zei dat ze een hoop geld betaalden om hier te kunnen wonen en dat hij niet van plan was om in de aarde te gaan wroeten en vuile handen te maken. Best, zei ik, hij moest natuurlijk doen wat hij zelf wilde. Maar toen hij eenmaal doorhad dat de tuinders veel plezier hadden, vooral bij het uitzoeken van de zaden en de perkplanten, en dat ze bovendien icetea van me kregen, begon hij weldra een ander deuntje te fluiten.

Als beloning gaf ik alle tuiniers een bak voor aan hun raam en begeleidde ik hen bij het planten. Het werd een heuse competitie en alle oudjes vroegen hun bezoekers om exotische planten uit het tuincentrum voor ze mee te brengen. Tegen de tijd dat het bestuur voor het eerst kwam inspecteren, werd er druk gepraat over een kleine fontein, ofwel een waterpartij zoals we het noemden. Het ging allemaal van een leien dakje.

Toen kwam Grania met haar vader op bezoek. Dan Green was nog steeds een vrolijke, joviale man.

Maar hij was door ziekte behoorlijk verzwakt en hij was niet dom. Hij wist best dat hij het in zijn eentje niet lang meer kon bolwerken en dat bij Grania en haar grote gezin intrekken geen optie was. We wandelden een eindje, hij en ik. Ik liet hem zien wat we allemaal geplant hadden en zei dat we voor de winter schilderlessen op het programma hadden staan, waarna er waarschijnlijk een tentoonstelling van ons werk gehouden zou worden.

'Jij wilt me hier in huis zien te krijgen, hè, Poppy?' zei hij.

'Nee, dat zou ik niet voor elkaar krijgen, Dan,' zei ik spijtig. 'Het is heel moeilijk om hier een plaatsje te krijgen.'

'Je bent een open boek voor mij, je bent niet voor niets al vanaf je tiende met Grania bevriend. En als ik ergens naartoe zou gaan, dan naar dit huis, maar het gaat gewoon niet. Ik kan mijn grootste pleziertje echt niet opgeven, en dat is 's avonds naar de pub gaan.'

'Je kunt hier toch ook drinken, Dan. Dat doe ik ook. Geloof me, je kunt hier iedere avond een glaasje wijn drinken.'

'Nee, dat is niet hetzelfde,' zei hij, nu echt geïrriteerd, alsof hij deze strijd al talloze malen had uitgevochten. 'Vrouwen snappen niks van naar de pub gaan. Het gaat om het bier, bier van de tap, het gaat om het complete ritueel.'

Hij had natuurlijk gelijk. Ik begreep er ook niks van. Ik begreep werkelijk niet waarom je iedere avond naar een plek zou gaan waar je de kans liep je te pletter te vervelen bij alle grappen die er werden gemaakt, doodmoe te worden van alle clichés van de barman en van de eindeloze verhalen waarop de klanten je vergastten, waar je door dronkenlappen belaagd kon worden en waar je je eenzaam en geïsoleerd kon voelen omdat iedereen met andere mensen was en jij in je eentje. Waarom zou je niet veel liever wat drank inslaan en naar het huis van vrienden gaan of ze bij jou uitnodigen? Maar het was niet het geschikte moment om deze kwestie met Grania's vader tot op de bodem uit te zoeken.

Ik begaf me op minder gevaarlijk terrein. Ik vertelde over de grote nieuwe flatscreen-televisie die we hadden aangeschaft. Ik vertelde dat we het plan hadden een van de zalen in te richten als een ouderwetse bioscoop, waar je popcorn kon eten en waar het personeel je met een lampje je plaats wees. Ik vertelde over de bibliotheek waar we een groot bord met 'STILTE' erop hadden opgehangen en waar de bewoners dagelijks verschillende kranten konden lezen. Familie en vrienden hadden al heel wat boeken voor ons meegebracht en die waren allemaal keurig op volgorde gezet.

Ik vertelde verder dat er iedere week een busje kwam om ons naar het Meidoornbos te brengen, waar ik verhalen vertelde die ik van mijn oma had gehoord, en waar anderen uit deze buurt herinneringen met elkaar deelden. Ook verzamelden we vaak schors, bladeren en bloemen. Ik liet hem kennismaken met Maturity, de ruigharige hond die we hadden gekregen van Skunk Slattery, die een goed thuis voor hem zocht. Maturity was de volmaakte hond voor in een bejaardentehuis: hij liet zich door iedereen aaien en achter zijn oren krabben, zonder voor de een meer belangstelling aan den dag te leggen dan voor de ander.

Ik liet Dan ook de kippen in de achtertuin zien, mijn grote trots: zeven witte leghorns, allemaal met een naam en hun eigen record eieren leggen, die daar heerlijk kakelend rondscharrelden. Dan toonde zich zeer geïnteresseerd in alles, maar verzekerde me desondanks dat het allemaal niet zou baten: Varens en Heide lag te ver bij een pub vandaan. Het was maar liefst acht kilometer naar Rossmorc en de beschaafde wereld.

'Grania kan je erheen rijden als ze je komt opzoeken,' hoorde ik mezelf bedelend zeggen.

Ik zou het heerlijk vinden om haar vader hier te houden. Maar blijkbaar was de psychologie van de pub ook aan Grania niet besteed. Een man had er behoefte aan erheen te gaan wanneer het hem uitkwam en moest er zijn eigen plekje hebben. Toen hij wegging, leek hij bijna spijt te hebben. Vanuit de keuken was de geur van interessant voedsel zijn neusgaten binnengedrongen.

Op donderdag werd er kookles gegeven, en iedere week was er een andere groep die de maaltijd verzorgde. Vanavond zou er nasi goreng zijn, want die middag was er Indonesische kookles voor beginners.

Al met al had ik een erg druk bestaan; er is hier altijd veel te doen. Ik dacht een paar weken niet meer aan Dan totdat Grania me vertelde dat haar vader een lelijke smak had gemaakt en dat hij verzorging nodig zou hebben als hij uit het ziekenhuis kwam. 'Alsjeblieft, Poppy,' smeekte Grania, 'mag hij zolang bij jullie in huis? Voor een paar weekjes maar, tot ik heb bedacht hoe het verder moet.'

Er was maar één grote hoekkamer beschikbaar. Het was mijn bedoeling geweest er een muziekkamer van te maken. Maar nu bracht ik hem voor Dan in gereedheid. Hij was erg terneergeslagen en had geen zin om met andere bewoners van Varens en Heide kennis te maken. Zijn daverende lach werd niet meer gehoord en zijn bolle ronde gezicht leek smaller en grauwer geworden. Maar ik kon niet al te veel naar hem omkijken. Ik had simpelweg geen tijd om me al te druk te maken om de veranderingen die zich bij de ooit zo vrolijke vader van een vriendin hadden voorgedaan. Ik moest me met veel te veel andere dingen bemoeien.

Garry, altijd de spreekbuis als er sprake was van enige onvrede, had geprotesteerd tegen het feit dat Dan een grotere kamer had gekregen dan ieder ander. Eve, een zorgelijk type, zei dat een aantal nieuwe boeken voor de bibliotheek keiharde porno bevatte. Oliver, mijn ex, zei dat hij na rijp beraad tot de conclusie was gekomen dat vrouwen niet begrepen wat een vrije geest inhield en dat hij met liefde bij me wilde terugkomen op basis van de strengste monogamie. Mijn zeer elegante zus Jane zei dat ik gek was als ik hem niet terugnam. Maar het was toch al duidelijk dat ik mijn hele leven nog geen enkel verstandig besluit had genomen. Het bestuur van Varens en Heide kondigde aan dat een van de leden zijn aandelen in het tehuis wilde verzilveren en dat de hele boel dus tot in detail getaxeerd moest worden.

Dus stuurde ik Garry naar Dan toe om Dan zijn grieven recht in het gezicht voor te leggen. Ik wist dat Dan op niet mis te verstane wijze duidelijk zou maken dat hij niet van plan was om te blijven en dat dit Garry zou kalmeren.

Ik ging met Eve naar de bibliotheek en bekeek de keiharde porno: een aantal onschuldige plaatjes van gescheurde keurslijfjes. Ik schreef een brief aan Oliver om hem te melden dat ik hem het beste wenste met zijn inzichten en spirituele zoektochten, maar dat ik niet piekerde over een verzoening. Ik herinnerde hem beleefd aan het verbod dat een rechter hem bij herhaling had opgelegd, dat het hem onmogelijk maakte mij op te zoeken om de zaak verder te bespreken.

Ik liet het bestuur weten dat ik gaarne in een vijfentwintigprocentsbelang in Varens en Heide wilde investeren als ze klaar waren met de taxatie. Ik vermeldde erbij dat ze konden komen kijken wanneer ze maar wilden, als ze de bewoners maar met rust lieten. En dat ze een eerlijk beeld voorgeschoteld zouden krijgen. Dat ik natuurlijk pogingen zou kunnen ondernemen om de boel er vervallen te laten uitzien om de aandelen goedkoop te kunnen aanschaffen, maar dat ik er aan de andere kant juist baat bij had om alles er goed te laten uitzien om mijn baan als directrice niet op het spel te zetten.

Het bleek allemaal prima te werken. Dan en Garry werden in een vloek en een zucht dikke vrienden. Eve startte een feministische gespreksgroep in Varens en Heide met de bedoeling uit te vinden hoe de mannelijke psyche in elkaar stak, aangezien mannen in de grond best fatsoenlijk, maar nogal verward waren.

Oliver ging naar het huis van mijn zus om zich bij haar te beklagen en hing zo vaak en zo lang huilend tegen haar schouder aan dat ze het ineens kennelijk niet meer idioot vond dat ik hem niet terugnam, want ze begon er niet meer over.

De heren van het bestuur kwamen de boel een keer stiekem bekijken toen we in het bos waren en meldden vervolgens dat ze plezierig verrast waren over de staat van Varens en Heide. Ze vroegen me vervolgens een enorme sloot geld voor een belang van vijfentwintig procent in het geheel.

Maar ik lustte ze rauw.

Ik legde ze uit dat als ik me inkocht, dit betekende dat ik aan zou blijven als directrice. Ik somde op welke verbeteringen ik al had ingevoerd en gaf aan dat ik nog meer plannen in petto had. Ik zei dat ze gerust bij de bewoners mochten vragen wat ze ervan vonden om hier te blijven wonen als ik weg zou gaan. Ze gaven met een zuur gezicht toe dat ik al zo veel in het hele project had gestoken dat mijn financiële inbreng een stuk lager mocht uitvallen dan ze eerst in gedachten hadden.

'Je gaat behoorlijk onorthodox te werk, Poppy,' zeiden ze. 'Zorg in ieder geval wel dat Varens en Heide zijn vergunning niet verspeelt, dat er geen regels worden overtreden.'

Ik had niet het idee dat we regels hadden overtreden. De kippen zagen er goed uit en in de bibliotheek was geen pornografie te vinden. Maar er was iets dat aan mijn hersens knaagde.

Het had met Grania's vader te maken.

Dan was op een of andere manier al te vrolijk.

Ik zou een oogje op hem houden.

Hij kon beslist niet naar de pub. De dichtstbijzijnde was zeven kilometer verder en als hij een taxi zou nemen, was ik daar binnen tien seconden van op de hoogte. Maar toch leek hij weer volledig de oude te zijn en had hij zijn bolle rode toet terug.

Toen hij eenmaal besloten had om in het tehuis te blijven wonen, was hij teruggegaan naar huis om zijn spullen op te halen.

We hadden aangeboden hem te helpen met inrichten, maar daar wilde hij niet van weten. We moesten hem in zijn waarde laten en hem de kans geven zelf te bepalen waar hij zijn eigen spulletjes neerzette.

Zijn nieuwe vriend Garry zou hem wel helpen, zei hij.

Wij zijn er een sterk voorstander van onze bewoners hun onafhankelijkheid en waardigheid zo veel mogelijk te laten behouden en gingen uiteraard akkoord. We hoorden wat getimmer, maar het leek er niet op dat ze muren aan het slopen waren. Dan had een oude buffetkast met een spiegel tegen de achterwand, wat jachtprenten, een prikbord en een dartbord om tegen de achterkant van zijn deur te hangen. En ik zag wat vage omtrekken van meubels die schuilgingen onder kleedjes en fluwelen doeken. Het leken me gewone kasten of ladekasten.

Maar zijn kamer was zo groot dat hij alles makkelijk kwijt kon. Hij vertelde dat hij ook wat vouwstoelen had meegenomen voor als er mensen bij hem op bezoek kwamen en twee hoge krukken die hij gebruikte om vazen met bloemen op te zetten. Het viel me op dat verscheidene mensen voor het middageten bij Dan voor een halfuurtje binnenwipten en voor het avondeten eveneens.

De vrouwen waren zich de laatste tijd wat beter gaan kleden

en lieten hun haar vaker doen door de kapster die geregeld aan huis kwam. Ze deden zelfs parfum op en droegen sieraden. De mannen droegen vaker een das en kamden hun haar glad naar achteren.

Er was iets gaande.

Ik had natuurlijk al veel eerder kunnen bedenken dat Dan een pub had opgezet in zijn kamer. Hij had maatdoppen in zijn buffetkast geïnstalleerd. Het met kleden afgedekte meubel bleek een toog te zijn. De vazen werden van de hoge krukken gehaald en de vouwstoelen werden rond tafeltjes geplaatst.

Eve dronk een glaasje martini, enkele andere dames namen een vingerhoedje sherry en de mannen dronken een biertje dat uit een metalen vat kwam dat gedurende de sluitingstijd van de pub meesterlijk vermomd was als een reusachtige tijdschriftenbak.

Hoe ik daar achterkwam?

Door ze te bespioneren.

En wat er aan het licht kwam, was een uiterst vrolijke boel. Ze werden nooit dronken en niemand had er last van. Maar uiteraard overtraden ze wel de wet. Je mag nu eenmaal zonder vergunning geen alcoholhoudende drank verkopen. Dat mag nergens. En al helemaal niet in een verzorgingshuis dat van regels en voorschriften aan elkaar hangt, waarvan er niet een is die stelt dat de bewoners een bar mogen hebben waar voor geld drank verkocht wordt.

Maar ze hadden het zo naar hun zin. Het zou zo jammer zijn om er een eind aan te maken. Ik besloot dat ik er nooit achter moest komen.

Dus als iemand van het personeel me benaderde met de mededeling dat er misschien iets was wat ik behoorde te weten, slaagde ik er altijd in het niet te horen. De hemel mag weten voor welke andere vreselijke dingen ik mijn ogen mogelijkerwijs gesloten hield. Het bestuur bleef intussen inspectierondes houden en ik slaagde er altijd in om Dan ruim van tevoren te laten weten wanneer ze precies kwamen, want soms bezochten ze bewoners om hen te vragen hoe het ging en ik wilde voorkomen dat ze bij Dan zouden aankloppen wanneer het cocktailuurtje in volle gang was. Een ander lid van het bestuur verkocht na verloop van tijd ook zijn aandelen, zodat ik de helft van het tehuis in mijn bezit kreeg.

Toen ik dit aan mijn zus Jane vertelde, deed ze erg knorrig. Ze was totaal niet blij voor me. Ik wilde haar op een etentje trakteren om het te vieren, maar ze deed niets dan haar schouders ophalen en zuchten en zeggen dat het zo raar was dat een verpleegster die min of meer op staatskosten haar opleiding had ontvangen het zo ver kon schoppen. Ik was met te veel andere dingen bezig om me er druk over te maken. Zo moest ik ervoor zorgen dat de schilderlessen niet gegeven werden op een tijdstip dat Dans bar open was. Op de dag dat onze kunst tentoongesteld werd, gingen een hoop oudjes eerst naar Dan om zich moed in te drinken.

De volgende dag maakte ik een wandeling in het bos, alleen vergezeld door de hond.

Maturity vond het heerlijk in het bos en ontdekte steeds iets nieuws wat zijn aandacht opeiste. We waren op een gegeven moment dicht bij de bron en dus ik besloot erheen te gaan.

Er hingen allerlei briefjes met de geplande ringweg als onderwerp.

'We zullen niet toelaten dat u wordt weggehaald, Heilige Anna,' stond er op eentje. Bij een ander briefje hing een pen. Mensen die tegen de grote weg waren, werd verzocht hun handtekening te zetten op de lijst die eronder hing. Ik wilde mijn naam er ook op zetten. De meeste mensen in mijn tehuis waren tegen de verandering. Maar toen vroeg ik me af of juist door die weg sommige bewoners meer bezoekers zouden krijgen, omdat de wegen dan niet meer verstopt zouden zijn.

Juist op dat moment ging mijn mobiele telefoon. Om me heen hoorde ik een hoop gezucht. Was er tegenwoordig dan nergens meer een plek die heilig was?

Ze belden vanuit het tehuis. Volstrekt onaangekondigd waren er drie inspecteurs verschenen.

Ik moest heel snel nadenken.

Ik keek op naar het heiligenbeeld, in de hoop op advies. 'Kom op, heilige Anna, toen ik u om een man vroeg, hebt u niet zo erg uw best gedaan,' zei ik. 'Zorg er in ieder geval maar voor dat ik hier uitkom.' Toen vroeg ik om met de kamer van Dan te worden doorverbonden.

'Meneer Green,' zei ik, met al het gezag dat ik tot mijn beschikking had, 'meneer Green, de plannen zijn veranderd. Ik kan niet naar u toe komen om uw schilderijtjes met u te bespreken zoals was afgesproken. Ik zou in plaats daarvan graag zien dat u allemaal zo snel mogelijk naar de eetzaal gaat. Er zijn namelijk inspecteurs van de volksgezondheid gearriveerd en ik ben nu niet in het gebouw. Ik ben zo terug en ik wil hen graag rondleiden. U zou me enorm helpen als ik ervan op aan kan dat iedereen nu gaat lunchen. Dat wil zeggen zodra u alle kunstwerken hebt opgeruimd, als u begrijpt wat ik bedoel. Dank u wel voor uw vriendelijke medewerking, meneer Green.' Ik verbrak de verbinding.

Dan zou wel zorgen dat het goed kwam. Maturity en ik renden terug naar de auto en ik reed als een gek terug naar Varens en Heide. De inspecteurs genoten van koffie met een koekje in de hal. Ze bekeken de tentoongestelde plaatselijke flora in de vitrines. Ze bestudeerden de aankondigingen aan de muur van een kookdemonstratie, een matineevoorstelling van *Brief Encounter*, een film die regelmatig in het tehuis werd vertoond omdat hij zo populair was, en een discussiemiddag over de nieuwe ringweg.

Ik verontschuldigde me voor mijn afwezigheid en stelde de inspecteurs voor om hun alles te laten zien. Toen ik hen meevoerde over de begane grond, zag ik de kleine stoet pre-lunchborrelaars giechelend richting eetzaal gaan. Ze hadden meer lol dan stiekeme drinkers uit de tijd van de Drooglegging ooit gehad konden hebben.

Nu hoefde ik er alleen nog maar voor te zorgen dat Dan nooit zou vertellen wat ik gedaan had om zijn bescheiden nerinkje en mijn tehuis te redden.

'Hé, hallo, Poppy,' zei hij vrolijk. Toen knikte hij naar de inspecteurs van het Departement voor Volksgezondheid. 'Fantastisch tehuis dit, maar god nog aan toe, zij houdt de wind er wel onder hier met al die regeltjes van haar... Steeds maar weer die brandoefeningen en hygiënische maatregelen. Niet te geloven gewoon. Maar toch hebben we het hier erg naar ons zin. Dat wil heel wat zeggen, toch?'

De inspecteurs waren erg onder de indruk, de giebelaars gingen eten en ik wist dat we dit tot in de eeuwigheid zouden kunnen volhouden.

Deel 2 – De Mannequin

Toen ik nog jong was, zeiden ze altijd dat ik een perfectionist was. Dat streelde me, want dat betekende dat ik alles altijd perfect voor elkaar wilde hebben en dat was ook het geval. Maar toen ik ouder werd, noemden ze me niet meer zo. Waarschijnlijk vonden ze dat het hetzelfde was als pietluttig, kieskeurig, ontevreden.

Uiteindelijk noemden ze me ouwe vrijster.

Niemand noemde Poppy ooit perfectionistisch. Allemachtig, zeg, dat zou ook wat zijn. Ze viel voortdurend haar knieën kapot, er zaten eeuwig korstjes op. Haar haar hing altijd voor haar gezicht en in haar kleren zaten altijd scheuren omdat ze in het Meidoornbos in bomen klom of van dingen af gleed. Maar het gekke is dat iedereen altijd dol was op Poppy. Buitensporig dol zelfs.

Ze had altijd vriendinnen over de vloer; die schreeuwerd van een Grania woonde zo'n beetje bij ons in huis, verdorie. En dan nog al die andere meiden... En met jongens was het al precies hetzelfde, toen ze eenmaal zover was – en dat was behoorlijk vroeg kan ik je zeggen. Ze hingen bij bosjes om haar heen. Toen ze in Rossmore van de Sint-Idaschool kwam, had ze heel goed naar de universiteit gekund, zoals ik. Ik heb een universitaire graad en ik ben bibliothecaresse geworden, maar nee, Poppy, die altijd al ontzettend eigenwijs was, moest zo nodig verpleegster worden.

Ma en pa waren misschien wel opgelucht dat het hun geen cent zou kosten, maar toch... Waarvoor hadden ze anders zo hard gewerkt en zoveel opzijgelegd dan om ons te laten studeren? Poppy kwam thuis met verhalen uit het ziekenhuis waarvan de haren je te berge rezen. Echt ongelofelijk wat ze daar de hele dag moest doen! Dat mensen hun leven aan mijn halfgekke zus durfden toevertrouwen, is me nog steeds een raadsel.

Toen ze haar diploma had gehaald (tegen alle verwachtingen; ik had nooit gedacht dat ze het zou volhouden), ging ze werken op een bejaardenafdeling. De meeste van die oudjes waren de kluts kwijt, de stakkers, en deden de gekste dingen. Poppy vond het fascinerend en ook om te gillen; je zou denken dat ze met Einstein en Peter Ustinov werkte in plaats van met oudjes die volkomen de weg kwijt waren en vaak niet eens wisten wat voor dag het was.

Onder de talloze aanbidders van Poppy was er een die Oliver heette. Zijn familie bezat een hoop onroerend goed in en rond Rossmore. Hij was ontzettend knap en ook een beetje een vrouwenversierder. Hij had niet echt een baan, want de noodzaak ontbrak. Zijn familie was aan de ene kant opgelucht dat hij eindelijk zijn wilde haren zou verliezen en aan de andere kant bezorgd omdat hij een verpleegster die Poppy heette en geen goede familieachtergrond had, tot zijn bruid had uitverkoren. Ik waarschuwde Poppy nog dat hij vermoedelijk geen honderd procent trouwe echtgenoot zou zijn, maar zij zei dat je in het leven nu eenmaal risico's moest nemen omdat er anders niks aan was; dat het ook heel goed mogelijk was dat zij door een andere man zou worden aangetrokken en dat het huwelijk dus eigenlijk een optimistische reuzensprong was.

Zo zag ik het huwelijk helemaal niet. Ik zag het als iets waar je heel diep over na moest denken om er zeker van te zijn dat je de juiste stap zette. Toevallig was ik zelf nog nooit zover gekomen dat ik serieus moest nadenken over een huwelijk met iemand, behalve die keer met Keith, die ook bibliothecaris was. We pasten erg goed bij elkaar, maar er was blijkbaar toch sprake van een gigantisch misverstand. Ik weet echt niet wat er gebeurd is.

We hadden het erover om ons te verloven en ik vertelde hem over de kleine vierkante smaragd die ik graag op mijn ring wilde hebben. Hij was niet buitensporig duur of zo, maar Keith schrok er blijkbaar van dat ik hem al had uitgezocht en had gepast. Toen ik erover begon dat we in ons huis een inloopkast moesten hebben omdat onze kleren anders zo vreselijk zouden kreuken, vond hij... ach, ik weet eigenlijk niet wat hij vond. Maar hij zei dat hij meer tijd nodig had en daarna verdween hij allengs uit het zicht.

De bruiloft van Oliver en Poppy was precies zoals je zou verwachten. Hapsnap en totaal ongeorganiseerd, en er werd ontzettend veel gelachen. Een hoop champagne en van die kleine kipsandwiches. En een bruidstaart. En dat was alles. Geen groots banket met een tafelschikking. Nee hoor.

Ma en pa hadden het erg naar hun zin. Ik niet.

Die luidruchtige Grania maakte weer herrie en ze had ook nog eens die verschrikkelijke vader van haar meegenomen, een man met een kop als een boei. Ma en pa zeiden dat Poppy haar hele leven nog geen dag lastig was geweest.

Dat vond ik echt het toppunt.

Poppy niet lastig?

Was ik dan wel lastig soms? Ik had mijn eigen flatje en ik kwam geregeld bij hen op bezoek. Niet zo vaak als ouders willen, maar vaak genoeg. In ieder geval af en toe. Poppy en Oliver hadden een prachtig huis, of nou ja, vergeleken bij mijn flatje was het prachtig, maar het werd natuurlijk wel heel erg verwaarloosd. Poppy had namelijk nog steeds die hondenbaan op de geriatrische afdeling.

Als ik met Oliver met al zijn geld was getrouwd, nou, dan had ik het wel geweten, ik was gewoon thuisgebleven, had alles mooi ingericht en dan zou ik gasten hebben ontvangen. Misschien was hij dan wat honkvaster geworden.

Ik wist al vrij vroeg dat hij vreemdging eigenlijk. Ik zag hem in een innige omhelzing met een meisje in een bar. Hij zag mij ook, maakte zich van haar los en kwam naar me toe, overlopend van charme.

'Wij zijn toch volwassen mensen, jij en ik, Jane?' begon hij.

'Ja zeker, Oliver,' zei ik ijzig.

'En volwassen mensen rennen niet meteen naar huis met onnozele verhaaltjes, toch?'

'Behalve als ze in een bar andere volwassenen onnozele dingen zien uithalen,' zei ik. Ik was heel trots op mezelf.

Hij bleef me een tijdje staan aankijken. Toen zei hij: 'Ach, Jane, uiteindelijk is de keuze natuurlijk aan jou,' en toen liep hij weer naar dat meisje toe.

Ik betaalde en ging weg.

Ik heb het Poppy trouwens niet verteld.

Ik had haar min of meer gewaarschuwd voordat ze met hem ging trouwen, maar toen had ze zo onverschillig en afwerend gedaan... Ze moest zelf maar zien.

Zes maanden later kwam ze er zelf achter. Ze kwam onverwachts thuis en toen ze haar slaapkamerdeur opendeed, zag ze Oliver die met een oude vlam van hem nostalgische dingen aan het doen was. Ze vroeg hem te vertrekken. Diezelfde dag nog.

Natuurlijk ging hij dwarsliggen.

Hij vond haar bekrompen, zei hij, en in veel opzichten was ze dat ook. Ze verlangde geen uitleg, excuses of beloftes dat hij het nooit meer zou doen. Ze zei dat het huis het enige was wat ze wilde, dat ze verder geen alimentatie wilde of niks, dat hij daar heel goed mee wegkwam, wat hij wel zou merken als hij ging praten met zijn advocaat of vrienden van hem die gescheiden waren.

En of het nog niet erg genoeg was dat ze zo'n rijke man liet schieten, gaf Poppy ook nog eens haar saaie maar veilige baan in het ziekenhuis op en ging werken in een maf bejaardentehuis dat Varens en Heide heette.

Die naam alleen al! Maar natuurlijk vond die rare Poppy dat juist leuk. Het was toch veel beter dan Heilige Dit of Dat, zoals de meeste huizen heetten; die gaven de bewoners alleen maar het idee dat ze in ijltempo richting het hiernamaals werden gedreven. En andere huizen hadden juist weer van die overdreven vrolijke namen, zei ze, en daarom was ze blij met Varens en

Heide. Ze was ook vaak op handen en knieën bezig juist deze planten in de grond te zetten, om de rare naam recht te doen.

Poppy trok zich nergens wat van aan, echt waar, die deed gewoon wat haar inviel.

Tegen alle verwachtingen in kende dat verdomde bejaardentehuis een grote bloei en ma vertelde dat Poppy een groot deel ervan tegenwoordig in eigen bezit heeft. Ze zei dat zij en pa er erg graag wilden gaan wonen als ze oud waren. Poppy had gezegd dat ze er juist veel eerder moesten intrekken, zolang ze nog meer dan genoeg energie hadden om te kunnen meedoen met alle leuke activiteiten van de bewoners.

Ik vond het vreselijk om er op bezoek te gaan.

Ik ging natuurlijk wel af en toe, uit solidariteit, maar wat mij vooral tegenstond was dat perkamentachtige vel van de oudjes en de gedachte aan de tafeltennistoernooien die ze hielden.

Soms vroeg Poppy me op zo'n idioot toontje, alsof ze een jaar of elf was: 'En wat doe jij dan, Jane, dat zoveel opwindender is dan dit hier allemaal?' Natuurlijk kun je op zo'n soort vraag nooit antwoord geven.

Ma en pa zeiden vaak dat Poppy niet te houden was. Ik weet niet waarom, maar het leek wel alsof ze daar nog trots op waren ook.

Een heleboel van die gekke bejaarden in het tehuis waren fel tegen de ringweg die rond Rossmore was gepland. Sommige anderen waren er juist voor, omdat ze vonden dat het een hele verbetering zou betekenen als ze naar de stad gingen. Ze konden gemakkelijker de straat oversteken als er minder verkeer zou zijn. Weer anderen waren ertegen omdat ze bang waren dat hun familie alleen nog langs zou stuiven en niet meer op bezoek zou komen. Poppy organiseerde discussiemiddagen in het tehuis en later liet ze beide partijen in Rossmore afzetten zodat ze konden betogen voor elk van de twee kanten. Krankzinnig toch? Zelfs Oliver, die af en toe bij me langskwam, zei dat ze een wonderbaarlijk figuur was.

Ik had altijd grote sappige olijven en dunne plakjes salami in huis voor als Oliver langskwam. En ik kleedde me sowieso altijd al keurig, dus zou hij me nooit als een slons betrappen. De arme Poppy zag er vaak uit alsof ze de hele dag zware lichamelijke arbeid had verricht. Eigenlijk deed ze dat ook op die geriatrische afdeling waar ze eerst werkte, voordat ze naar het bejaardentehuis overstapte.

Ik vond het erg leuk als Oliver langskwam. Nou en of.

Natuurlijk gingen we ook met elkaar naar bed. Ik bedoel, zo zit Oliver nu eenmaal in elkaar. Het had niets om het lijf. Ik was immers zijn schoonzus, of in ieder geval zijn ex-schoonzus om precies te zijn. Ik zag hem heus niet als iemand met wie ik zou kunnen trouwen. Nee, als Sint-Anna mijn gebeden zou verhoren, dan denk ik niet dat Poppy's ex mijn uitverkorene zou worden.

Hij praatte heel vaak over Poppy, wat ik behoorlijk irritant vond. Ik zei een keer dat we het met Poppy als gespreksonderwerp nu wel gehad hadden, maar toen keek hij heel verbaasd. Hij wilde altijd weten of ze met iemand ging, en dan zei ik, ach, je kent Poppy toch, ze gaat met iedereen en met niemand. Dat bracht hem nog meer in verwarring en dan vroeg hij weer of ze wel eens naar hem vroeg.

De waarheid was dat als ik over Oliver begon, Poppy haar ogen ten hemel sloeg en alleen maar zuchtte. Maar dat vertelde ik hem niet. Hij scheen te denken dat we veel meer met elkaar omgingen dan het geval was en hij vroeg me van alles en nog wat over onze jeugd samen. Alsof ik daar nog iets van wist!

Ik besloot om een keer naar dat idiote tehuis te gaan, naar Varens en Heide, om Poppy op te zoeken, zodat ik Oliver echt iets over haar te vertellen zou hebben. Ik wilde hem het idee geven dat we veel meer met elkaar omgingen en om elkaar gaven dan in werkelijkheid het geval was.

Het eerste wat ik zag toen ik aankwam, was Poppy's achterste dat in de lucht stak, terwijl ze in de grond zat te wroeten. Om haar heen stond een assortiment ouwetjes, onder wie nota bene Dan met zijn bolle kop, de vader van luidruchtige Grania. Wat deed hij daar nou? Ze lachten allemaal hysterisch om het een of ander. Zodra ze me zagen, was het gedaan met hun gelach.

'Nee maar, daar heb je De Mannequin!' riep de vreselijke Dan. Waarop de anderen me niet al te vriendelijk aankeken. Poppy kwam uit het gat in de grond overeind. Haar handen waren erg smerig en er zaten moddervegen op haar gezicht.

'O, hallo, Jane,' zei ze, 'wat is er mis?' Alsof er iets mis zou moeten zijn voordat ik mijn enige zus kwam opzoeken.

'Waarom zou er iets mis zijn?' snauwde ik tegen haar.

Ze hadden allemaal door hoe het zat, die oudjes, en Dan nog het meest.

'Riemen vast!' riep hij. Ze lachten allemaal.

'Steek de lont in het kruitvat en dan snel achteruit!' riep een ander oud kereltje dat geen tand meer in zijn mond had. Hij moest al minstens dertig jaar met pensioen zijn.

Ik haatte het dat ze zagen hoe koel onze verstandhouding was en dat ze begrepen wat dat te betekenen had. En ik haatte Poppy dat ze het hun liet zien.

'Oké, jongens, ik moet even weg. Blijf in hemelsnaam bij dat gat vandaan, want ik wil jullie er straks niet vinden met gebroken heupen,' commandeerde Poppy, waarna ze me voorging naar haar huisje op het terrein. Ze waste haar handen, schonk twee glaasjes sherry in en ging tegenover me zitten om te praten.

'Er zit nog modder op je gezicht,' zei ik.

Ze schonk totaal geen aandacht aan die opmerking. 'Is er iets met pa?' vroeg ze.

'Nee, natuurlijk niet, wat zou er moeten zijn?'

'Nou, vorige week was zijn bloeddruk aan de hoge kant,' zei Poppy.

'Hoe weet jij dat nou?' vroeg ik.

'Ik neem iedere week zijn bloeddruk op als ik bij ze langs ga op mijn halve vrije dag,' zei ze.

Ging Poppy iedere week op haar halve vrije dag naar pa en ma toe? Verbluffend!

'Maar wat is er dan aan de hand?' vroeg Poppy. Ze keek verlangend naar de tuin waar ze veel liever wilde zijn dan hier met haar enige zus.

'Ik heb Oliver gesproken,' zei ik.

'Oliver?' Ze keek me niet-begrijpend aan.

'Ja, Oliver. Je man, of liever gezegd de man met wie je getrouwd was.'

'Maar nu niet meer, Jane,' zei ze op een toon alsof ze het tegen een debiel had. Ze praatte met die ouwe vogelverschrikkers buiten op een volwassener toon dan met mij.

'Nee, maar hij vroeg me van alles over jou,' zei ik, terwijl ik me afvroeg hoe het tussen ons zo mis had kunnen lopen.

'Wat wilde hij weten dan?' vroeg Poppy totaal ongeïnteresseerd. Ik wenste vurig dat ik niet gekomen was.

'Ach, ik weet niet. Van alles. Bijvoorbeeld of je op school goed was in spelletjes. Of wat we thuis met verjaardagen deden.'

'Wil Oliver dat allemaal weten? Tjonge, hij is nog gekker dan we al dachten,' zei Poppy opgewekt en ze keek weer uit het raam alsof ze niets liever zou willen dan nog meer gaten graven.

'Ik geloof helemaal niet dat hij gek is, volgens mij is hij juist heel goed bij zijn verstand. Ik geloof echt dat hij graag had gewild dat het allemaal goed was gegaan met jullie huwelijk.'

'Ja, hoor, daarom kroop hij ook met zijn ouwe vlam in mijn bed,' zei Poppy op nuchtere toon.

'Nou, het was anders ook zijn bed,' zei ik, idioot die ik was.

'O ja, je hebt gelijk, dat maakt het allemaal goed,' zei Poppy.

Er viel een stilte. Ik probeerde hem op te vullen. Ik wilde enige interesse tonen voor het achterlijke tehuis waar ze werkte.

'Waarvoor was je dat gat aan het graven?' vroeg ik.

'Dat wordt een massabegraafplaats,' zei Poppy, 'veel goedkoper dan het gewone kerkhof.'

Een ogenblik geloofde ik haar. Op de bibliotheek maken we nu eenmaal nooit van dit soort stomme grapjes.

'Sorry, er komt een grote palmboom te staan. Die wordt vanmiddag gebracht en dus willen we het gat graag klaar hebben.'

'Laat je door mij niet ophouden,' zei ik geprikkeld terwijl ik opstond.

'Ga nog niet weg, drink eerst je sherry op.' Zij bleef zitten, een brok slonzigheid en warrige haren. Zwijgend nipte ik van mijn sherry.

Twee keer keek ze alsof ze iets vertrouwelijks ging zeggen, maar ze bedacht zich op het laatste moment weer.

'Zeg het,' beval ik uiteindelijk.

'Nou goed dan. Feit nummer een. Ik zie Oliver totaal niet meer zitten, dus als jij hem leuk vindt, ga je gang. Je kwetst er niemand mee. Feit nummer twee. Hij is eigenlijk ongelofelijk saai. Hij is plakkerig en saai. Daar kom je nog wel achter. Hij is rijk en knap, dat wel. Nou en? Op de lange duur doet zoiets er echt niet zoveel toe. Rijke mensen zijn vaak erg gierig en knappe mensen zijn vaak ijdel. Op een gegeven moment ga je je zelfs schuldig voelen dat je hem hebt aangemoedigd. En daarbij is hij nog zo ontrouw als de pest ook. Jij hebt me dat jaren geleden zelf verteld, maar ik geloofde je niet. Dus waarom zou jij nu naar mij luisteren?'

Poppy zat tegenover me met een sherry in haar hand, bespat met modder en een en al zelfvertrouwen, terwijl buiten een hele troep maffe bejaarden stond te wachten tot ze weer terugkwam om verder te graven.

'Is dit dan zoveel beter?' vroeg ik, met een knikje in de richting van de tuin, de bewoners en de hele toestand daarbuiten.

'O ja, duizend keer beter,' zei ze.

Toen wist ik dat ik haar nooit begrepen had en dat ik haar ook nooit zou leren begrijpen. Toegegeven, ik was behoorlijk laat met mijn poging om vriendschap te sluiten en vertrouwelijk met haar te worden, maar ik kreeg er ook helemaal niets voor terug.

Terwijl ik in mijn auto stapte, hoorde ik een gejuich opgaan. De oudjes zagen Poppy weer aankomen. Enfin, dit was wat zij wilde. En ze had gezegd dat ik kon doen wat ik wilde.

Ik ging naar de kapper en kocht gerookte zalm – voor het geval Oliver langs zou komen.

Dat deed hij toevallig niet. Maar hij kwam wel de volgende avond.

Als hij kwam, nam hij nooit eens een aardigheidje mee. Hij bekeek zichzelf voortdurend in de spiegel. En hij bleef altijd net iets te lang; ik moest vroeg opstaan voor mijn werk. Soms bleef

hij slapen, maar ook dat betekende een aanslag op mijn nachtrust.

Hij stelde nooit voor om eens uit te gaan. En inderdaad, hij
had iets plakkerigs. Maar we waren niet getrouwd en dus kon
ik ook niet van hem scheiden of via de rechter eisen dat hij uit
mijn buurt bleef. Al had ik daar af en toe wel zin in. Gewoon,
voor mijn gemoedsrust.

Op de bibliotheek en thuis viel er vrij weinig te lachen. Vaak
leken de dagen zich voort te slepen. Zeker als ik dacht aan dat
gekkenhuis, Varens en Heide, waar altijd van alles te beleven viel
en waar de bewoners zich de hele dag kostelijk amuseerden.

Was het dan mogelijk dat Poppy gelijk had door te leven
zoals ze deed? Poppy die haar huid nooit had verzorgd, die
nooit naar een goeie kapper ging en van wie de garderobe een
aanfluiting was, om te huilen zelfs. Had Poppy dan het geheim
van het leven doorgrond? Dat zou te onrechtvaardig voor woorden zijn.

14

Je dame van elf uur

Deel 1 – Pandora

Ik hoop maar dat het vandaag druk wordt in de salon. Als je steeds een tijd moet rondhangen tot er weer een klant komt, lijkt er aan de dag geen eind te komen. Ik had vandaag al helemaal geen behoefte aan tijd over, want dan zou ik alleen maar terugdenken aan het gesprek bij het ontbijt.

Ik kwam zoals gewoonlijk om kwart voor negen binnen. Fabian, die onderhand een legende is, niet alleen in Rossmore, maar zelfs in vier graafschappen erbuiten, houdt graag 'personeelsinspectie', zoals hij het noemt, voordat hij de deur van de salon opent. Volgens hem staat of valt de salon met hoe het personeel eruitziet. Geen vieze nagels dus, geen afgetrapte schoenen, en uiteraard moet ons haar perfect zitten. Al vanaf het begin had hij ons gewaarschuwd. Fabian verwacht van ons dat ons haar iedere ochtend glanzend gewassen is en met conditioner bewerkt. En als er iets aan te knippen of te snijden valt, dan doet hij dat. Het is een van de extraatjes die ons werk meebrengt.

Onze werkkleding werd ter plekke gewassen zodat we er altijd smetteloos bijliepen. Om door een ringetje te halen, zei Fabian altijd. Rare uitdrukking. Waar zou die vandaan komen? Van Fabian moeten we heel veel glimlachen en we moeten net doen alsof we heel erg blij zijn onze klanten te zien. Als je chagrijnig wilde kijken, dan was zijn salon daar niet de juiste plek voor. Je zorgen diende je bij de voordeur achter te laten. Dat was een gulden regel waaraan niet te tornen viel.

Fabian zei dat hij alleen maar zo veel geld voor een behandeling kon vragen als de klanten zich in de salon op een heel speciale plek waanden. Voor een kapster met een kater, hoofdpijn, lastige kinderen of een ongelukkige liefde was er in zijn salon geen plaats.

Dat was toch niet normaal, zou je zeggen. En daar was Fabian het ook mee eens.

Volgens hem gingen mensen naar een dure kapper om te ontsnappen. Ze wilden even niets horen over de zwarigheden en de zorgen van alledag. Er mocht dus niet gepraat worden over het verkeer, over ziekte of over berovingen. Vlak voordat de salon openging, werd er een dot dure parfum verstoven, een procedure die nog een aantal keren op de dag werd herhaald. Het was bedoeld om de juiste sfeer te creëren en de juiste toon te zetten. De salon moest glamour, vredigheid en élégance uitstralen, het was een paleisje dat de kracht bezat om iedereen die er binnenkwam en veel geld neertelde te transformeren.

De fooien die er werden gegeven, waren dan ook niet misselijk en als je een paar jaar bij Fabian had gewerkt, kon je waar je maar wilde aan de slag. Maar de meesten begonnen een eigen zaak. Ze hoefden maar reclame te maken met de kreet 'Uit de stal van Fabian' of het cliënteel kwam toegestroomd.

Niet dat ik ooit in een positie zou komen om mijn eigen salon te beginnen. Ik had ooit gedacht van wel en Ian had volledig achter me gestaan. Volgens hem was ik een geboren bedrijfsleidster.

Maar bij het ontbijt vanochtend was alles veranderd.

Hou op, Pandora. Glimlach. Met je tanden en je ogen, Pandora, de show gaat bijna beginnen.

Pandora is mijn kapstersnaam, en zolang ik hier ben, denk ik ook alleen maar aan mezelf als Pandora. Thuis ben ik Vi. Niet aan thuis denken. Glimlachen, Pandora, we gaan van start.

Mijn dame van negen uur stond al voor de deur te trappelen als een hazewind voor de start. Ze kwam iedere donderdag, zonder mankeren, bijna chirurgisch vastgehecht aan haar mobiele telefoon. Wat het gebruik van mobieltjes betrof was Fabian erg streng. Alleen mobieltjes met een trilfunctie waren toegestaan, want beltonen waren storend voor de andere klanten.

Ik had mijn glimlach op mijn gezicht vastgenageld. De conversatie van deze klant was een soort snelvuur dat niet beantwoord diende te worden; het enige wat ze verwachtte waren knikjes ten teken dat je luisterde of instemde, en wel op het juiste moment.

Je kon je gedachten niet laten afdwalen en dus was er nu in mijn hoofd ook geen ruimte voor gedachten aan Ian en zijn halfslachtige, met een schuldig gezicht uitgesproken verklaring van waar hij die nacht was geweest.

De dame van negen uur zat altijd opgefokt te vertellen over haar werk. Een of andere gek had dit gedaan, een of andere idioot had dit of dat nagelaten, een stomme koerier had iets te laat afgeleverd of een druilerige sponsor was ergens te vroeg mee. Rossmore was ook zó'n achtergebleven gebied. Het enige wat ik moest doen, was intens meeleven en een litanie van troostende geluiden voortbrengen. O, en ik moest snel zijn. Om kwart voor tien moest de dame van negen uur alweer op de stoep staan roepen om een taxi.

Inmiddels was het haar van mijn dame van halftien gewassen. Ze was geheel verdiept in een tijdschriftverhaal over prinses Diana.

'Het is toch een schande dat ze haar nog steeds geen rust gunnen, hè?' zei ze. 'Heb je nog meer wat ik over haar kan lezen?'

Ook zij was een vaste klant. Iedere week probeerde ze een nieuw kapsel uit, tot ze het volmaakte kapsel had gevonden waarmee ze op de bruiloft van haar dochter kon verschijnen. Dat zou namelijk een groots festijn worden. De dame van halftien was niet uitgenodigd om mee te helpen bij de organisatie. Nee, ze hadden een bruiloftsadviseur in de arm genomen. Ze had zich nog in haar leven nog nooit zo gekwetst gevoeld. Haar eigen dochter had haar de rug toegekeerd, terwijl het toch om de belangrijkste dag van haar leven ging. Ook nu werden er weer veel sussende geluiden van mij verwacht. Ik moest haar keer op keer verzekeren dat het juist aardig was van haar dochter, dat het beslist geen afwijzing inhield. Vergeefs blaatte ik maar door: dat ze nu toch veel meer tijd had om zich te concentreren op haar eigen kapsel en haar eigen kleding en veel meer kon genieten van de grote dag. De dame van halftien had het middelpunt van alles willen zijn, bemoeizuchtig, bazig en iedereen gek makend.

'Trouw nooit, Pandora,' waarschuwde ze me toen ze wegging. 'Het is het allemaal niet waard, echt, ik weet er alles van.'

Ik had haar al heel wat keren verteld dat ik getrouwd was, met Ian namelijk. Maar dat wist ze zich niet te herinneren en volgens Fabian konden we ook niet verlangen dat de klanten iets van ons zouden onthouden. Zo lang ze hier zaten, waren zij de hoofdrolspelers op het toneel en wij de goed verzorgde rekwisieten die hen in alles ter wille dienden te zijn. Het was zeker niet mijn taak om tegen haar te zeggen dat haar opmerking over het huwelijk midden in de roos was. Het was inderdaad de moeite niet waard als je afging op wat er die ochtend was gebeurd.

De klant van tien uur was een vrouw van buiten de stad die in een of ander blaadje over Fabian had gelezen. Ze was in de stad om gordijnstof te kopen. En ze had besloten ook maar naar de kapper te gaan. Nee, ze hoefde geen nieuw model, dank u wel, ze wist wat haar het beste stond. Zoals ze ook wist welke stof ze ging kopen. De saaie eentonigheid van haar bestaan bezorgde me de kriebels. Ik vroeg me ineens af of mijn leven met Ian, verwarrend en onzeker zoals het op dat moment was, misschien nog wel beter was dan het doodse bestaan van de dame van tien uur.

Mijn tien uur dertig was mannequin. Om precies te zijn showde ze ondergoed voor een lingeriecatalogus, maar ze noemde zichzelf mannequin. Ze was heel aardig en ze kwam iedere zes weken om haar uitgroei te laten bijwerken.

'Je ziet een beetje pips vandaag,' zei ze.

Eigenlijk was het wel goed van haar dat ze me zag, want de

meesten zagen je zonder je te zien. Maar minder goed was dat het haar opviel dat ik pips zag. Wat een raar woord trouwens, iets wat mensen in soaps zeggen tegen iemand die op sterven ligt of zwanger is of net door haar vriendje is gedumpt.

Wat zie je pips.

Het was niet goed om hier pips te zien. Ik hoopte maar dat Fabian het niet gehoord had. Ik glimlachte nog stralender dan anders, in een poging de vervelende, doodse signalen die ik uitzond, tegen te gaan.

'Ja, ja, ik ken dat. Ik moet iedere avond ook zo kijken,' zei de tien uur dertig meelevend. 'Soms heb ik zin om een flink potje te grienen, maar dan glimlach ik nog alsof mijn leven ervan afhangt.'

Ze was erg aardig en geïnteresseerd, ze gaf me het gevoel dat ze echt om me gaf. Ik weet zeker dat ze erg goed is in haar werk, dat ze vrouwen een zelfverzekerd gevoel geeft over lingerie; ik durf te wedden dat de mensen op haar werk haar van alles vertellen omdat ze zo geïnteresseerd lijkt. Ik keek om me heen om te zien of Fabian in de buurt was. Hier gold nu eenmaal de strikte regel dat we onze klanten niet met onze persoonlijke problemen mochten vermoeien.

'Ach, dat komt door mijn man. Ik denk dat hij iets heeft met een ander.'

'Och, dat is ongetwijfeld het geval,' zei ze, terwijl ze nieuwe lipstick aanbracht.

'Wát?' riep ik uit.

'Liefje, ik werk op een plek waar het iedere avond barstensvol zit met kerels die een vrouw hebben, die de lingeriecatalogi willen hebben om zich te kunnen vergapen. Dat doen mannen nu eenmaal. Het is geen probleem tenzij je er een probleem van maakt.'

'Hoe bedoel je?'

'Luister, ik weet hoe het gaat. Ze kijken heel graag naar die plaatjes en spreken meiden aan. Maar ze willen niet bij hun vrouw weg. Ze hebben geen spijt van hun huwelijk, maar ze vinden het moeilijk te verteren dat ze moeten missen wat er nog meer te koop is. Ze hebben het gevoel dat het allemaal voorbij is, dat ze ergens in een la zitten weggestopt met een sticker "Getrouwde man" erop. Alsof dat hetzelfde is als "Saaie man". Een verstandige vrouw maakt er geen probleem van; het probleem is nu juist dat zoveel vrouwen er enorm moeilijk over doen zonder dat het nodig is, en dat alles daardoor een stuk slechter gaat.'

Ik keek haar verbijsterd aan. Waar haalde ze al die wijsheid vandaan? Deze vrouw van wie de modellennaam Katerina was, maar die thuis misschien ook wel Vi heette, net als ik.

'Bedoel je dat ik ontrouw en vreemdgaan gewoon door de vingers moet zien en moet doen alsof er niks aan de hand is? Meen je dat serieus?' vroeg ik.

'Ja, zo'n beetje dan. Ik zou in ieder geval wachten tot ik zeker wist dat het zo was, en zelfs als het zo zou zijn, zou je eerst nog moeten vaststellen of het echt het einde van de wereld is. Stel dat hij een avontuurtje heeft, dan kan het heel goed zijn dat het binnen de kortste keren weer voorbij is.'

'Maar stel nu eens dat het niet zomaar een avontuurtje is. Stel nu eens dat hij echt van haar houdt en niet van mij? Wat dan?'

'Dan neemt hij de benen,' zei Katerina. 'Daar helpt dan geen lieve moederen aan. Maar wat ik alleen maar wou zeggen is dat het een heel slecht idee is om nu al een hoop stennis te schoppen. Dat is het stomste wat je kunt doen, oké?' Ze keek alsof het onderwerp daarmee was afgesloten en dus werkte ik weer verder op de automatische piloot, spoelde haar haar uit en föhnde het tot het perfect in model zat. Ze gaf me een fikse fooi toen ze wegging.

'Je komt er wel overheen, Pandora,' zei ze. 'Ik zie je over zes weken.' Daarna gleed ze als een soepele panter de salon uit.

'Is je dame van elf uur er nog niet, Pandora?' Fabian had de wind in de salon eronder op een manier waarop een generaal in oorlog trots zou zijn. Hij wist precies wat er allemaal gebeurde of niet gebeurde, in alle uithoeken van de salon. We keken samen in het afsprakenboek. Een nieuwe klant. Ene mevrouw Desmond. Haar naam zei ons geen van beiden iets.

'Probeer erachter te komen hoe ze bij ons terecht is gekomen, Pandora,' zei Fabian, die vierentwintig uur per dag met zijn zaak bezig was.

'Ja, natuurlijk, Fabian,' antwoordde ik automatisch.

Ik was intussen van plan de tijd die ik over had te gebruiken om erachter te komen hoe mijn huwelijk met Ian na vijf jaar zo wankel was geworden.

Eerst had ik bij toeval die armband in zijn la zien liggen. 'Voor mijn liefste, om de volle maan te vieren, je Ian.' Ik had geen idee wat hij daarmee bedoelde. We hadden voor zover ik me kon herinneren nooit samen naar de volle maan gekeken.

Maar misschien verwees het naar iets wat nog te gebeuren stond. Ik keek op de kalender: op zaterdag zou het weer volle maan zijn. Misschien was hij van plan me ergens mee naartoe te nemen om het te vieren. Ik zou zijn verrassing niet bederven. Maar hij zei helemaal niets over een uitje in het weekend. Nee, hij kwam met het nogal deprimerende bericht dat hij het hele weekend weg zou zijn voor een congres. En nog had ik het niet door. Idioot die ik was. Stom. Of te goed van vertrouwen? Vul maar in.

Gisteravond was Ian pas heel laat thuis van kantoor. Ik ging om elf uur slapen omdat ik helemaal kapot was. Om vier uur werd ik wakker en toen was hij er nog steeds niet. Toen begon ik echt ongerust te worden. Hij heeft een mobiele telefoon, dus hij had me best even kunnen bellen. Ik probeerde hem te bellen, maar ik kreeg de voicemail. Maar op datzelfde moment hoorde ik zijn sleutel in het slot. Ik was zo kwaad dat ik besloot net te doen alsof ik sliep, om een ruzie te vermijden. Het duurde een eeuwigheid voordat hij in bed kwam, maar ik deed mijn ogen geen moment open. Tot hij op een bepaald moment naar zijn sokkenla liep en de armband eruithaalde. Ik opende mijn ogen net ver genoeg om hem te zien glimlachen terwijl hij de inscriptie bekeek, waarna hij de armband wegstopte. Heel diep in zijn aktetas.

Ian ging altijd eerder de deur uit dan ik. Hij was ik weet niet hoe lang in de auto onderweg om op zijn werk te komen, maar hij had die auto nu eenmaal nodig voor zijn werk. En voor wie weet wat nog meer? Hij had vannacht nog geen drie uur geslapen. Hij vroeg hoe laat ik naar bed was gegaan.

'Om elf uur, ik kon niet meer op mijn benen staan. En hoe laat was jij thuis?'

'O, vanochtend in de vroege uurtjes. Jij sliep zo heerlijk dat ik je niet wakker wilde maken. Het was zo'n heksenketel op kantoor...'

'Ach, denk maar aan al die overuren die je betaald krijgt,' zei ik. Ik probeerde het wantrouwen uit mijn hoofd te bannen.

'Ik weet niet of ze dat wel betalen en hoor eens, liefje, ik moet het weekend weg. Er is een congres, het is eigenlijk nogal een eer... Ik zou eigenlijk blij moeten zijn, maar ik weet dat het jouw vrije weekend is en dat spijt me heel erg.' Hij zette zijn kleinejongetjesgezicht op, dat ik anders altijd zo aandoenlijk vond. Tot vanochtend. Vanochtend werd ik er misselijk van.

Hij had een verhouding.

Alles viel ineens op z'n plek. Tegen de tijd dat hij wegging, had ik in mijn hoofd een hele waslijst klaar.

Ik had nog een uur de tijd voordat ik zelf weg moest, maar ik had geen zin meer om af te wassen na Ians ontbijt, of om Ians huis schoon te houden, of om Ians avondeten klaar te maken. Ik trok mijn jas aan en ging de deur uit zodra ik zijn auto had horen wegrijden. Ik nam de eerste de beste bus bij de bushalte. Hij ging niet naar de wijk van Rossmore waar kapsalon Fabian was, maar dat kon me niet schelen. Ik wilde gewoon weg van het huis waar ik zo gelukkig was geweest. Ooit. Het leek voor mij nu meer op een gevangenis.

De bus stopte bij het Meidoornbos en zou daarna omkeren om dezelfde weg terug te gaan. Ik liep als een zombie door het bos. De mensen zeiden dat het bos ging verdwijnen omdat er een nieuwe weg zou worden aangelegd, maar misschien was dat helemaal niet waar. Maar als het wel waar was, dan was het misschien wel een goed idee om er nog even rond te kijken.

Ik liep door, vechtend tegen het ziekmakende gevoel van angst in mijn binnenste. Ik was bang dat alles nu voorbij was en dat Ian van een ander hield. Van een afschuwelijke meid die van alles verzon om hem van me af te pakken.

Hij had zich door haar laten inpalmen, hij had een armband voor haar gekocht en hij zou samen met haar naar de volle maan gaan kijken.

Ik had de aanwijzingen op de houten wegwijzers naar de bron gevolgd. Toen we nog kind waren, kwamen we vaak bij de bron, maar ik was er nu al heel lang niet meer geweest. Zelfs op dit vroege uur waren er al mensen aan het bidden. Een oude vrouw, die haar ogen gesloten had. Twee kinderen met een foto van iemand, waarschijnlijk hun moeder, die om genezing baden. Het deed onwerkelijk aan en ik vond het erg treurig.

Maar ik bedacht dat het geen kwaad kon om ook te bidden nu ik toch hier was. Ik legde Sint-Anna de situatie uit. Heel eenvoudig. Het was eigenlijk wonderlijk, zo kort als mijn verhaaltje was. Jongen houdt van meisje, jongen vindt ander meisje, hart van eerste meisje gebroken. Er moesten hier al duizenden van dit soort verhaaltjes zijn verteld.

Ik voelde niets van hoop of zo. Nee, ik voelde me eerder nogal dwaas. Ik wist niet eens wat ik de heilige moest vragen.

Dat ze die andere vrouw een vreselijke ziekte zou aandoen soms? Daar zou heilige Anna nooit aan beginnen.

Dat ze ervoor zorgde dat Ian van gedachten veranderde? Ja, ik geloof dat dat alles was wat ik werkelijk wilde.

Ik liep snel weer terug naar de uitgang van het bos en nam een bus naar mijn werk.

Met een grimmig gezicht liet ik me Rossmore in rijden. Steeds herinnerde ik me weer iets wat als bewijs voor zijn ontrouw kon dienen. Dat hij vorige week ineens niet wilde gaan bowlen, hoewel hij er anders gek op is. Dat hij twee keer over iets anders was begonnen, toen ik hem vroeg of hij een zakelijk plan wilde ontwikkelen voor de aankoop van de tijdschriftenwinkel bij ons in de buurt die te koop stond, om er een salon van te maken.

'Misschien kunnen we beter nog even kalm aan doen,' zei hij. 'Wie weet hoe we er over een jaar of twee voorstaan?'

Ineens werden mijn gedachten onderbroken.

'Je dame van elf uur is er,' riep een van de leerling-kapsters. Mevrouw Desmond stond bij de balie te wachten. Ze had een leuke glimlach en ze vroeg me haar Brenda te noemen.

'Wat een mooie naam, Pandora,' zei ze. 'Ik wou dat ze mij zo genoemd hadden.'

Fabian moedigde ons niet aan om klanten te vertellen dat we hier allemaal verzonnen namen gebruikten, integendeel zelfs.

'Ik denk dat mijn moeder rond die tijd een superromantisch boek aan het lezen was,' zei ik om de grandeur wat te relativeren en haar gerust te stellen.

Ik vond de vrouw aardig. Ze gaf een van de leerlingen haar jas aan en ging zitten terwijl we naar haar keken in de spiegel.

'Ik wil er dit weekend fantastisch uitzien,' zei ze. 'Ik ga naar een werkelijk schitterend plekje op het platteland om samen met mijn nieuwe vriend naar de volle maan te gaan kijken.'

Ik keek naar haar spiegelbeeld en hield mezelf voor dat er in deze stad waarschijnlijk nog veel meer dames dit weekend met een nieuwe vlam ergens naartoe gingen. Haar nieuwe vlam hoefde Ian niet te zijn. De vriendelijke geïnteresseerde glimlach lag nog op mijn gezicht.

'Wat leuk,' hoorde ik mezelf zeggen. 'En is het serieus wat u betreft?'

'Zo serieus als maar zijn kan, maar ja, hij is jammer genoeg niet helemaal vrij. Hij zegt dat het geen probleem is, maar zoiets kan toch roet in het eten gooien. Een grappig gezegde, eigenlijk, vind je ook niet? Roet in het eten gooien. Waar zou dat vandaan komen?'

'Ik denk dat het gewoon een letterlijke betekenis heeft. Als er roet in je eten komt, is het niet meer te eten, zoiets,' zei ik.

Ze luisterde geïnteresseerd.

'Goh, ja, dat zal het wel zijn. Interesseer jij je voor spreuken en waar ze vandaan komen?'

Ze behandelde me als een echt persoon met eigen ideeën, niet als iemand die er alleen maar was om haar haar te krullen. Maar ik moest er eerst zeker van zijn dat zij was wie ik dacht dat ze was voordat ik haar steile, vette haar bij bossen uit haar hoofd zou trekken.

'Ja, ik heb iets met taal. Zo vroeg ik me vanochtend nog af waar de uitdrukking "om door een ringetje te halen" vandaan kwam. Weet u dat?'

'Toevallig wel, ja. Het slaat oorspronkelijk op een ragfijn doekje dat je letterlijk door een ringetje kunt trekken, een doekje van zijde of zo.'

'O ja?' Ik was echt geïnteresseerd. Dat ze dat wist! Maar ik had geen tijd om hierbij stil te staan. Er moest gewerkt worden.

'Wat wilt u met uw haar?'

'Ik weet het eigenlijk niet, Pandora, ik ben niet zo goed in dat soort dingen. Ik moet ook zo hard werken, zie je. Het is voortdurend één groot gekkenhuis. Daarom is dit ook zo spannend voor me. Ik heb me vanochtend ziek gemeld, weet je, ik kan me morgen moeilijk met een nieuw kapsel vertonen, want dan krijgen ze argwaan en zaterdag begint mijn stoute weekendje met een collega.'

'Waar werkt u?' vroeg ik. Ik hoorde de woorden door mijn hoofd echoën, weergalmen, bonken.

Laat haar alsjeblieft niet Ians bedrijf noemen.

Ze noemde Ians bedrijf.

Mijn handen lagen op haar schouders. Ik had ze omhoog kunnen brengen en om haar nek kunnen leggen om alle leven uit haar te knijpen. Ze verwachtte het niet, dus het had heel goed kunnen lukken. Als ik wilde kon ze binnen de kortste keren dood zijn.

Maar ik bedwong mijn neiging. De daad zou te veel repercussies hebben.

In plaats daarvan praatte ik over haar haren.

'U draagt het nogal plat,' zei ik, verbaasd dat ik nog functioneerde.

'Ja. Vind je dat ik het moet laten opknippen, dat ik er misschien iets meer model in moet laten brengen? Wat stel jij voor?' Ze moest eens weten wat ik het liefst met haar zou doen.

Ik dacht aan mijn Ian die zijn handen door het afgrijselijk

slappe haar van deze vrouw liet gaan en tegen haar zei dat ze
mooi was, zoals hij zo vaak tegen Vi had gezegd dat ze mooi
was. Het was bijna niet te verdragen.

'O, ik vind het erg *stylish*, hoor, zoals het nu is,' zei ik peinzend. 'Maar ik zal het aan Fabian vragen, die weet het altijd het
beste.'

Ik begaf me op wankele benen naar Fabian.

'Die nieuwe dame vindt haar haar geweldig zoals het nu zit,
ik denk dat ze vaste klant wil worden. Kun je haar even komen
zeggen dat ze er geweldig uitziet zo?'

Hij keek haar kant op.

'Ze ziet er belachelijk uit,' zei hij.

'Fabian, je vraagt van ons dat we op eigen initiatief moeten
uitvinden wat onze klanten willen, en nu doe ik dat en dan zeg
je dat het niet goed is.' Ik trok een beledigd gezicht.

'Nee, nee, je hebt helemaal gelijk.'

Hij gleed op zijn kappersstoel naar haar toe en voelde aan
haar haren zoals alleen hij dat kon. 'Mevrouw Desmond, Pandora hier, een van de beste stylistes die we hebben, vroeg me u
mijn mening te geven. Ik vind dat het klassieke model dat u
hebt gekozen, perfect past bij uw gezicht, het past volledig bij
uw trekken. Het hoeft alleen maar een héél klein ietsepietsie
bijgeknipt te worden.'

'Vindt u het mooi zo dan?' vroeg ze onnozel en de grote Fabian sloot zijn ogen als wilde hij zeggen dat hij het onbeschrij-
felijk mooi vond. Zo voorkwam hij ook dat hij haar midden in
haar gezicht moest voorliegen.

'Lucinda!' riep ik naar een assistente. 'Neem je mevrouw
even mee? Het haar moet even heel flink gewassen worden.'
Toen siste ik Lucinda, die in het dagelijks leven Brid heette,
zachtjes toe dat ze Brenda's hoofd tegen de wasbak moest laten
bonken en shampoo in haar ogen moest smeren. Het brave kind
vroeg waarom, wat niet zo raar was.

'Omdat ze een gemene sloerie is die met de man van mijn
beste vriendin naar bed gaat, daarom,' siste ik.

Brid-Lucinda deed wat haar gezegd werd. Brenda Desmond

werd hinkend, bijna blind en met een van pijn vertrokken gezicht weer bij me afgeleverd. Brid-Lucinda had haar op eigen initiatief een flinke trap tegen haar schenen gegeven, terwijl ze net deed alsof ze over haar eigen voeten struikelde. Ik wreef Brenda's toch al vettige haar in met de vetste gel die ik kon vinden en droogde het toen tot het aan alle kanten van haar hoofd afstond. Vervolgens sneed ik er hier en daar happen uit, zodat het volkomen ongelijk en piekerig werd. Als een van de kapsters vol verbazing keek naar wat ik aan het doen was, haalde ik mijn schouders op als om te zeggen: kan ik het helpen, dit zijn mijn instructies.

Toen ik klaar was en haar zo afschuwelijk mogelijk had toegetakeld, bekeek ze zichzelf weifelend in de spiegel.

'Dus dit is klassiek?'

'O, ja, Brenda, heel erg. Hij vindt het vast geweldig.'

'Dat hoop ik maar, want hij heeft erg veel gevoel voor stijl. Hij is Frans, zie je.'

'Een Fránsman?'

'Ja, dat vertelde ik toch? Ze hebben hem vanuit Parijs naar hier overgeplaatst. Moet je je toch voorstellen. Dat hij nu juist op mij valt...' Haar gezicht had een kinderlijk verzaligde uitdrukking gekregen.

Ik keek haar ontzet aan.

'Kent u Ian ook?' vroeg ik. 'Ian die bij u op kantoor zit?'

'Ian? Ian Benson? Natuurlijk ken ik die. Een geweldige vent. Hoe ken jij hem dan?'

'Ik ken hem,' zei ik terneergeslagen.

'Hij is getrouwd met Vi, hij heeft het altijd over haar.'

'Wat zegt hij dan over haar?'

Ik voelde me intussen zo ellendig dat ik mezelf wel op de grond wilde werpen en mijn armen om haar knieën slaan. Ik wilde haar snikkend mijn excuses aanbieden omdat ik een vogelverschrikker van haar had gemaakt.

'Ach, van alles. Hij was zo graag dit weekend ergens met haar naartoe gegaan, maar toen stuurden ze hem ineens naar een congres, wat wel een hele eer is en zo, maar toch... Hij zei dat hij veel liever met Vi naar een of ander plekje was gegaan, naar een meertje waar ze met z'n tweeën naar de volle maan hadden kunnen kijken. En een wens hadden kunnen doen.'

'Wat zou hij dan wensen?'

'Dat zei hij niet, maar volgens mij dacht hij aan een baby. Hij zou voor Vi graag een salon ergens dichter bij huis kopen. Hij heeft de laatste tijd ontzettend veel overgewerkt. Hij is duidelijk aan het sparen...'

En toen vertrok ze, ze ging de straat op met haar vreselijke kapsel. Haar weekend met de modebewuste Fransman moest haast wel op een vreselijke ramp uitlopen.

Ik geloof dat ze zeiden dat mijn klant van halftwaalf er al was, maar ik hoorde het niet. Zoals ik de laatste tijd zo vaak wel meer niet hoorde.

Als Sint-Anna je smeekbede verhoort, hoor je iets weg te geven aan het goede doel. Maar dat had ze eigenlijk niet eens gedaan, of wel? Ik bedoel maar, Ian was nooit opgehouden van mij te houden en dus had ik gebeden om iets wat ik al had. Maar aan de andere kant was alles wel zo uitgekomen als ik wilde.

Hè, doe nou niet zo flauw.

Het gaat alleen maar om een beetje geld voor gehandicapte kinderen.

Dat is toch niet het eind van de wereld, toch? Ik bedoel maar, net dacht ik nog dat het met mijn leven gedaan was.

Deel 2 – Krachtpatser

Ik heet eigenlijk George. Niet dat iemand dat weet. Ik word al sinds mijn tweede Krachtpatser genoemd en in mijn kapsalon heet ik Fabian.

Dus als iemand 'George Brewster' roept, als ik bijvoorbeeld op een luchthaven sta te wachten terwijl iemand mijn paspoort aan het bekijken is, dan duurt het behoorlijk lang voordat ik reageer, heel verschrikt, alsof ik eigenlijk met valse reisdocumenten reis.

318

Toen ik nog in Rossmore op de school van de broeders zat, had iedereén een bijnaam. Jammer genoeg hoorden ze dat mijn moeder me Krachtpatser noemde, dus daar kwam ik niet meer van af. Ik was helemaal niet zo'n kolos, al was ik wel behoorlijk stevig, dus waarschijnlijk namen ze daarom die bijnaam meteen over. Zo slecht was hij trouwens ook weer niet. Kinderen die mij voor het eerst tegenkwamen, dachten dat ik een geweldige reputatie als vechtersbaas had opgebouwd en bleven dus uit mijn buurt, wat wel zo prettig was.

Ik was tien toen mijn vriendje Hobbit me vertelde dat mijn vader een schuinsmarcheerder was. Ik was nog zo onnozel, ik begreep echt niet wat hij bedoelde. Ik dacht dat het misschien iets te maken had met zwalken of zwabberen of zo. Maar hij bedoelde dat mijn vader achter de vrouwen aan zat. Hij zei dat hij mijn pa in een auto had zien zitten met een blonde meid die veel jonger was dan hij en dat ze als konijnen tekeergingen.

Ik geloofde Hobbit niet en dus verkocht ik hem een dreun. Dat vond Hobbit gemeen.

'Ik zei het alleen maar om je voor te bereiden,' klaagde hij, terwijl hij over zijn pijnlijke schouder wreef. 'Mij kan het heus niet schelen, al marcheert je pa schuin van hier naar Timboektoe.'

Dus gaf ik hem twee KitKats uit mijn lunchtrommeltje en toen was alles weer goed.

Ik had altijd een heleboel lekkers in mijn lunchtrommeltje want mijn moeder wist dat ik gek was op chocola en op boterhammen met pindakaas. Hobbit, die stakkerd, kreeg alleen maar van die vieze dingen mee, zoals appels, stengels bleekselderij en uitgedroogde stukjes kip.

Kort daarna ontdekte ook mijn moeder dat mijn vader schuinsmarcheerde of hoe het ook heette en daarna werd alles anders.

'Het ligt allemaal aan ons, Krachtpatser,' zei ze. 'Wij zijn niet interessant genoeg, we weten je vader niet genoeg te boeien. Alles moet anders.' En alles werd ook anders.

Eerst sleepte ze me keer op keer mee naar de Sint-Annabron om de kwestie met een heiligenbeeld te bespreken.

En toen kreeg ik ineens verschrikkelijk eten mee naar school, nog veel erger dan dat van Hobbit, en daarna moest ik ineens iedere ochtend eerst een heel eind rennen, wel vier bushaltes, voordat ik met de bus verder mocht. Na school ging ik met mijn moeder naar het fitnesscentrum. Het was erg duur daar en daarom moesten we er allebei werken om gebruik te mogen maken van de apparaten. Zij zat twee uur achter de receptie-balie, en ik moest in die tijd vuile handdoeken verzamelen.

Ik vond het leuk, ik praatte heel graag met de mensen die daar waren, ze vertelden me van alles over hun leven en waar-om ze aan het trainen waren. Er was een man die graag meisjes zou leren kennen, maar bij wie dat maar niet lukte. Een andere man was heel bang dat hij een hartaanval zou krijgen. Een vrouw wilde er op haar best uitzien op een bruiloft. En een zangeres had een video van zichzelf gezien en vond dat ze het achterwerk van een olifant had, en dat was ook wel een beetje zo.

Omdat ik echt geïnteresseerd was in hun verhalen, vertelden ze me steeds meer en tegen de beheerders van het fitnesscen-trum zeiden ze dat ik een aanwinst voor de zaak was. En al was het helemaal niet de bedoeling dat ik daar werkte – ik was bij-voorbeeld nog ver onder de minimumleeftijd – ze gaven me extra uren erbij. Ze waren nogal huiverig om mij geld te geven omdat ze geen gedonder met de wet wilden, maar ze gaven me wel mooie dingen, zoals een gloednieuw jasje voor school uit hun shop en een camera, dus dat was geweldig.

Mijn moeder raakte veel gewicht kwijt en blijkbaar hield mijn vader op met achter andere vrouwen aan te zitten. Hij zei dat niemand de kracht van de heilige Anna en van een gezond dieet moest onderschatten. En toen was thuis alles weer in orde.

Op school ging het met mij ook heel goed, want mijn con-ditie was sterk verbeterd en toen we dertien waren en naar de disco gingen, zei Hobbit dat de meeste meiden me een lekker ding vonden. Wat heel prettig was voor mij, maar minder pret-tig voor Hobbit.

Hobbit en ik hadden allebei geen idee wat we na school wilden doen. Mijn vader was verkoopleider in een handel in elektrische apparaten en dat wilde ik om de dooie dood niet worden. De vader en de moeder van Hobbit hadden een winkeltje en alleen al bij de gedachte dat hij daar zou gaan werken, werd hij misselijk. Mijn moeder werkte inmiddels fulltime in het fitnesscentrum. Ze had een cursus gevolgd en gaf nu aerobicslessen. Maar dat bracht Hobbit en mij allemaal niet veel verder, we wisten gewoon niet wat we moesten gaan doen. Zelfs juffrouw King, de carrièreconsulente die bij ons op school kwam, wist niet goed wat ze met ons aan moest.

Tegen mij zei ze dat ik in mensen geïnteresseerd was, en dat ik daar bij mijn keuze rekening mee moest houden. Toen zei ik meteen dat ik er niet over piekerde om maatschappelijk werker te worden, dat ik dan over mijn nek zou gaan. Nee, zei ze, dat bedoelde ze ook niet. Ik wou ook niet in het onderwijs, zei ik. Ik zou gek worden. Ze knikte alsof ze het helemaal begreep. Juffrouw King was altijd erg aardig.

'Wat dacht je van een baan waarbij je met mensen praat en ze een goed gevoel geeft,' opperde ze.

'Moet ik een gigolo worden of zo?' zei ik. Ik wilde naderhand alleen maar aan Hobbit kunnen vertellen dat ik dat gezegd had.

'Ja, zoiets,' zei ze inschikkelijk, 'ik denk dat we het in die hoek moeten zoeken.'

Dus vertelde ik het Hobbit toch maar niet. Maar tot mijn verbijstering begon Hobbit erover dat we misschien kapper moesten worden. Op de kappersschool kwamen bosjes chicks en in een kapsalon konden we de hele dag vrouwen over het hoofd aaien en meer van dat soort dingen.

'Wou je kápper worden?' vroeg ik ongelovig.

'Waarom niet? We moeten toch iets,' zei Hobbit nuchter.

Niemand zag iets in dit idee, behalve Hobbit en ik. Mijn moeder zei dat ik best iets intellectuelers kon gaan doen en mijn vader zei dat het niks was voor echte mannen. En de ouders van Hobbit zeiden dat ze zich dood zouden schamen.

Maar het pakte nog helemaal niet zo slecht uit. Hobbit vond

een baan in een superdeluxe salon waar hij Merlin werd genoemd.

Merlin!

Ik moest dat iedere keer weer zien te onthouden als ik naar hem toe ging of hem aan de telefoon vroeg.

Ik ging werken in een echte familiekapsalon in een buitenwijk van Rossmore, Milady. Ik mocht de eigenaar, meneer Dixon, graag. We noemden hem allemaal meneer Dixon, zelfs de mensen die al twintig jaar bij hem kwamen.

Het was zo'n burgerlijke zaak: veel dames op leeftijd, een keer per week wassen en watergolven, dat werk. En een keer in de zes weken kwamen ze zenuwachtig binnen met het verzoek geknipt te worden. Twee keer per jaar een spoelinkje. Niks opwindends, geen geëxperimenteer, nooit eens de kans om te laten zien dat je de laatste mode in je vingers had. Maar ach, het waren allemaal brave mensen die er op hun manier beter uit wilden zien.

Als ze in de spiegel keken, waren hun ogen groot van gespannen verwachting. Elk kapsel was een soort droom. Zo'n vrouw moest bijvoorbeeld een etentje verzorgen, of ze ging naar een spectaculaire dansshow op het ijs, of naar een reünie. De meesten hadden totaal geen zelfvertrouwen, en daarom probeerden ze ook nooit iets nieuws. Soms viel me op dat ze er nauwelijks beter uitzagen als ze de salon verlieten dan toen ze binnenkwamen, maar dat ze zich wel beter voelden en fierder rechtop liepen. Als ze langs de voorruit liepen, glimlachten ze zo'n beetje tegen hun spiegelbeeld, in plaats van er als een speer langs te schieten zoals voordat ze binnenkwamen.

Met mijn moeder was ook zoiets aan de hand geweest.

Ze zag er niet zo heel erg anders uit toen ze haar eerste pondjes er in het fitnesscentrum af had getraind. Ze had alleen meer zelfvertrouwen, dat was het hele eieren-eten. Ze zat beter in haar vel en ze zanikte pa niet meer zijn kop gek met vragen waar hij had uitgehangen of met beschuldigingen dat hij haar verwaarloosde.

Ze was gewoon een veel aardiger iemand om mee te leven

en dus was hij ook veel aardiger voor haar. Zo simpel was het gewoon.

De vrouwen in de kapsalon verging het net zo.

Ik geloof dat ze me wel aardig vonden, ze gaven me grote fooien en ze vonden de naam Krachtpatser geweldig. Ze vroegen naar mijn familie en ze wilden weten wat ik in mijn vakantie deed en of ik een vriendin had. Zo'n vijftig procent van hen vond dat ik moest trouwen en een gezin stichten, terwijl de andere helft zei dat ik veel beter nog een poosje van mijn vrijheid kon genieten. Sommigen zeiden ook dat het misschien een goed idee was om naar de bron van Sint-Anna te gaan, omdat die heilige op het terrein van de liefde altijd het laatste woord had.

Toevalligerwijs liep het zo dat ik vrijgezel bleef. Hobbit en ik gingen wel eens op jacht, maar we kwamen alleen maar van die gillerige types tegen, geen vrouwen om een gezin mee te stichten. Hobbit blaakte van zelfvertrouwen en ambitie sinds hij Merlin heette. Tegen mij zei hij dat ik mijn vleugels moest uitslaan, want dat ik anders zou eindigen als een oud kereltje dat alleen maar strakke permanentjes in grijze haren kon zetten. We moesten onze activiteiten uitbreiden, ons ergens vestigen waar meer te beleven viel, waar we ons konden onderscheiden en prijzen winnen met onze coiffures.

Ik wist heus wel dat hij gelijk had, maar ik vond het vreselijk toen ik meneer Dixon en Salon Milady gedag moest zeggen. Het voelde als verraad. Meneer Dixon zei dat hij vijf verschrikkelijk lastige klanten had die dol op me waren en hij vroeg of ik een keer in de maand wilde terugkomen om hen te kappen. Merlin zei dat ik wel gek zou zijn om mezelf op die manier onder druk te laten zetten, maar ik kon gewoon niet weigeren. Meneer Dixon had me het vak geleerd en me altijd goed betaald, en ik vind het nu eenmaal niet juist om mensen die je geholpen hebben, de rug toe te keren.

Hoe het ook zij, Merlin en ik legden hutje bij mutje en openden onze eigen salon. Rossmore was in de loop der jaren erg veranderd. De welvaart was gestegen en er waren daardoor

veel meer mensen die alleen met het beste van het beste genoegen namen. Aan jonge klanten met geld geen gebrek. Meiden met manen als van een tijger, meiden met knalrood stekel-
tjeshaar, dames die hun haar zo vaak hadden laten verven dat de
oorspronkelijke kleur wel nooit meer te ontdekken zou zijn.
Vrouwen met lange benen en lome bewegingen die twee keer
per week in de salon hun haar lieten doen. Ik verbaasde me over
hun rijkdom en het verbaasde me ook dat ze zo geïnteresseerd
waren in hun haar. Milady leek ineens lichtjaren verwijderd te
zijn.

Natuurlijk had ik mezelf nu ook een andere naam aangeme-
ten. Ik was Fabian geworden. En al lachte Merlin me uit omdat
ik de laatste vrijdag van de maand terugging naar Salon Milady, volgens mij had hij er stiekem ook wel bewondering voor.
Meneer Dixon verwelkomde me altijd met een glimlach alsof
ik de verloren zoon was die terugkeerde naar het familiebedrijf.

Ze noemden me daar nog steeds Krachtpatser en bewonder-
den mijn eigen nieuwe kapsel en de supermodieuze vestjes die
ik droeg. Ik vertelde dat de mensen in onze waanzinnige zaak
in het centrum van Rossmore allemaal knettergek waren en ons
min of meer verplichtten de nieuwste mode aan te schaffen. Ze
genoten van mijn verhalen en koesterden zich in de veiligheid
van hun eigen omgeving. Ik had veel meer zelfvertrouwen gekregen en wist een aantal klanten dan ook over te halen iets
spannenders met hun haar te doen. En meneer Dixon nam een
aantal ideeën voor een bescheiden modernisering van zijn zaak
van me over.

Iedereen vroeg me naar mijn liefdesleven en dan vertelde ik
waarheidsgetrouw dat ik het steeds te druk had om naar een geliefde op zoek te gaan. Ik moest er niet te lang meer mee wachten, adviseerden ze, en dan knikte ik ernstig.

Wat ik ze bij Milady niet vertelde, was dat iedereen in die
waanzinnige salon van ons ervan overtuigd was dat ik homo
was, op Merlin na. Ik had daar niet zo'n probleem mee, want
het leverde me een hoop voordelen op, in allerlei opzichten.
Vrouwen vertrouwden homomannen van alles toe, alsof die het

324

beste van twee werelden vertegenwoordigden. Homo's waren voor hen geen roofdieren die je voortdurend poogden te bespringen, ze waren niet zo dom en stoer als gewone mannen en je kon zo lekker met ze praten; het waren eigenlijk meer vriendinnen, met dit verschil dat je met hen niet in een competitiestrijd verwikkeld was.

Ik had er geen last van, of liever gezegd, ik had er een hoop gemak van. De klanten vonden het leuk, ze namen me gemakkelijk in vertrouwen. Ze vertelden me heel wat, tjonge jonge, wat ze me niet allemaal vertelden. Hazel bijvoorbeeld, een zeer opmerkelijk type, vertelde me vaak over haar vluggertjes en dat ze zich achteraf altijd zo eenzaam en gebruikt voelde. Ze zou het me nooit verteld hebben als ze me voor een heteroman en mogelijke minnaar had versleten.

Ik deed mijn best voor haar door haar sletterige image zo veel mogelijk te verdoezelen en haar een iets waardiger uiterlijk te bezorgen. Ik opperde dat ze zich misschien iets stijlvoller kon kleden, dat ze misschien een beetje van die blote buiken af moest. Ze vertelde me naderhand dat het een enorm verschil maakte.

En dan had je Mary Lou die een partner had met bindingsangst. Hij was erg gelukkig met haar, maar hij moest er niet aan denken dat ze bij hem introk. En over een ring en dat soort dingen werd al helemaal niet gerept. Ik raadde haar aan zich veel onafhankelijker op te stellen en met een stel vriendinnen op vakantie te gaan. Nee, ik bedoelde niet zo'n vakantie van alleen maar zonnebaden en een hoop seks met kelners en meer van dat soort lieden, integendeel, het moest iets cultureels zijn. Ze had er niet veel vertrouwen in, maar natuurlijk werkte het uitstekend. Toen ze hem het idee had gegeven dat ze zich heel goed kon redden zonder hem, zat hij meteen erg in de rats.

Ik had het al met al reuze naar mijn zin. Ik merkte dat ik verliefd aan het worden was op een erg mooi meisje, Lara, een ontwerpster die heel vaak haar haar liet doen. Intussen ging ik nog steeds naar Salon Milady van meneer Dixon, die me immers een goede start had gegeven. Soms bracht ik een dure spiegel, een turboföhn, een stapel nieuwe handdoeken en meer van dat soort dingen als geschenk voor hem mee, maar ik liet me wel altijd gewoon betalen, al had ik het geld helemaal niet meer nodig.

Meneer Dixon was van de oude stempel. Ik zou hem nooit willen beledigen.

Hij was een keer bij me komen kijken in onze salon en had alles goed op zich laten inwerken. Hij zei later tegen me dat ik een prima knul was, de beste medewerker die hij ooit had gehad en dat mijn persoonlijke levensstijl er voor hem niet toe deed, dat was gewoon mijn zaak. Mijn privéleven zogezegd.

Ik kon het hem allemaal ook niet uitleggen, want het lag erg gecompliceerd. Korte tijd later stierf meneer Dixon en hij liet mij zijn salon na.

Ik kon het niet geloven. Maar hij had geen naaste familie en hij wilde niet dat zijn levenswerk eraan zou gaan; dat het verkocht zou worden aan iemand die er een shoarmazaak of zoiets van zou maken.

Ik had geen idee wat ik met zijn bedoening aan moest, want het was een verschrikkelijk ouderwetse, verlieslijdende tent, maar ik wist dat het in ieder geval een kapsalon moest blijven. En ik wilde alle bejaarde dames die er al jaren kwamen, niet ontrieven door er een echte Fabian-salon van te maken met alles d'r op en d'r an. Hoe dan ook hield het me op dat moment niet zo bezig, want ik had andere dingen aan mijn hoofd.

Ik was inmiddels stapelverliefd op Lara, maar die dacht dat ik homo was. Wat ik ook deed, ik wist haar niet te overtuigen van het tegendeel.

'Nonsens, Fabian, lieve schat, natuurlijk ben je niet verliefd op mij...' zei ze lachend tegen me. 'Als jij geen nicht bent, dan weet ik het niet meer. Wij zijn vríénden, jij en ik. Je hebt zeker een onnozel ruzietje gehad met een of andere bloedmooie jongen en nu wil je natuurlijk tegen hem kunnen zeggen: "Kijk mij eens, ik ga uit met een vrouw!"'

'Ik ben niet homoseksueel, Lara,' zei ik vlak. 'Ik ben honderd procent hetero.'

'Ja, en Gerry, Henri en Basil hier ook zeker,' spotte ze.

'Nee, natuurlijk niet. Maar ik wel.'

Het had geen zin. Ik vertelde haar dat mijn naam eigenlijk Krachtpatser was, en toen moest ze nog veel harder lachen. 'Nee, George,' riep ik ten einde raad, en toen zei ze dat je in het leven moest kunnen kiezen.

De zenuwachtige tante die Salon Milady voor me runde, belde me voortdurend op met vragen als wat ze met de elektriciteitsrekening aan moest en of ze nog meer conditioner moest bestellen. Tot overmaat van ramp zat een van mijn beste stylistes ineens hysterisch te jammeren in de personeelsruimte. Ze had een verward verhaal over hoe ze iemands haar had verknald en dat ze niet door had gehad dat haar man zo graag een kind wilde en dat mensen zo wantrouwig konden zijn.

Het was een erg drukke ochtend, dus op zoiets zat ik al helemaal niet te wachten.

Gerry en Basil, die gewoonlijk heel goed waren in het sussen van gekrakeel, zenuwuitbarstingen en hysterische huilbuien, wisten deze keer niet wat ze ermee aan moesten. Henri stelde voor een ambulance te bellen. Ik liep de personeelskamer binnen en ging naast Pandora zitten.

'Pandora,' zei ik zachtjes.

'Vi,' huilde ze, 'ik heet Vi.' Ik was het helemaal vergeten. Voor mij was ze Pandora.

'Ik heet Krachtpatser, dat is mijn echte naam,' zei ik. Ik dacht dat het misschien zou helpen. Maar dat was niet zo.

'Krachtpatser?' zei ze vol ongeloof.

'Ik ben bang van wel,' bekende ik.

'O, mijn god,' zei ze. 'Jij heet Krachtpatser. Dat kan er nog wel bij.'

Ik besloot uit te vinden wat er precies aan de hand was. Ze begon weer te snikken, dus verstond ik maar ongeveer een op de vier woorden: Ian hoorde ik, haar man dus, de dame van elf uur, de arme Brenda Desmond en de Fransman, en de volle maan.

Ik vroeg me af of Henri toch gelijk had. Misschien was ze

gek geworden en moest ze opgehaald en opgesloten worden. Ik haalde een glas water en klopte op haar hand.

Ik kreeg de melding dat Lara gearriveerd was. Ik zei dat ze maar moest wachten. En ik bleef de hand van de wenende vrouw naast me bekloppen.

'Je wilt Lara toch niet boos maken?' snifte Pandora-Vi.

'Het kan me niet schelen of Lara boos wordt. Lara heeft míj boos gemaakt, ze blijft maar denken dat ik homo ben, ze lacht me uit en drijft de spot met me. Die stomme hairextensions van haar kunnen wel wachten. Ze wacht maar tot ik klaar ben.'

Vi keek met haar betraande gezicht naar me op.

'Maar dat is toch idioot, Fabian, iedereen die jou ziet weet toch meteen dat jij van twee walletjes eet.' Ze keek me aan met haar rode, goudeerlijke ogen.

Ik had haar het liefst een dreun verkocht, maar dit was niet het juiste moment om met haar mijn seksualiteit tot op het bot te ontleden. Maar ze zag de uitdrukking op mijn gezicht wel.

'Het is ook heel verstandig om biseksueel te zijn, als je er goed bij stilstaat,' zei ze hakkelend. 'Dan loop je minder kans er een geweldige zooi van te maken, want je hebt altijd nog andere mogelijkheden.'

'Ik ben niet biseksueel, Vi. Ik heb seks met vrouwen, hoor je me, ik ga naar bed met vrouwen, meiden, chicks, moten, stoten, mokkels of noem het maar op. Met veel te weinig, weliswaar, het zijn er lang niet genoeg. Van nu af aan ga ik slapen met elke vrouw die ik kan pakken. Dat zal eigenwijze types als Lara wel leren. Dat zal haar leren...'

Ik zag dat Vi's mond van schrik was opengevallen. Ze staarde niet naar mij maar over mijn schouder. Ik wist het al voordat ik me omdraaide. Daar stond Lara, die alles gehoord had wat ik zei. Ze keek inderdaad erg afkeurend.

'Hoe waag je het Pandora aan het huilen te maken,' begon ze. 'Lelijke bullebak. Arme Pandora, wat heeft hij allemaal tegen je gezegd?'

Pandora's tranen begonnen uiteraard weer te stromen toen ze deze meelevende woorden hoorde. Opnieuw hoorde ik een aantal sleutelwoorden: baby, volle maan, Ian, de dame van elf uur, Fransman, armband. Ik kon er geen chocola van maken, er zat kop noch staart aan. Maar Lara begreep haar meteen. Ach, het was toch helemaal geen probleem, zei ze, we moesten allemaal gewoon doen alsof we van niks wisten.

Nou, voor mij was dat alvast een makkie. Ik wist namelijk echt van niks.

We moesten de dame van elf uur maar een cadeaubon van de salon geven, Vi moest stoppen met de pil, Ian hield van haar, de armband was voor Vi en niet voor de dame van elf uur: alles was dik in orde, er viel niets te huilen. Het belangrijkste was om niet te stressen.

Voor mij was het allemaal koeterwaals.

Maar Vi had haar tranen gedroogd, haar neus gesnoten en glimlachte zelfs.

'In een salon als deze kun je bijna niet anders dan gestrest raken,' zei ze verontschuldigend tegen Lara.

'Ga dan ergens werken waar het rustiger is, ergens dichter bij huis,' opperde Lara.

'Maar waar dan?' vroeg Vi.

'O, ik durf te wedden dat Tijger of Krachtpatser of hoe hij ook mag heten wel een meesterlijk plannetje voor je weet te bedenken,' zei Lara. Maar ze glimlachte naar mij. Het was een ander soort glimlach dan eerst, alsof ze me nu voor het eerst zag zoals ik was.

En ik had op hetzelfde moment mijn plan ook klaar.

Vi woonde toevallig vlak bij Salon Milady, in een van de buitenwijken van Rossmore, dicht bij het Meidoornbos. Ze kon daar bedrijfsleider worden. Ze kon van alles krijgen, baby's en armbanden, desnoods een volle maan, en de dame van elf uur zou bij haar uit de buurt worden gehouden. Wat ze maar wilde. Was het in orde dan, konden wij allemaal dan nu weer aan het werk? Alsjeblieft?

Dat deden we en ik keek naar Lara's ogen in de spiegel en zei dat ze helemaal geen hairextensions nodig had, dat haar haar zo prachtig was.

Toen zei ze dat ze zich afvroeg of het wel professioneel was wat ik daar deed. Haar hals zo strelen. Was dit soms niet net zoiets als een arts-patiëntverhouding? Kon ik hiervoor ook uit mijn beroep gezet worden?

Ik zei dat ik dacht van niet, dat in een salon heel andere regels golden, en toen lachte ze vol innig enthousiasme en zei dat ik het niet in mijn hoofd moest halen om met elke vrouw die ik maar kon pakken naar bed te gaan.

Dus dat had ze ook gehoord...

15

De intelligentietest

Deel 1 – Melanie

Je weet hoe het is: als je doof bent, denken mensen vaak dat je achterlijk bent. Niets is minder waar. Als je doof bent, ben je vaak zo scherpzinnig als wat, omdat je zoveel via je andere zintuigen moet zien op te pikken. Ik kijk voortdurend naar de gezichten van mensen en zo kan ik zien in wat voor stemming ze zijn. Als je ziet hoe mensen hun vuisten ballen of op hun lip bijten, of hoe ze zitten te draaien, dan weet je precies wat er gaande is. Als ik Castle Street en Market Street in Rossmore zou aflopen, zou ik je exact de sfeer in de stad van het moment kunnen beschrijven.

Toen ze thuis ineens over de intelligentietest begonnen te praten en er niet meer over ophielden, wist ik uiteraard dat het om iets belangrijks ging. En hoe vaker ze zeiden dat het niet iets was om je druk om te maken, hoe duidelijker het was. Ik ben niet gek. Ik ben stokdoof, dat wel, maar dom ben ik niet. Het was allemaal te doen om die school voor meisjes als ik. Sint-Maarten.

'Je vindt het er vast geweldig, Melanie, mochten ze een plekje voor je hebben,' zei mijn moeder steeds weer. 'Ze staan zo goed bekend om hun onderwijs, hun meisjes komen zo goed terecht later... Maar mochten ze nu geen plekje hebben, dan is er nog niks aan de hand, hoor, dan gaan we gewoon op zoek naar iets anders. Scholen genoeg.'

Ik wist dat het er helemaal niet om ging of ze op Sint-Maarten wel een plekje voor me hadden, en ik wist ook dat er geen dovenscholen genoeg waren. Als ik de intelligentietest goed maakte, mocht ik naar die school en anders niet, zo simpel was het.

Ik kende een meisje dat daar op school zat en dus wist ik er al alles van. Het leek me een geweldige school. Het meisje – Kim heette ze – zei dat het eten er heerlijk was, dat je ook vegetarisch kon krijgen als je dat wilde. En dat het dan wel een meisjesschool was, maar dat er dansavonden werden georganiseerd, mét jongens. Ze leerden je daar dansen door de trillingen van de plankenvloer te leren herkennen. Ze hadden teken- en schilderlessen en ieder jaar werd er een tentoonstelling georganiseerd. Je kon er ook heel veel sporten doen, zoals netbal, hockey en kastie, en er waren wedstrijden tegen zowel horende als dove kinderen van andere scholen. Alle kinderen droegen een soort uniform: een blouse die je zelf mocht uitzoeken als hij maar crèmekleurig was en een donkerblauwe rok of broek.

Flitslichtjes fungeerden als bel en behalve liplezen en de gewone lessen die op elke school werden gegeven, kreeg je ook les in make-up.

Ik wilde dolgraag naar Sint-Maarten.

Maar mijn vader en moeder wilden nog veel liever dat ik erheen zou gaan. Want het zou ook nog eens gratis zijn. Een rijk doof iemand had een fortuin nagelaten dat besteed moest worden aan onderwijs aan dove meisjes. Het geld was niet de eerste reden dat mijn ouders er zo op gebrand waren. Ze wilden het vooral zo graag omdat meisjes die van Sint-Maarten kwamen, overal aan de bak kwamen. Ze konden naar de universiteit en kregen allemaal een goeie baan. Maar dat het gratis was, was ook mooi meegenomen, want mijn ouders hadden niet veel geld en hadden ook nog Fergal en Cormac om voor te zorgen. Ik weet het, die zijn niet doof. Maar ze moeten ook naar school.

De zaak waar mijn vader werkte, dreigde steeds over de kop te gaan en mijn moeder heeft een zwakke rug en moet lange uren maken in de supermarkt om het huishouden draaiende te kunnen houden. Ik wist dat mijn moeder vaak naar de heilige bron in het bos was geweest om te bidden dat ik mijn gehoor weer zou terugkrijgen, wat nogal ridicuul was. Hoe kon iets wat al gebeurd was, worden teruggedraaid? En als dat al zou kunnen, dan waren er altijd nog heel veel mensen die slechter af waren dan ik.

Ze deden hun best om me niet al te erg onder druk te zetten, maar waren ziek van angst bij de gedachte dat ik niet door de test zou komen.

Zelf zat ik niet zozeer over de test in. Ik had niet het idee dat die erg moeilijk zou zijn. Het ging om algemene kennis en je moest allerlei vormpjes op de juiste plek inpassen. Dat zou geen probleem zijn. Je moest ook voorwerpen op plaatjes of tekeningen kunnen benoemen. Kim, het meisje dat al op Sint-Maarten zat, zei dat het best te doen was. Ze had problemen met de afbeelding van een vlieger, zei ze, want ze had er nog nooit een in het echt gezien, omdat ze nooit achter een vlieger aan had mogen rennen, voor het geval ze het verkeer niet zou horen en doodgereden zou worden, en dus wist ze niet hoe een vlieger eruitzag. Maar verder wist ze alles, dus het gaf niet.

Ik had mijn vader en moeder nog nooit zo zenuwachtig gezien als op de dag van de test. Mijn moeder trok steeds wat anders aan. Haar pakje was te formeel, zei ze, in de jurk met stroken zag ze eruit als een poedel en als ze een spijkerbroek aandeed, was het net of ze het niet de moeite waard vond. Wat moest ze in hemelsnaam aan?

Ik kon me niet voorstellen dat het veel uitmaakte wat zij droeg, of wat ik droeg. Maar ze was op van de zenuwen en de vloer van de slaapkamer was bezaaid met kledingstukken. Dus zei ik maar niet wat ik dacht: dat ze wat mij betrof een plastic vuilniszak mocht aantrekken. In plaats daarvan zei ik dat volgens mij haar pakje het beste was en dat ze er een roze sjaaltje op kon dragen om het te verlevendigen. Toen hield mijn moeder op met moeilijk doen. Ze gaf me een kus en zei dat ik een schat was. En dat ik natuurlijk op de school zou worden toegelaten, wat we ook aantrokken.

Mijn vader sneed zichzelf tot drie keer toe bij het scheren. Alsof ik op pad ging met iemand die in een massaslachting verzeild was geraakt, zei ik. Toen kreeg hij ineens tranen in zijn ogen.

'Je bent zo'n slimme meid, Mel,' zei hij. 'Je kent van die mooie woorden als "massaslachting". Ze zouden wel gek zijn als ze je niet aannamen op die school.'

Onze zenuwen waren compleet gesloopt toen we op weg gingen.

We namen de trein vanuit Rossmore naar het plaatsje waar de school was, en daar namen we een bus die voor de poort van de school stopte. We liepen de lange oprijlaan af. Het was echt een prachtige school. Er lagen uitgestrekte sportvelden omheen en een ommuurde tuin waarover Kim me had verteld: alle leerlingen hadden hun eigen lapje grond waarop ze mochten laten groeien wat ze wilden. Door de ramen zag ik een groot teken- en schilderlokaal: meisjes waren samen bezig met een grote muurschildering en ik kreeg ontzettende zin om mee te doen. De school waar ik op zat leek zo saai vergeleken bij deze, en de leraren vergaten steeds dat ik doof was, zodat het erg verleidelijk was om maar niet meer op te letten. Als ik naar Sint-Maarten kon, zou ik heel, heel hard gaan werken. Dat wist ik zeker. Maar dat zou ik voor me houden. Het zou te veel op bidden en smeken lijken.

Alles hing af van de test.

Toen we binnen waren, moesten allebei mijn ouders meteen naar het toilet, zodat ik alleen achterbleef in de grote hal. Ik keek om me heen. Ik kon me al helemaal voorstellen dat ik hier de volgende vijf jaar zou zijn. Ik stelde me de vriendinnen voor die ik zou krijgen, die bij mij thuis zouden komen en ik bij hen. Ze zouden niets van mijn broers Fergal en Cormac moeten hebben natuurlijk, maar waarschijnlijk zou ik hun broers en zussen ook vreselijk vinden. Mijn ouders zouden me hier tijdens de schoolperiode komen opzoeken en dan kon ik ze mijn bloembed laten zien en de tekeningen en schilderijtjes die ik voor de tentoonstelling had gemaakt.

Er kwam een vrouw naar me toe. Ze was blijkbaar gewend met doven om te gaan, want ze zei pas iets tegen me toen we elkaar aankeken.

Ze zag er erg stijlvol uit, ze had lang, donker krulhaar en ze glimlachte breeduit. Ze was erg elegant gekleed in een strakke zwarte rok met een gele blouse met een zwart met gele broche erop. Ze had een tas met boeken aan haar schouder hangen en had dus beide handen vrij zodat ze tijdens het spreken ook gebarentaal kon gebruiken.

Dat had ik niet verwacht.

Ik dacht namelijk dat ze op deze school niet aan gebarentaal deden. Ik dacht dat ze ertegen waren, dat ze vonden dat het ons een achterstand bezorgde. Drie keer per week kreeg ik les in liplezen en daar zeiden ze steeds maar weer dat ik, als ik het in de echte wereld een beetje goed wilde redden, geen gebarentaal moest gebruiken.

Maar deze vrouw deed dat wel en ze zag eruit als een leres. Misschien was het een test. Of zelfs een trucje. Ik wist niet goed wat ik moest doen.

Misschien was ze zelf ook wel doof? De beleefdheid vereiste dat ik haar antwoordde in gebarentaal, maar ik besloot ook hardop te spreken om te laten zien dat ik het kon.

Ze had me gevraagd of ik de weg kwijt was.

Ik gebruikte beide manieren toen ik antwoordde dat ik niet verdwaald was, dank u, dat ik wachtte op mijn ouders die naar het toilet waren en dat ik daarna een test moest afleggen. Prima, zei ze. Ze zou me dan straks wel weer zien, want ze was bij die test betrokken.

Ze keek de grote hal rond en slaakte een zucht.

'U zult het hier wel fijn vinden,' zei ik.

'Ja,' antwoordde ze, 'heel erg fijn.' De manier waarop ze het zei had iets triestigs, alsof ze binnenkort zou weggaan. Als je doof bent moet je zo je best doen om woorden op te pikken, dat je nog een heleboel andere dingen oppikt ook.

Mijn vader en moeder waren nog steeds enorm zenuwachtig en toen ze vragen moesten beantwoorden, die doodgewoon waren en alleen maar bedoeld om een formulier in te vullen, raakten ze steeds in de war. Ik kon het wel uitschreeuwen. Ik was immers degene die getest moest worden, ik was degene die geacht werd taalproblemen te hebben... Ze zouden mijn moeder eens achter de kassa van de supermarkt moeten zien, ze was zo snel, ze leek wel een tovenares. En mijn vader, die was zo betrouwbaar dat hij alle sleutels van alle deuren op zijn werk beheerde. Als mensen zichzelf hadden buitengesloten, dan moesten ze naar hem toe. Maar hier leken ze allerminst betrouwbaar, hier waren het mensen die niet eens meer wisten of ze hun huis huurden of gekocht hadden en die de grootste moeite hadden om zich de leeftijd van Fergal en Cormac te herinneren.

Maar goed, de vrouw met het donkere krulhaar kwam binnen en ging tegenover ons zitten. Ze zei dat ze Caroline heette en dat ze een aantal dingen met mij zou doornemen. Ze zou me wat vragen stellen.

Eerst dacht ik dat het een grap was of zo. Het ging om dingen die een kind van vijf al wist: de kleuren van de verkeerslichten, wie de premier van Ierland was en wie de premier van Engeland, wie de president was van de Verenigde Staten en met welk beest de heilige Joris in gevecht was geraakt; daarna werden de vragen wel iets moeilijker, bijvoorbeeld waar in je lichaam de iris of de galblaas te vinden was. En toen kreeg ik wat puzzeltjes op, zoals over de snelheid van een trein en de lengte van een perron.

Ze vroegen of ik iets over Rossmore wilde vertellen en dus vertelde ik over alle heibel rond een weg die dwars door het Meidoornbos aangelegd zou worden. Ik zei dat ik voor die weg was, omdat het zo lastig oversteken was met al die grote vrachtwagens en omdat je beter vooruit dan achteruit kon kijken. Ze leken geïnteresseerd in wat ik te vertellen had, maar je wist zoiets natuurlijk nooit zeker.

Caroline vroeg of ik zelf soms iets wilde vragen en dus vroeg ik naar de gebarentaal. Ik wilde weten wat hun beleid was en ze zei dat een heleboel dove mensen graag in gebarentaal spraken omdat ze daar rustig van werden. Dat ze het op Sint-Maarten dan ook niet ontmoedigden, maar het gewoon als een tweede taal gebruikten. Dat leek mij ook heel goed.

Toen zei ze dat ze een moeilijke vraag voor me had: als een huisschilder de nummers een tot en met honderd van een straat moest schilderen, hoe vaak moest hij dan het cijfer negen schilderen? Ik keek haar aan, in afwachting van de echte vraag. Maar het was de echte vraag.

Toch bleef ik haar afwachtend aankijken.

'Dat is de vraag,' zei ze. 'Er schuilt geen addertje onder het gras.' Maar het moest wel een strikvraag zijn. Iedereen wist het antwoord hierop toch? De toelating tot een school als deze hing toch niet af van zo'n suffe vraag?

Ze vroeg me het antwoord op een papiertje te schrijven en dat deed ik. Toen ze het antwoord las, knikte ze en vouwde het op, waarna ze alle anderen in de kamer dezelfde vraag voorlegde.

'Wat zegt u?' vroeg ze aan de directrice.

De directrice zei negen. De adjunct-directrice zei tien. Mijn moeder zei elf. En mijn vader zei dat het zeker elf was, omdat er twee negens zaten in negenennegentig.

Caroline glimlachte tegen iedereen en zei toen: 'Weten jullie wat Melanie heeft opgeschreven?'

Ze keken allemaal naar mij en ik kleurde tot achter mijn oren.

'Sorry,' zei ik, 'ik dacht dat u bedoelde elke keer dat hij een negen schilderde...'

'Dat was ook zo,' zei Caroline. 'En jij hebt het helemaal goed, als enige in deze kamer.'

Ze begonnen allemaal op hun vingers af te tellen: 'Negen, negentien, negenentwintig...'

Caroline verloste ze uit hun misère. 'Melanie zei twintig keer, jullie vergaten allemaal negentig, eenennegentig, tweeënnegentig enzovoort. Heel goed gedaan, Melanie.'

Mijn vader en moeder straalden en staken hun duimen in de lucht. De directrice en de adjunct-directeur lachten en schaamden zich een beetje.

Toen moest ik voorwerpen benoemen.

Ze stonden allemaal op kaarten en eerlijk gezegd was het in het begin ontzettend gemakkelijk: een konijn, een huis, een zonnebloem, een autobus en meer van dat soort dingen. En toen kwamen de iets lastiger dingen. Ik wilde niet overmoedig worden, maar ook deze waren heel goed te doen: dingen als een vrachtwagen, een mixer, een viool en een saxofoon.

Maar toen was er een plaatje waaruit ik geen wijs kon worden. Het had de vorm van een driehoek. Ik draaide de kaart zodat ik hem beter kon bekijken. Maar ik zag nog steeds niet wat het was, het was een heel simpel tekeningetje, te simpel; ik wist het echt niet.

'Ik heb geen idee,' zei ik verontschuldigend.

Caroline was teleurgesteld. Ik zag het in haar ogen.

'Neem rustig de tijd,' zei ze.

Maar hoe langer ik keek, hoe groter mijn verwarring werd. Wie kon weten wat dit was? Ik keek naar mijn ouders en zag tot mijn stomme verwondering dat ze elkaars hand stevig vasthielden. Mijn vader had zijn ogen dicht en mijn moeder had de uitdrukking op haar gezicht die ze ook wel eens had achter de kassa als mensen erg dom deden of heel lang in hun tasje rommelden, op zoek naar hun portemonnee. Ik begreep dat zij wel wisten wat er op de kaart stond. Ik kon er niet bij. Hoe wisten zij dat nou? Het vergde erg veel van je fantasie.

'Haast je maar niet,' zei Caroline weer. Ze had haar ogen wijd open, ze zou me het liefst voorzeggen wat het was. De anderen waren geschokt dat ik het niet wist, dat zag ik wel.

Ze zaten een beetje heen en weer te schuiven, alsof ze wilden zeggen dat ik het net allemaal wel erg goed had gedaan maar dat het misschien een kwestie van geluk was geweest en dat ik het antwoord op alle vragen toevallig al kende. Zíj konden niet eens het eenvoudige probleempje van de schilder en de negens oplossen, maar ze wisten wel wat dit was.

Ik bleef naar de driehoek turen tot mijn ogen er pijn van deden. Zou dit stomme ding ervoor zorgen dat ik niet naar deze geweldige school mocht? Moest ik weer terug naar mijn oude school, waar ik me heel erg moest inspannen om zo veel mogelijk te zien, maar toch nog een hoop miste? Moest ik de pauzes weer op dat betonnen schoolplein doorbrengen in plaats van hier drie keer in de week te kunnen hockeyen of met mijn eigen bloemperk bezig te kunnen zijn? Ik had al bedacht wat ik erin zou zetten: tomaten tegen de muur en vooraan een hoop dwergconiferen en winterviooltjes zodat er het hele jaar door iets zou bloeien.

'Nee, het spijt me, ik zou het echt niet weten,' zei ik tegen Caroline.

'Raad anders maar gewoon,' zei ze smekend.

'Goed, maar het is echt een gok,' waarschuwde ik.

'Dat is prima,' zei ze.

'Het zou Cheshire kunnen zijn,' zei ik weifelend. 'Een stukje Cheshire, maar het kan ook Cheddar zijn. Ik aarzel tussen die twee.'

En toen veranderde alles op slag. Ze leken allemaal tegelijk in tranen uit te barsten, elkaars handen te schudden en mij te omhelzen. Caroline had niet minder tranen in haar ogen dan mijn vader en moeder. Ik had me suf gepiekerd over wat voor soort kaas er op het plaatje stond, terwijl zij alleen maar het woordje 'kaas' wilden horen. Stel je toch voor. Ze wisten zelf niet eens wat voor soort kaas het was, ze wilden alleen maar dat woordje. En het feit dat het een te gemakkelijke vraag voor me was, bepaalde ook meteen de uitslag van de test. Ze lieten ons de slaapzalen en de eetzaal zien en mijn vader en moeder waren niet zenuwachtig meer en gedroegen zich weer normaal.

Caroline zei: 'Tot het begin van het volgende schooljaar dan maar.'

En ik zei: 'Komt u terug dan?'

Ze keek me verbluft aan. Ze was stomverbaasd dat ik leek te weten dat ze getwijfeld had, terwijl het toch zo duidelijk op haar gezicht te lezen was geweest. Ze zei dat ze inderdaad terugkwam en dat ze dit vandaag pas had besloten. Ongeveer tien minuten geleden. Ze zag er een stuk minder zorgelijk uit.

Toen we in de trein terug zaten, haalden mijn vader en moeder pen en papier tevoorschijn om na te gaan waarom de schilder twintig keer het cijfer negen had geschilderd, terwijl ik naar de kaart zat te kijken waarop dat stomme driehoekje kaas stond afgebeeld. Caroline had het me als herinnering aan deze dag meegegeven.

Deel 2 – Carolines loopbaan

Toen wij nog klein waren, kwam er bij ons thuis heel vaak een tante over de vloer. Ze was de jongere zus van mijn moeder maar we noemden haar nooit tante, want ze zei dat ze zich daardoor stokoud ging voelen. We noemden haar altijd Shell.

Shell was echt een tante met glamour. Ze vertelde mij en mijn zus Nancy allerlei dingen die we van mijn moeder nooit te horen zouden krijgen, zoals dat mannen gek waren op meisjes op zwarte naaldhakken, met een grote bos glanzend haar en felrode lippen. Op Shell zelf was dit alles van toepassing; ze zag er fantastisch uit. En er hingen inderdaad altijd mannen om haar heen. Er was er nooit een bij die het langer dan een poosje uithield, want mijn tante was nogal een vlinder, zoals mijn moeder zei. Ze fladderde altijd ergens rond, maar kwam ook altijd weer terug.

Ze mocht dan een vlinder zijn, ze hield zich intensief met ons bezig. Ze epileerde onze wenkbrauwen en kocht push-up-beha's voor ons. Ze hield Nancy en mij voor dat het leven ontzettend veel kansen bood en dat we die allemaal moesten grijpen. Van anderen hoorden we altijd heel andere dingen. Mijn vader en moeder zeiden altijd dat we heel hard moesten studeren en ons niets moesten verbeelden. Onze opa's en oma's zeiden precies hetzelfde en op school zeiden ze het ook.

Maar Shell was een vrouw apart. Het leven was vol prachtige beloften, zei ze, die we met open armen moesten begroeten. Ze gaf ons altijd een prettig opgewonden gevoel, het gevoel dat we iets bijzonders waren. Toch zat me een ding dwars.

Als we met ons tweeën waren, zei Shell vaak dat ik me niet druk hoefde te maken over een goede schoolopleiding en dat soort dingen. Ik was zo'n knappe meid, zei ze, ik zou op m'n twintigste al getrouwd zijn. Ik moest er alleen voor zorgen dat het met een prima kerel was, eentje met een hele hoop centen. Ik vond het maar niks wat ze zei. Ik was twaalf, en dan hou je je met dat soort dingen helemaal niet bezig, toch? Wat ze eigenlijk zei, was dat ík niet hoefde te studeren omdat ik knapper was dan Nancy en dat vond ik een beetje... Ik weet niet... alsof alleen je uiterlijk ertoe deed.

Maar tegen Shell ging je niet in en dus zei ik niets, maar knikte alleen maar.

Toen ik van school af was, volgde ik een opleiding voor onderwijs aan doven. Nancy ging naar de universiteit en studeerde economie en politieke wetenschappen. Shell had in die periode een heel rijke vriend en ze deed ons allebei een vakantie cadeau. Nancy ging op kunstreis naar Italië en ik ging skiën in een luxe skidorp, waar ik Laurence ontmoette.

Laurence was advocaat bij een zeer bekend advocatenkantoor. Hij was een grote, knappe, warme persoonlijkheid met een donkere krullenkop en een hartveroverende glimlach. Iedere avond was het dolle pret bij hem aan tafel want hij maakte iedereen aan het lachen. De meisjes die het skichalet runden zeiden zelfs dat hij altijd gratis mocht terugkomen, omdat hij zo ontzettend grappig was.

De eerste avond noemde hij me al *ravissante*, ja, echt, dat woord gebruikte hij, en daarna zei hij het nog zo vaak dat ik er bijna in ging geloven...

Shell had altijd gezegd dat er mannen waren die ál te perfect leken en dat het in zo'n geval verstandig was om meteen te proberen hun zwakheden op te sporen, omdat je je dan later minder bekocht zou voelen.

Oké, zei ik tegen mezelf, eens kijken wat er aan hem mankeert. Hij was erg knap en er werd altijd gezegd dat knappe mannen ijdel zijn. Zo kwam hij niet over, maar ik moest het maar in mijn achterhoofd houden als mogelijke zwakke plek. En hij kon lichtelijk geïrriteerd raken als mensen naar zijn zin te traag een helling afdaalden of niet meteen snapten waar de conversatie aan tafel over ging. Maar tegen mij was hij alleen maar aardig en hij was ook erg geïnteresseerd in alles wat mij betrof, mijn studie, mijn familie, mijn dromen en verwachtingen. Hij was er nog het meest in geïnteresseerd om met me naar bed te gaan.

Ik zei dat ik dat soort dingen niet deed in mijn vakantie.

'Waarvoor ben je dan op vakantie?' vroeg hij geïrriteerd.

'Om te skiën,' luidde mijn simpele antwoord.

Tot mijn verbazing accepteerde hij dit zonder morren en begon hij niet opnieuw over seks. Ik dacht dat ik nooit meer iets van hem zou horen, en ik was dan ook erg verrast toen hij me twee weken na de vakantie opbelde.

Hij woonde maar een kilometer of tachtig bij mij vandaan in een stadje dat Rossmore heette. We gingen een paar keer uit eten en toen kwam hij met het voorstel om samen een weekend in een hotel in het Merendistrict in Engeland door te brengen.

Ik zei dat het me geweldig leek en dat ik het erg leuk zou vinden.

Het was geweldig en ik vond het erg leuk.

Hij nam me mee naar zijn ouders om kennis te maken. Ze waren deftig, maar deden niet uit de hoogte.

Ik nam hem ook mee naar mijn ouders en natuurlijk kwam Shell toen langs om hem te inspecteren. Toen we samen in de keuken waren, kuste ze haar vingertoppen.

'Uitmuntend, Caroline, hij is werkelijk eersteklas. Heb ik niet altijd al gezegd dat jij je niet om een carrière hoefde te bekommeren, want dat je al voor je eenentwintigste getrouwd zou zijn?'

Mijn mond viel open. Ik was wél bezig met mijn loopbaan. Ik ging doven lesgeven, in september van het volgend jaar zou mijn proefperiode als lerares beginnen. Dus waarom zei ze dat?

Maar Shell spreek je nu eenmaal nooit tegen. Dus ik zei nu ook niets.

En het ging allemaal ook anders dan ik me had voorgesteld. Laurence en ik trouwden in september en het kopen en inrichten van ons huis was zo'n gedoe, dat iedereen zei dat ik maar beter niet meteen aan mijn proefperiode van een jaar op school kon beginnen. Het jaar daarop was ik zwanger, en dus kon ik toen ook nog niet beginnen.

En daarna, ach, toen moest ik voor Alistair zorgen en zou het idioot zijn geweest om te proberen dit te combineren met lesgeven. Toen Alistair eenmaal naar school ging, probeerde ik wat ochtendlessen te regelen, maar die waren dicht bij huis, in Rossmore, niet te krijgen.

Ik wil niet de indruk wekken dat ik zat te springen om aan het werk te gaan of dat ik me verveelde, want dat was beslist niet zo. Een dag was eigenlijk veel te kort voor alles wat ik deed. Vaak belde Laurence op om te vragen of ik er niet even tussenuit kon knijpen om samen met hem te lunchen. Hij bleef me *ravissante* vinden en bewonderen. Ik vond het heerlijk om bij hem te zijn en het hem naar de zin te maken.

Aan geld hadden we geen gebrek. Ik had een hulp voor hele dagen en ook een tuinman. Ik ging zeer geregeld naar het fitnesscentrum, naar kapsalon Fabian om mijn haar te laten doen, en naar de schoonheidssalon voor een manicure. Iedere week op vrijdag gaven we een etentje.

We waren dan altijd met zijn achten en de gasten waren bijvoorbeeld collega's van Laurence of zakenrelaties, en als er eens een man zonder dame was, nodigden we Shell uit, want volgens Laurence was ze de perfecte gast tijdens een dineetje. Ik had me toegelegd op de verfijnde kookkunst. Ik wist tien verschillende mooie voor- en hoofdgerechten te bereiden en schreef zelfs op wat ik de mensen voorzette om te voorkomen dat ze een volgende keer hetzelfde kregen. Laurence hief steevast vanaf de andere kant van de met kaarsen verlichte tafel het glas naar me op.

'Caroline, het was weer heerlijk, dank je wel,' zei hij dan en dan keken de andere vrouwen aan tafel met een jaloerse blik naar mij.

We hadden al vanaf het begin besloten dat we het bij één kind zouden laten, maar toen ik Alistair eenmaal in mijn armen hield, begon ik me meteen af te vragen of we er niet meer moesten nemen. Laurence was ertegen en hij praatte het me op een redelijke en vriendelijke manier uit mijn hoofd. We hadden toch altijd gezegd dat één kind prima was? Alistair was erg gelukkig en had een hoop vriendjes, die snakte heus niet naar een broertje of zusje. We hadden op deze manier veel meer tijd voor elkaar en dat wilden we toch het liefst? Wat hij zei klopte allemaal, ik vond dat hij wel gelijk had. Ik had niet het gevoel dat ik me iets liet aanpraten.

Voordat ik het in de gaten had, was Alistair elf en werd het tijd dat hij naar kostschool ging. Dat was iets wat ik niet wilde, ik vond het eigenlijk onmenselijk. Maar Laurence wilde niets liever dan dat zijn zoon naar dezelfde school zou gaan waar hij en zijn vader op hadden gezeten. Hij nam me verschillende keren mee naar die school. We zagen de plek waar hij zijn eerste sigaret had gerookt, het veld waar hij voor het eerst had gerugbyd, de bibliotheek waar hij had zitten blokken voor zijn examen. Hij zei dat hij er erg gelukkig was geweest, dat hij er volwassen was geworden, dat hij er de meeste van zijn vrienden had leren kennen, vrienden die hij nu nog steeds had. We konden om het weekend hierheen gaan en in het nabijgelegen hotel logeren, en dan konden we Alistair en zijn vrienden uitnodigen voor een geweldige maaltijd in het restaurant.

Ik vroeg Alistair wat híj het liefst wilde. Ik vroeg het hem toen we met ons tweetjes in de tuin waren. Ik zei dat hij me de zuivere, eerlijke waarheid kon vertellen. Móést vertellen, omdat het om zijn leven ging.

Hij keek me aan met die grote bruine ogen van hem en zei dat hij het geweldig zou vinden om naar die school te gaan.

Nou, dat was het dan.

Vanaf dat moment begon ik uit te kijken naar een baan in het onderwijs.

Ik zou het liefst op Sint-Maarten gaan werken. Wie niet? Het was het enige en het beste instituut in zijn soort. Ze verrichtten daar echte wonderen, in tegenstelling tot de heilige Anna; ik wandelde vaak met Alistair en de honden in het bos daar in de buurt. Maar op Sint-Maarten was er geen vacature.

Hier in Rossmore hadden we geen school speciaal voor doven, maar in Sint-Ita en bij de broeders waren er wel mogelijkheden om met doven te werken. De kinderen waren geweldig en net als iedere beginnende leraar maakte ik in het eerste jaar alle denkbare fouten waar ik heel veel van leerde.

Ik leerde thuis delegeren, zodat zowel het huis als de tuin ook zonder mij prima verzorgd werd. Ik liet iedere vrijdag boodschappen bezorgen en kon zodoende de wekelijkse etentjes blijven geven.

Als mijn schoonmoeder zei dat ze het zo goed van me vond dat ik buitenshuis werkte – op een toon die duidelijk maakte dat ze het tegenovergestelde dacht – deed ik met opzet alsof ik het niet begreep en bedankte ik haar voor haar lovende woorden.

Ik probeerde tijdens lunchtijd naar Fabian te gaan, en van een kamertje dat we tot dan toe alleen als opslagruimte hadden gebruikt, maakte ik een werkkamertje voor mezelf, zodat mijn laptop, al mijn papieren en andere spullen niet in het huis hoefden rond te slingeren. Dat betekende wel dat ik niet meer onverwachts met Laurence in een of ander leuk Italiaans tentje kon gaan lunchen, en dat ik ook niet meer uren kon gaan winkelen met mijn creditcard. Ik leerde net als iedere andere werkende vrouw dat als je laat naar bed gaat en de heleboel laat staan, je de volgende ochtend met de troep zit en je ontzettend moet haasten om nog op tijd de deur uit te gaan.

Om het weekend gingen we Alistair opzoeken. Hij had op zijn school al snel veel vrienden gemaakt en zat in een schaakclubje en een vogelaarsgroep. Ik begon verzoend te raken met het idee dat het voor hem heel goed was dat hij daar zat. Thuis zouden er geen mogelijkheden zijn geweest voor dit soort activiteiten.

Op mijn werk luisterde ik naar de verhalen van de andere vrouwen over hun man of vriend. Door alles wat ze zeiden besefte ik hoe ik het met Laurence getroffen had. Hij was een warme, enthousiaste man die me alles over zijn werk vertelde, die alles met me deelde, die iedereen die het maar horen wilde vertelde hoe mooi of zelfs *ravissante* ik was – tot mijn grote gêne bleef hij dat woord maar gebruiken. Ik weet eigenlijk ook niet zo goed waarom ik de verhalen van die anderen nodig had om mezelf ervan te overtuigen hoe geweldig hij was.

Heel wat vrouwen vertelden bijvoorbeeld over de ontrouw van hun man. Veel van hen, en heus niet alleen de minder intelligente, waren naar de bron van de heilige Anna geweest in de hoop dat hun huwelijk als door tovenarij zou verbeteren. Terwijl ik gewoon wist dat Laurence niet ontrouw was. Hij was nog net zo verliefd en hartstochtelijk als toen we in dat skioord waren en ik hem op een afstand hield. Soms als ik moe was of aantekeningen moest doornemen of de volgende dag vroeg op moest, was ik eigenlijk niet bestand tegen al die liefde en hoopte ik min of meer dat hij moe of slaperig was of dat zijn interesse iets zou afnemen. Maar toen ik de verhalen van mijn collega's hoorde, besefte ik dat ik me hiermee op glad ijs begaf.

Mijn zus Nancy zei vaak dat ik ongetwijfeld de gelukkigste vrouw op aarde was. En mijn tante Shell zei dat ook. En mijn moeder. En de moeder van Laurence.

En het was ook zo.

Ik wilde alleen maar dat hij zich wat meer voor mijn werk interesseerde. Ik was erg geïnteresseerd in wat hij deed. Ik vroeg hem naar zijn zaken, en ik hielp hem van alles opzoeken in rechtbankdossiers. Ik kende alle advocaten van zijn firma, de partners in spe, zijn rivalen en zijn bondgenoten. Ik had al eindeloos met hem gespeculeerd over de datum waarop hij misschien zelf partner zou worden; binnen achttien maanden zou het kunnen gebeuren.

Ik overreedde hem om Alistair niet te vertellen dat er bij hem op kantoor een kamer was waar Alistairs naam al op stond. Hij dacht dat het Alistair een gevoel van veiligheid zou geven, terwijl ik dacht dat onze zoon zich in een hoek gedreven zou voelen.

Laurence en ik bespraken dit laatste terwijl we een glaasje wijn dronken; het was een discussie, beslist geen ruzie. Hij was altijd uiterst redelijk en hij probeerde mijn denkwijze te begrijpen. Misschien had ik wel gelijk en had onze zoon behoefte aan meer vrijheid, had hij net als iedereen recht op zijn eigen dromen en verwachtingen. Als Laurence op zo'n manier met me sprak, vroeg ik me af hoe het in godsnaam mogelijk was dat ik zo'n beetje iedere nacht om drie uur wakker werd en daarna lange tijd lag te tobben.

Ik had immers niets om me zorgen om te maken?

Maar ineens, toen ik aan de dovenschool Sint-Maarten lag te denken, wist ik wat me dwars zat. Laurence had geen idee wat het betekende om les te geven. Hij wist niet wat voor geweldige dingen er voor dove meisjes gedaan konden worden. Hij probééérde interesse te tonen als ik vertelde over de schoolprestaties, dat de school leerlingen afleverde die vaak veel meer bereikten dan horende kinderen.

Hij deed zijn best. Ik weet dat hij het probeerde omdat hij wist dat het voor mij zoveel betekende en hij in mijn enthousiasme wilde delen. Hij zei wel honderd keer dat hoe meer hij me over mijn werk hoorde vertellen, hoe meer hij God dankte dat onze Alistair niet doof was. Maar dat was niet wat ik zei, bedoelde of zelfs maar dacht.

Ik wist dat als Alistair doof was geweest, hij toch, met behulp van de huidige technieken, een ontzettend rijk leven zou kunnen hebben. Laurence wist dat niet. Hij dacht dat het alleen maar zielig was en dat je met dove mensen vooral medelijden moest hebben. Gek werd ik ervan.

Ik kreeg de kans om mijn opleiding te vervolgen. Daarvoor moest ik ook praktisch werk doen en op Sint-Maarten, de crème de la crème van de doveninstituten waren ze bereid me voor zes uur per week een stageplaats aan te bieden. Stel... Stel nou dat ik dat heel goed zou doen... Dan zouden ze me uiteindelijk vrijwel zeker een vaste baan aanbieden.

Ik was door het dolle heen en kon bijna niet wachten tot Laurence thuis was om het hem te vertellen. Maar híj was vol van iets wat op kantoor was gebeurd. Een van de partners had ontslag genomen, volkomen onverwachts. Het was eigenlijk ook iets ongehoords. Hij kwam aan met het verhaal dat hij naar Arizona vertrok om zichzelf te vinden. Een raar verhaal dus. De man was niet goed bij zijn hoofd.

Ik herinnerde me hem. Nogal een stijve hark met een niet minder stijve vrouw die hem waarschijnlijk niet op zijn speurtocht in Arizona zou vergezellen. Ik luisterde onrustig naar wat dit allemaal voor consequenties had: mensen die opschoven in de hiërarchie, iemand die de overdrachtsakten voor zijn rekening zou moeten nemen, iemand die van buitenaf moest worden aangetrokken.

Uiteindelijk begon het me te dagen dat de langverwachte promotie van Laurence eindelijk een feit zou worden, hij werd partner. Ik probeerde blij te zijn voor hem, ik verzekerde hem dat het geen vorm van lijkenpikkerij was als hij in de schoenen van die saaie vent stapte, want die ging vast en zeker niet in zijn eentje naar Arizona om zichzelf te vinden, maar met iemand die een jaar of twintig jonger was dan zijn vrouw. Bovendien deed hij het uit eigen vrije wil.

'Het zal veel veranderingen in ons leven brengen,' zei Laurence op sonore toon. 'Om te beginnen krijgen we veel meer mensen over de vloer. Maar jij bent daar zo goed in, Caroline, dat komt wel goed. Je vindt het vast nog fijn ook, want je zult wel eenzaam zijn nu Alistair op kostschool is.'

Ik weet niet wat iemand anders gedaan zou hebben, maar ik besloot op dat moment hem niet te vertellen over de opleiding en mijn stage op Sint-Maarten. Althans niet die avond. Het was zíjn avond. Ik liet het bad voor hem vollopen, deed er wat sandelhoutolie in en bracht hem een glas martini terwijl hij erin lag. Toen haalde ik twee biefstukjes uit de vriezer, maakte een fles wijn open, hulde me in een zwart jurkje en stak de kaarsen op tafel aan. Hij zei die avond wel twintig keer dat ik *ravissante* was, dat hij me adoreerde, dat hij de gelukkigste man van de firma en van de hele wereld was.

Het duurde nog vier dagen voordat ik hem mijn nieuws kon vertellen en toen ik dat deed was hij verbijsterd.

'Maar Caroline, je kunt toch niet naar Sint-Maarten, dat is tachtig kilometer hiervandaan,' zei hij.

'Ik heb een auto en binnenkort komt er een nieuwe weg, dus dan ben ik er heel snel,' zei ik luchtig, terwijl ik mijn best deed niet te laten merken hoe teleurgesteld ik was door zijn reactie.

'Maar liefste, het is zo ver weg! Ik bedoel, ik dacht... ik zou toch denken dat...'

'Het gaat me heel goed lukken,' zei ik. Ik had grote moeite mijn tranen te bedwingen.

'Maar waarom toch, Caroline, engel van me, waarom wil je dit allemaal terwijl er hier zoveel is wat we samen kunnen doen?'

Het lukte me om niets te zeggen, wat een hele opgave was. Wat konden we allemaal samen doen dan? Niets.

Ik zou me hier in mijn huis in mijn eentje kunnen wijden aan het laten aanbrengen van nog meer decoraties, het laten uitvoeren van schilderwerk en het uitzoeken van nieuwe gordijnen en meubelstof. Of ik kon toezicht houden op de bouw van een plantenkas of de uitbreiding van de betegelde patio, zodat hier in de zomer nóg meer gasten van een kir royale voor het eten konden genieten.

'Waarom zeg je niets, Caroline, engel van me?' vroeg Laurence. Hij begreep er niets van.

'Ik voel me een beetje duizelig, Laurence, ik ga naar bed.' Ik deed net alsof ik sliep toen hij heel bezorgd bij me kwam liggen en uitgebreid mijn gezicht en arm begon te strelen.

De volgende dag begon hij er aan het ontbijt weer over.

Maar ik had zeven slapeloze uren van gepieker achter de rug en was dus terdege voorbereid.

'Ik ga die opleiding doen en ik ga die zes uur stage per week op Sint-Maarten lopen, Laurence. Dan hebben we het er aan het eind van het jaar wel over of ik daar fulltime ga werken of niet. Misschien blijkt dan dat ze me niet eens willen hebben. Of dat het inderdaad te ver is. Maar ik ben niet van plan om deze opleiding te laten schieten.'

Waarop ik schijnbaar moeiteloos overstapte op een ander onderwerp: de barbecue die we de volgende week zouden houden als Alistair thuis was van school.

Ik meende dat Laurence bewonderend naar me keek, zoals hij misschien ook keek naar een collega-advocaat die bij de behandeling van een zaak een rake opmerking had geplaatst.

Maar misschien zag ik dat verkeerd. Ik ben nu eenmaal een hopeloze optimist.

Het opleidingsjaar was behoorlijk zwaar, dat viel niet te ontkennen. Ik herinner me de avonden dat ik tijdens een plensbui in de auto zat met zwiepende ruitenwissers voor mijn neus en instructies voor het avondeten in mijn mobiele telefoon blafte.

Laurence werd inderdaad partner en de man die zo nodig naar Arizona moest om zichzelf te vinden, was inderdaad niet met zijn vrouw aan deze queeste begonnen maar met een piepjonge uitzendkracht van kantoor.

Ik vond het werk op de school fantastisch, we leerden er dove mensen praten. Mensen die woordeloos waren, schonken we een vocabulaire en daarmee een heel leven. Het was het opwindendste wat ik ooit had gedaan. Ik vond het heerlijk op Sint-Maarten en ze mochten me daar graag en toen het jaar ten einde liep vroegen ze me of ik fulltime op de school wilde komen werken.

Ze vroegen ook of ik een zitslaapkamer op school wilde hebben, zoals veel andere leraren ook hadden, voor het geval het weer te slecht was, gezien de afstand, de verkeersopstoppingen en de lange reistijd.

Ik zei dat ik ze het zou laten weten. Zo spoedig mogelijk.

We hadden die avond thuis een superieur eetfestijn voor de partners en hun vrouwen. Twintig minuten voordat de eerste gasten arriveerden, kwam ik pas binnen. Ik had maar net genoeg tijd om me te verkleden, de extra slagroom die ik onderweg had gekocht in de keuken neer te zetten, de naamkaartjes op tafel te herschikken en de bij de traiteur gekochte canapés op grote ovalen schalen te leggen, met wilde bloemen uit de tuinen van Sint-Maarten ertussen geschikt en versgehakte peterselie eroverheen gestrooid.

'Je vrouw is echt een genie,' zei een van de partners tegen Laurence.

'Op mijn lieve, lieve Caroline,' zei Laurence terwijl hij zijn glas hief.

'En ze heeft ook zo'n interessante baan,' zei een van de vrouwen met een nasale stem.

'Ja, ik kan er nog steeds niet bij waarom ze het doet,' zei Laurence.

Ik keek hem geschokt aan.

'Tja, het maakt de toestanden met de inkomstenbelasting er

alleen maar erger op. Als ze zien dat mijn vrouw ook inkomsten heeft, nemen ze me nog erger te grazen dan ze al doen. En waarvoor? vraag je je af. Maar ze blijft het doen, hè, liefste?' Hij keek me toegeeflijk aan.

Ik glimlachte terug.

Ik haatte hem niet. Natuurlijk niet. Hoe kon je Laurence nu haten? En in bepaalde opzichten had hij ook gelijk. Misschien wilde ik hem alleen maar laten zien dat ik ook mijn eigen leven had. En was het eigenlijk verspilling van tijd en moeite.

Er waren genoeg mensen die doven les konden geven. En misschien waren doven wel gelukkiger als ze stom bleven, als we niet probeerden om ze op een bepaalde manier te laten ademen en ze te dwingen geluid te produceren.

Wie weet?

Ik besloot nog een week de tijd te nemen om erover na te denken, maar het op dat moment voor even te vergeten.

We praatten over de nieuwe weg. De gasten verhieven hun stem. Sommigen zeiden dat het barbaars was, anderen dat de weg een pure noodzaak was. Ik begon over de bron in het Meidoornbos. De gasten begonnen nog harder te praten.

Sommigen zeiden dat het om een belachelijke en gevaarlijke vorm van bijgeloof ging, terwijl anderen erop wezen dat het een niet te missen onderdeel van het culturele erfgoed was. Daarom bracht ik het gesprek zo gestroomlijnd mogelijk over op een onderwerp waarover we het allemaal eens konden zijn, zoals de prijzen van onroerend goed. Ik zette ook de truffels op tafel die ik tijdens mijn lunchpauze had gekocht en thuis met een deegrol had bewerkt om ze er ongelijk van vorm te laten uitzien, waarna ik ze door een mengsel van cacao en gehakte noten had gehaald. Iedereen dacht dat ik ze zelf gemaakt had.

'Heerlijk, Caroline,' zei Laurence, en hief opnieuw zijn glas.

'Laurence,' zei ik, terwijl ik het mijne hief.

Het was me zwaar te moede.

Waarschijnlijk had ik verschrikkelijk veel moeite gedaan en niets bereikt, terwijl ik juist gedacht had dat ik met een geweldige carrière bezig was. Ik slaagde er maar net in niet hardop te zuchten bij de gedachte aan een droom die in rook was opgegaan. Het barst immers van de mensen van wie de dromen nooit vervuld worden.

Ik liet de vuile vaat die avond staan. De volgende dag had ik niet zo heel veel te doen.

Toen ik het huis de volgende ochtend verliet, was alles weer blinkend schoon. Ik reed naar Sint-Maarten, zonder me te haasten. Ze hadden gevraagd of ik aanwezig wilde zijn bij het testen van een kind dat voor een beurs in aanmerking kwam. Het ging om een meisje dat Melanie heette en erg intelligent zou zijn.

Het was een leuke en geen zware taak die me wachtte en ik zou er extra van genieten, want het zou wel eens de laatste keer kunnen zijn dat ik zo'n test zou doen.

Grappig toch, dat je nooit weet wanneer er iets belangrijks te gebeuren staat. Toen ik zag wat die Melanie al allemaal gedaan had en bedacht hoeveel meer we nog met haar zouden kunnen doen, werd die beslissing feitelijk voor me genomen.

We zouden haar toelaten tot Sint-Maarten. Dat wist ik zeker en ook wist ik dat ik een van degenen was die haar zouden begeleiden en haar zelfvertrouwen zouden opschroeven. Want dat wilde ik doen en ik ging het doen ook.

Precies zoals Laurence zijn praktijk wilde runnen.

Opeens bestonden er geen grijze gebieden meer. Het was immers niet het einde van de wereld. We hoefden geen ruzie te maken, we hoefden niet tegenover elkaar te gaan staan. In het hele land, op de hele wereld waren er mensen die hun droom probeerden waar te maken, of ze nou getrouwd waren of niet. Ik hoefde niet te kiezen tussen een van die twee. We kwamen er wel uit. Natuurlijk kwamen we er uit.

Vreemd genoeg leek het meisje mij volkomen te begrijpen. Het was net alsof ze de machineonderdelen in mijn hoofd op de juiste manier in elkaar zag grijpen.

'Komt u terug dan?' vroeg ze me langs haar neus weg, vlak nadat ik mijn besluit had genomen.

En voor het eerst in weken glimlachte ik voluit. Want ik wist dat ik mijn plekje had gevonden.

16

De weg, het bos en de bron – 3

Eddie Flynn stond na de mis bij de kerk te wachten tot zijn broer naar buiten kwam.

'Brian, kan ik je even spreken?' vroeg hij.

'Niet als je het woord "nietigverklaring" in de mond neemt,' zei de priester, die al op weg was naar Skunk Slattery's winkel om de krant te halen en daarna terug naar huis te gaan. Hij vertraagde geen moment zijn pas.

'Je weet best dat het daar niet over gaat.' Eddie moest bijna rennen om zijn broer bij te houden. 'Doe even kalm aan, zeg, je hoeft geen record te verbeteren.'

'Ik ga ontbijten want ik heb honger. En ik heb vandaag een heleboel te doen. Dus als je me wat te vertellen hebt, doe het dan nu maar...' Kapelaan Flynn bleef stug doorstappen en groette de ene parochiaan na de andere die op zijn pad kwam.

'Je bent onderhand erg bekend hier, je kunt zo in de politiek,' gromde Eddie terwijl ze even inhielden zodat kapelaan Flynn in de gelegenheid was om iemand geluk te wensen bij een examen en een ander met zijn nieuwe hazewindhond.

'Zo,' zei hij, toen ze in zijn keuken waren gearriveerd. 'Koffie?'

'Ik dacht dat je iemand had om je ontbijt voor je te maken. Er werkte hier toch een soort Rus?' Eddie leek teleurgesteld.

Zijn broer had drie plakjes bacon in een koekenpan gedaan en keerde ze behendig om en om. 'Josef zorgt voor de kanunnik, niet voor mij. Hij is trouwens een Let, geen Rus.'

'De kanunnik hoort in een tehuis voor bejaarden die de weg kwijt zijn,' zei Eddie.

'Ach, Naomi kwam ook bij hem zeker van een koude kermis thuis?' zei Brian Flynn lachend.

'Hou op, Brian, ik wou je iets vragen over de bron.'

'De bron?'

'Ja, de bron, man, dat is toch jouw ding, verdorie, of niet? De heilige bron of hoe hij ook mag heten. Wat ik wil weten is of ze er afstand van willen doen.'

'Of wie er afstand van willen doen?' Kapelaan Flynn begreep er niets van.

'Jezus, Brian, ben je achterlijk aan het worden of zo? Ik wil weten of jouw kluppie er afstand van zal doen, je weet wel, de Kerk, de godsdienst, de paus, zeg maar.'

'O, mijn kluppie,' zei kapelaan Flynn, 'nu snap ik het. Nou, bij mijn weten heeft de paus nooit een woord aan deze bron gewijd, en als hij het wel gedaan heeft, dan is de precieze betekenis ervan nog niet tot hier doorgedrongen. Weet je zeker dat je geen stukje bacon wilt?'

'Nee, ik wil geen bacon, en jij moet ook geen bacon eten, dat verstopt je aderen, man,' zei Eddie Flynn afkeurend.

'Ach, ja, maar op mijn leven wordt vanuit een andere hoek weer minder beslag gelegd. Ik hoef niet al die dames tevreden te stellen.'

'Even serieus, Brian.'

'Ik ben serieus, Eddie. Het prettigste onderdeel van mijn dag is als ik hier 's ochtends aan mijn ontbijt rustig de krant kan lezen. En nu kom jij in mijn keuken zaniken dat ik dit niet mag en dat...'

'Ik ben door een aantal mensen gevraagd om samen met hen een syndicaat te vormen,' zei Eddie op bloedserieuze toon. Hij wachtte kennelijk op een bewonderende reactie.

'Nou en, Eddie? Je bent toch zakenman? Je sluit je toch wel vaker bij mensen aan?'

'Dit is mijn kans om rijk te worden, Brian. Want reken maar dat ik een hoop geld nodig heb binnenkort. Heb je enig idee wat die bruiloft me gaat kosten?' Eddie leek erg geagiteerd.

'Een simpel burgerlijk huwelijk? Dat valt toch wel mee, zeker?' zei Brian.

'O nee. We hebben een dissidente priester of zoiets gevraagd en iemand leent hem een kerk voor de inzegening en we hebben bruidsmeisjes en bruidsjonkertjes, er komt een grote receptie, de hele rimram. En intussen stuurt Kitty me briefjes over schoolgeld dat betaald moet worden. Christus, ik heb echt een meevaller nodig, daarom moet ik het ook weten van die bron.'

'Luister, Eddie, misschien ben ik inderdaad achterlijk zoals jij zegt, maar wat wil je nu precies weten over die bron?'

'Oké, ik vertel het je, maar het is alleen voor jouw oren bestemd, het valt onder het biechtgeheim zal ik maar zeggen. Die nieuwe weg is er al bijna door en we hebben stukje bij beetje een hoop land opgekocht. Ze zullen met ons moeten onderhandelen als ze met onteigenen willen beginnen en dus zitten we op een goudmijntje. Maar er is één probleempje: sommige jongens zijn bang dat die verdomde bron in het bos de boel zal versjteren.'

'Mogelijk heb je iets tegen die bron, en dat snap ik best, maar je hoeft niet zulke taal uit te slaan,' zei kapelaan Flynn ontstemd.

'Oké, oké. Maar je begrijpt me wel. Ik weet trouwens zeker dat jij ook je twijfels hebt over die bron. Maar denk je dat het echt problemen gaat geven? Dat moeten we namelijk wel weten. Niemand wil in de slag met een hele horde godsdienstmalloten.'

'Ik weet er niks van.' Brian Flynn begon af te wassen.

'Natuurlijk wel, Brian.'

'Nee, echt niet. Het is me gelukt om me overal buiten te houden, met opzet. Ik wilde me bij niemand aansluiten in deze kwestie. Ik heb me volledig neutraal opgesteld. Dus vraag je dit aan de enige man in Rossmore die hier geen mening over heeft.'

'Maar jij bent wel degene die weet of er gelazer van komt of dat het allemaal met een sisser af zal lopen. Jij voelt dat soort dingen aan en we moeten het gewoon weten. Dus als...'

'Met "we" bedoel je het syndicaat dat geld in grondaankopen heeft gestoken?'

'Je hoeft er heus je neus niet voor op te halen, éérwáárde. Er is anders ook heel wat geld in die priesteropleiding van jou gestoken, of niet soms. En weet je, als ik eenmaal financiële zekerheid heb, ben ik jou ook niet meer tot last.'

'Je bent me niet tot last, Eddie, je bent me nooit tot last geweest.' Kapelaan Flynn was tot het uiterste getergd, maar deed zijn best dat niet te laten merken. 'Als je verder niks meer te vragen hebt, ga ik gauw aan het werk.'

'Aan het wérk? Wat voor werk dan?' schamperde Eddie. 'Niemand trekt zich tegenwoordig toch nog een bal van God aan, dus wat hoef jij nou te werken? Je hebt je hele leven nog geen poot uitgestoken.'

'Ja, hoor, Eddie, natuurlijk, je hebt gelijk.' Kapelaan Flynn zuchtte vermoeid en ging zijn koffertje inpakken.

Hij zou bij zijn moeder thuis langsgaan met een serie oude foto's, want de therapeut had tegen Judy gezegd dat foto's haar geheugen misschien aan het werk zouden zetten.

Hij zou Lilly Ryan en een van haar zoons ophalen om Aidan in de gevangenis te gaan opzoeken. Blijkbaar was Aidan in een vlaag van kalmte zo ver bijgedraaid dat hij had toegestemd in een bezoek van zijn vrouw.

Hij zou Marty Nolan en een andere oude man die aan dezelfde weg woonde de heilige communie gaan brengen; hij moest een multiculturele wereldvoedseldag ter bestrijding van de honger in de wereld gaan openen op de Sint-Ita-school; hij moest de bal ingooien voor een wedstrijd tussen de school van de broeders en die van Sint-Michael; hij moest naar Varens en Heide om hun nieuwe gebeds- en meditatieruimte te bewonderen. Ze noemden die niet de kapel, maar het was wel de ruimte waar hij op zondag de mis voor hen las.

Misschien had Eddie wel gelijk en kon je het eigenlijk geen werk noemen. Maar het voelde wel degelijk zo aan.

Judy Flynn had er acht dagen bidden bij het heiligdom van Sint-Anna op zitten. Nog één dag te gaan.

Ze had veel meer genoten van het bezoek aan haar geboorteplaats dan ze vooraf ooit had kunnen denken. Het was erg prettig geweest om haar broer Brian weer beter te leren kennen; het was zo'n goedmoedige jonge kerel en de mensen hier hielden van hem. Haar moeder was in een vreemde wereld tussen waken en dromen verzeild geraakt, maar deed lang niet zo vijandig meer. De arme Eddie had het zwaar te verduren, zijn straf omdat hij zijn gezin in de steek had gelaten; Judy en Kitty hadden heel wat afgelachen over de niet kleine problemen die de jonge Naomi hem bezorgde. Kitty zei dat ze hem niet terug wilde, al zou hij het hele Meidoornbos op zijn handen en knieen door kruipen om haar te smeken.

Judy had getracht de heilige Anna te assisteren bij de zoektocht naar een man, door de plaatselijke bridgeclub in het Rossmore Hotel te bezoeken. Ze ontmoette er twee knappe mannen die Franklin en Wilfred heetten. Het waren oplichters, allebei, ze praatten dromerig over een mobiel netwerk dat ze zouden oprichten.

Ooit.

Ze woonden bij een oudere dame die nooit meer uitging vanwege een of ander schandaal; het was te ingewikkeld om te volgen, maar de twee mannen waren haar al met al toch te oppervlakkig en dus liet ze hen gewoon achter met hun plannen.

Judy volgde onderhand een vaste dagindeling die haar erg goed beviel. Ze ging 's ochtends eerst bij haar moeder op bezoek. Daarna zat ze drie uur lang op haar hotelkamer te tekenen zonder dat iemand haar stoorde. Dan dronk ze koffie met Kitty en verkleedde zich voor haar wandeling naar de bron. Onderweg kocht ze een krant en later op de dag dronk ze met Brian een glaasje en vertelde hij haar wat hij die dag allemaal had meegemaakt. Het was erg rustgevend allemaal. Ze begreep niet waarom ze zo lang voor het leven hier op de vlucht was geweest.

Ze liet deze dag haar haren wassen bij de modieuze salon Fabian. De jonge man die er blijkbaar de baas was, vertelde dat hij verliefd was en nog voor het einde van het jaar hoopte te trouwen. Dat verbaasde haar. Ze was ervan overtuigd geweest dat hij homoseksueel was, maar sinds ze hier was, had ze wel geleerd dat niets was zoals het leek.

'Ik hoop ook te gaan trouwen,' vertrouwde ze hem toe. 'Ik heb de heilige Anna van de bron ingeschakeld om me te helpen een man te vinden.'

'Dat kan toch geen probleem zijn,' zei Fabian om haar te vleien. 'U zult de mannen nog van u af moeten slaan.'

Ze moest glimlachen bij dat idee. Ze ging een krant halen in de winkel van Slattery. Ze legde hem op de toonbank neer en zei: 'Dezelfde als anders, Sebastian.'

'Je bent erg mooi als je glimlacht, Judy.'

'Uh, bedankt,' zei ze verbaasd.

De man die door iedereen Skunk Slattery werd genoemd, stond niet bepaald bekend om zijn complimenten.

'Ik meen het. Ik vroeg me af of je misschien een avondje vrij hebt om... Ik bedoel om... Zullen we een keertje samen eten?'

'Dat zou ik erg leuk vinden, Sebastian,' zei Judy, terwijl ze probeerde te bedenken hoe het zat met zijn huwelijkse staat. Ze had Kitty nooit over mevrouw Skunk gehoord, maar toch wist je maar nooit.

'Als je het eten in het Rossmore Hotel nog niet beu bent, kunnen we daar misschien afspreken. Ze hebben wel een mooie kaart, vind ik,' zei Skunk gretig. Als hij in een publieke gelegenheid als dat hotel met haar wilde eten, kon er geen sprake zijn van een mevrouw Skunk.

'Welke avond stel je voor, Sebastian?' vroeg ze.

'Zullen we het ijzer maar smeden nu het heet is? Vanavond om acht uur, bijvoorbeeld?' vroeg hij zenuwachtig. 'Voordat je je bedenkt?'

Judy ging als op vleugels naar de heilige bron. Alles ging zo goed! Ze moest iemand toch eens vragen waarom iedereen hem Skunk noemde.

Neddy Nolan zei tegen Clare dat hij toch een keer contact met zijn broers in Engeland zou moeten opnemen over de grond, omdat zij er ook belang bij hadden.

'Ik zie niet in waarom. Kit zit in de bak, voor hem maakt het sowieso niet uit en de twee anderen zijn al jaren niet meer thuis geweest. We weten niet eens waar ze uithangen.'

'Maar stel dat we moeten verkopen?' zei Neddy. 'Ze hebben recht op hun deel als er iets te verdelen valt.'

'Wat voor recht hebben ze dan, Neddy? Nee, wees nou eerlijk, wat voor recht kunnen zij nu hebben? Hebben ze ooit iets bijgedragen? Ze hebben niet eens contact gehouden, ze hebben nooit naar je vader omgekeken.' Clare was zeer beslist op dit punt.

'Maar ze hebben veel minder geluk gehad dan ik,' zei Neddy. Zoals altijd wilde hij van anderen alleen het beste zien.

'Jij hebt er altijd hard voor gewerkt, Neddy, en je hebt je ook altijd om je vader bekommerd. Je vader zelf zou beslist niet zo zachtmoedig zijn tegenover de rest van je familie,' zei Clare. 'Je broers zijn nooit hun bed uitgekomen om een vos uit de kippenren te jagen of een kalfje te halen, ze hebben geen nieuwe heggen neergezet, hekken gerepareerd of van alles aan het huis gedaan. Ze hebben nooit voor je vader gekookt of zijn huis op orde gehouden. Ze hebben je vader nooit gebracht en gehaald zodat hij bij vrienden op bezoek kon.'

Haar gezicht drukte een en al liefde en loyaliteit uit en Neddy vroeg zich als zo vaak af hoe het toch kwam dat ze zo veel van hem hield.

'Ach,' zei hij, ietwat mistroostig, 'misschien gaat die hele weg wel niet door.'

'Ik zou er maar niet op rekenen, Neddy,' zei Clare, die al heel wat over de weg had horen vertellen in de lerarenkamer van Sint-Ida, de bridgeclub in het Rossmore Hotel, en in wasserette Fris als een Hoentje als ze daar de was deed. Tegenwoordig had niemand het er meer over óf de weg er zou komen, maar wannéér hij zou komen. De laatste paar weken was er bijna onmerkbaar iets veranderd.

Haar Neddy zou een dezer dagen moeten beslissen wat hij ging doen. Ze wilde hem niet beïnvloeden. Het was iets wat hij helemaal zelf moest beslissen. Zou hij zijn vaders boerderij voor een klein fortuin overdoen aan dat gangsterssyndicaat waar mensen als Eddie Flynn deel van uitmaakten? Of zou hij juist wachten, voor het geval hij nog de enige was die het oprukken van de moderne tijd kon tegenhouden en het bos redden, samen met die bron waarvan hij in de onschuld van zijn hart oprecht geloofde dat die het leven van zijn moeder zo veel jaar verlengd had?

'Ga je uit met Skunk? Nee toch zeker?' Kapelaan Brian Flynn stond perplex.

'Ga je me soms vertellen dat hij een vrouw en tien kinderen heeft?' vroeg Judy een beetje kribbig.

'Nee zeg, wie zou er nu met Skunk trouwen?' zei Brian, maar daar had hij onmiddellijk spijt van. 'Ik bedoel dat hij nooit getrouwd is geweest en dat ik hem daardoor vanzelf als eeuwige vrijgezel ben gaan zien,' voegde hij er onhandig aan toe.

Judy klonk nog even kribbig toen ze vroeg: 'Waarom noemt iedereen hem Skunk?'

'Dat weet ik niet,' antwoordde haar broer naar waarheid. 'Hij heet altijd al Skunk voor zover ik me kan herinneren. Ik dacht eigenlijk dat hij echt zo heette.'

Lilly Ryan kon haar ogen niet geloven. Wat was haar man Aidan in elf maanden tijd veranderd. Hij was ontzettend mager, zijn gezicht was ingevallen en hij had grote, zwarte kringen onder zijn ogen. Hun zoon Donal, die eigenlijk niet mee had gewild, leek terug te deinzen voor de man met de verwilderde blik in zijn ogen.

'Alsjeblieft, Donal,' fluisterde ze hem smekend toe. Dus strekte de jongen onwillig zijn arm uit.

'Ik hoop dat jij goed voor je moeder zorgt.' Aidan klonk heel streng.

'Ja, ik doe mijn best,' zei Donal.

Hij was achttien en zou het liefst mijlenver van deze plek verwijderd zijn. Hij had in het verleden gezien hoe zijn vader zijn moeder sloeg. Hij vond het onverdraaglijk dat zijn moeder zo zielig dankbaar was dat ze op bezoek mocht komen.

'Je kunt het nooit slechter doen dan ik gedaan heb,' zei Aidan Ryan. 'Ik wil in het bijzijn van jou en kapelaan Flynn mijn verontschuldigingen aanbieden voor alles wat ik Lilly de afgelopen jaren heb aangedaan. Er is eenvoudigweg geen excuus voor, dus ik ga ook geen moeite doen om er een te bedenken. Drank en het verdriet om onze verloren baby kunnen misschien als een soort verklaring dienen, maar niet als excuus.' Hij keek van de een naar de ander.

Kapelaan Flynn zei niets, want dit was een familieaangelegenheid.

Lilly was volkomen sprakeloos, dus gaf Donal antwoord. Op zeer volwassen toon zei hij: 'Dank je dat je dit zo openlijk zegt. Het moet niet gemakkelijk voor je zijn geweest. Als ik hier alleen was en je mij alleen om vergeving zou vragen, dan zou je die nooit van me krijgen, nog in geen honderd jaar. Ik heb je mijn onschuldige moeder zien slaan. Maar het leven gaat door en als mijn moeder me vraagt je te vergeven, dan zal ik er nog eens over denken. Wij gaan nu weg, moeder en ik, en we laten je alleen met kapelaan Flynn en we zullen wel zien of je er volgende week op het bezoekuur nog net zo over denkt.' Hij stond op om te gaan.

Aidan Ryan zei smekend: 'Natuurlijk denk ik er dan nog net zo over, jongen. Ik verander echt niet meer van gedachten.'

'Voordat ze je hier opsloten, veranderde je zo'n beetje elk half-uur van gedachten,' zei Donal met vlakke stem, zonder enige emotie. Daarop wilde hij vertrekken.

'Ga niet weg!' riep Aidan Ryan. 'Laat me alsjeblieft niet een hele week wachten tot ik weet waar ik aan toe ben. Alsjeblieft, ik wil nu weten of je me vergeeft.'

'Je hebt mijn moeder jarenlang in onzekerheid gelaten. Ze wist al die tijd niet waaraan ze het verdiend had dat je zo gewelddadig tegen haar deed. Je kunt best een week wachten.'

Kapelaan Flynn had op dat moment zo veel bewondering voor de jongen dat hij zin kreeg om te applaudisseren. Maar zijn gezicht verried niets.

'Het kwam van verdriet, Donal,' zei Aidan Ryan. 'Verdriet

heeft op iedereen een andere uitwerking. Ik heb zo veel verdriet om je zus die verdwenen is.'

Donal antwoordde kalm: 'Ja, het heeft inderdaad op iedereen een andere uitwerking. Ik heb Teresa niet eens gekend, maar ik benijdde haar omdat degene die haar gestolen heeft haar in ieder geval een eind bij jou en je woeste dronken buien vandaan heeft gehaald...'

En toen nam hij zijn moeder mee het vertrek uit.

Buiten op de gang zei Lilly: 'Waarom liet je mij niet met hem praten? Hij heeft zo'n spijt...'

'Praat volgende week maar met hem, ma, als hij dan nog zo veel spijt heeft.'

'Maar denk er toch eens aan hoe hij hier al die tijd alleen zit...' Haar ogen straalden een en al mededogen uit.

'Jij hebt daar al die tijd alleen gezeten, ma,' zei hij.

In de bezoekruimte ging kapelaan Flynn naast Aidan Ryan zitten die onder de ogen van de cipiers zat te huilen.

'Denkt u dat ze me zal vergeven, eerwaarde?'

'Dat weet ik zeker.'

'Maar waarom zei ze dan niets?'

'Ze verkeert in een soort shock, Aidan. Ze heeft tijd nodig om na te denken. Want hoe moet ze nu weten of ze je kan vergeven of niet? Een jaar geleden heb je haar het ziekenhuis in geslagen en je hebt heel lang geweigerd haar hier op bezoek te laten komen. Dus is het toch logisch dat ze een tijdje heel diep moet nadenken?'

De man zag er geschrokken uit, constateerde kapelaan Flynn tevreden. Dat was heel goed. Kapelaan Flynn wist dat Lilly Ryan volgende dinsdag haar man vergiffenis zou schenken. Donal Ryan wist dat vast ook.

Aidan mocht 'm best nog een poosje knijpen.

Advocaat Myles Barry vertrok met een grimmig gezicht naar de boerderij van de Nolans.

Hij had een schrijven ontvangen vanuit een van Harer Majesteits gevangenissen in Engeland. Ene meneer Christopher

Nolan (beter bekend onder de naam Kit) had gelezen over de compensatie die boeren in de omgeving van Rossmore op het punt stonden te ontvangen indien hun land zou worden onteigend ten behoeve van de aanleg van een nieuwe weg. De heer Christopher Nolan wilde erop wijzen dat zijn vader Martin Nolan hoogbejaard was en niet in staat om in deze kwestie een goede beslissing te nemen. Bovendien wilde hij erop wijzen dat zijn jongere broer Edward Nolan (beter bekend onder de naam Neddy) geestelijk gehandicapt was; hij was nooit in staat geweest om een positie te bekleden waarvoor verantwoordelijkheidsbesef en betrouwbaarheid vereist waren. Hij had zelfs een simpel baantje op een bouwplaats in Londen niet kunnen behouden. Het zou dan ook niet juist zijn als een van deze twee mannen een beslissing nam die van invloed was op de hele familie Nolan. Hij, Christopher Nolan, zou graag zien dat zijn aandeel in het familiebezit werd vastgesteld en gehonoreerd.

Myles Barry was zijn hele leven nog niet zo kwaad geweest.

Kit, die rotzak, die misdadiger, had blijkbaar in een of ander roddelblad gelezen dat er een slaatje te slaan viel uit het huis en de familie die hij al zo lang geleden de rug had toegekeerd.

Myles Barry moest de Nolans de brief laten zien, of ze in ieder geval van de inhoud op de hoogte stellen. Dat was niet iets waar hij naar uitkeek.

Hij kwam kapelaan Flynn tegen, die de boerderij net verlaten had.

'Er is toch niks aan de hand, hoop ik?' vroeg Myles.

De priester lachte. 'Nee, hoor, ik was hier niet voor de laatste sacramenten. Marty wil graag zo nu en dan de heilige communie ontvangen, maar hij kan niet meer zo vaak naar de kerk komen als vroeger.'

'Moet hij onderhand dan eigenlijk niet naar een verzorgingshuis?' vroeg Myles.

'Waar kan hij nu beter verzorgd worden dan in zijn eigen huis, door Neddy en Clare?' zei de priester, die niet in de gaten had dat Neddy achter hem naar buiten was gekomen. 'Als ik hier in Rossmore bejaard was, zou ik door niemand liever verzorgd worden dan door dat stel. Het is toch vreselijk als je erbij moet zitten zoals mijn eigen arme oude moeder en de arme oude kanunnik. Die willen allebei per se onafhankelijk blijven, maar intussen hebben ze de grootste moeite om het vol te houden...'

Neddy, die de advocaat kwam verwelkomen, mengde zich in het gesprek.

'Is het dan niet goed met de kanunnik, eerwaarde? Josef vertelde me dat hij het heerlijk vindt om zo dicht bij het centrum te wonen, waar alles te doen is.'

'Ja, Neddy, maar Josef wil ontslag nemen en fulltime aan de nieuwe weg gaan werken.'

'Als die er komt,' zei Neddy.

'Die komt er,' zei Myles Barry. 'Daarover kom ik ook praten.'

'Hè, wat jammer, daar gaat mijn hoop dat ik geen moeilijke beslissingen hoef te nemen,' zei Neddy vol zelfspot.

De priester stapte in zijn auto en reed weg. De advocaat ging de keuken binnen. Neddy hield zijn huis tiptop in orde. Myles Barry zag hoe alles glom. De tafel was geboend en op de open planken stond het blauw met gele serviesgoed ordentelijk uitgestald.

Neddy zei dat zijn vader op zijn eigen kamer een dutje deed. Hij schonk voor de advocaat een grote beker koffie in en hield hem een schaal met eigengebakken koekjes voor. Hij had een chef-kok vorige week op televisie deze koekjes zien maken, en het leek hem een koud kunstje.

Neddy was een argeloos type, dat zeker, maar gek was hij beslist niet.

Ineens nam Myles Barry het besluit Neddy de kwetsende, hebberige brief van zijn broer Kit uit een Engelse gevangenis te laten lezen. Neddy las hem heel traag.

'Hij vindt niet dat wij veel voorstellen, hè,' zei hij uiteindelijk.

'Ik heb met Kit op school gezeten. Hij kon altijd nogal lelijk doen over mensen. Jij weet ook wel hoe hij tekeer kon gaan, maar het had niets te betekenen...' begon Myles Barry.

'Heeft hij ooit nog iets van zich laten horen sinds hij van school af is?' informeerde Neddy zachtmoedig.

'Nee, maar je weet hoe dat gaat, mensen zijn nu eenmaal niet hetzelfde. De een doet het zus en de ander zo...' Myles Barry vroeg zich af waarom hij Kit Nolan in bescherming nam terwijl hij hem het liefst op zijn bek zou timmeren.

'Hij schrijft mij ook nooit. Ik stuur hem iedere maand een brief, dat heb ik altijd al gedaan, om hem te vertellen wat er hier in Rossmore allemaal gebeurt, hoe het met pa is en wat nog meer interessant voor hem is. Ik heb hem ook alles over de nieuwe weg geschreven. Maar ik hoor nooit iets van hem.'

'Misschien heeft hij wel niets te vertellen,' zei Myles Barry.

Zijn woede jegens Kit begon nu het kookpunt te naderen. De goedhartige Neddy schreef zijn ondankbare rotzak van een broer al jaren iedere maand een brief en wat was het resultaat? Dat Kit eindelijk in de pen klom, maar alleen om een jurist te melden dat Neddy niet goed snik was.

'Dat zal wel, ja. Als je daar zit is iedere dag natuurlijk hetzelfde.' Neddy schudde treurig zijn hoofd.

'Heb je gehoord van dat syndicaat van Eddie Flynn? Zijn ze niet bij je langs geweest?'

'O ja, het was nogal een rare toestand.'

'Wat heb je tegen ze gezegd, Neddy?' Myles Barry hield zijn adem in.

'Ik heb tegen ze gezegd dat ik nooit zaken met ze zou doen. Dat we zo'n gigantisch bedrag nooit zouden aannemen. Het was gewoon idioot.'

'En wat zeiden ze toen tegen je?' Myles' stem was niet meer dan gefluister.

'Je zult het niet geloven, Myles, maar ze boden me zelfs nog meer geld! Alsof ze helemaal niet geluisterd hadden.'

Myles wreef het zweet van zijn voorhoofd. Een cliënt als deze zou hij nooit meer krijgen. Gelukkig maar.

'Maar wat gaat er nu dan precies gebeuren, Neddy?'

'Als het zo ver is, zien we wel hoe we het regelen, als de onteigeningsprocedure van start gaat.' Neddy was de rust zelve.

'Je begrijpt toch... ik bedoel, ik heb je toch uitgelegd dat de regering je lang niet zoveel zal betalen als Eddie Flynn en zijn kornuiten? Die lui van het syndicaat opereren vanuit een machtspositie, zie je. Ze hebben her en der lapjes grond opgekocht.'

'Ja, dat weet ik allemaal, maar als ik mijn land aan hen zou verkopen, wordt het van hen en heb ik niets meer te zeggen over wat er gebeurt.'

Myles Barry overwoog of hij tegen Neddy moest zeggen dat hij sowieso niets meer te zeggen zou hebben zodra hij zijn land had verkocht. Maar het leek niet echt de moeite.

'Dus, wat gaan we Kit melden?' vroeg hij nogal wanhopig.

'We hoeven Kit helemaal niets te laten weten. Hij heeft geen enkel recht op deze boerderij, tenzij ik hem iets wil geven.' Neddy keek trots om zich heen in de prachtig verbouwde keuken van wat zijn vaders ernstig vervallen boerenwoning was geweest.

'Goed, ik ben het met je eens dat hij er waarschijnlijk een harde dobber aan zal hebben om te bewijzen dat hij aanspraak kan maken op de boerderij, maar omdat hij net als jij erfgenaam is van je vader, zal hij toch...'

'Nee, Myles.' Neddy was nog steeds heel kalm. 'Nee. Toen ik de tweede keer borgtocht voor hem moest betalen, moest ik daarvoor naar Engeland. En toen heb ik er een Engelse advocaat bij gehaald, een erg aardige oude man. Die heeft Kit een document laten tekenen dat hij afzag van zijn aanspraak op het familiebezit in ruil voor het geld voor de borgtocht. Ik heb die advocaat verteld dat het maar om een paar hectaren grond ging die nauwelijks iets waard waren, weet je, maar ja, het was toch familiebezit.' Hij glimlachte toen hij eraan terugdacht.

'Heb je dat document nog ergens, Neddy?'

'Ja zeker. Kit hield zich toen niet aan de afspraken, hij ging ervandoor, en dus heb ik het geld nooit teruggezien. En toen hij weer vastzat, dachten ze er niet over om hem nog op borgtocht vrij te laten, en dus had hij niks meer te vragen.'

'Mag ik dat document zien?'

Neddy liep naar een kleine eikenhouten kast in de hoek. Daarin bevond zich een lade met keurig geordende dossiermappen, als bij een geolied bedrijf. Binnen enkele seconden had Neddy het document tevoorschijn gehaald. Myles Barry wierp een blik in de lade. De dossiermappen waren voorzien van labels als 'Verzekeringen', 'Pensioen', 'Sint-Ita', 'Huishoudelijke uitgaven', 'Boerderij', enzovoort. En dan beweerde de broer van deze man dat hij ze niet allemaal op een rijtje had.

Sebastian bleek een uitstekende tafelheer te zijn. Judy merkte dat ze erg gemakkelijk met hem kon praten en dat hij heel erg in haar werk was geïnteresseerd. Hoe was het om een begin te maken met het illustreren van een kinderboek? Waren er verhalen die ze eigenlijk niet leuk vond en was het dan moeilijker om tekeningen te verzinnen?

Hij vroeg of ze wel eens met de Eurostar-trein naar Parijs was gereisd. Hij had zichzelf beloofd dat hij dat ging doen als hij weer eens in Londen was. Hij vertelde dat hij bijna geen familie had. Hij was enig kind en zijn ouders leefden niet meer. Hij had wat neven en nichten in een dorpje verderop dat Doon heette. Een erg leuk dorpje overigens. Hij had een uitnodiging gekregen voor de opening van een nieuw gebouw, het Danny O'Neill Gezondheidscentrum, dat daar was neergezet ter nagedachtenis van een Ier die naar Amerika was gegaan. Diens halfPoolse kleinzoon had het gebouwd. Misschien vond Judy het wel leuk om als zijn gast mee naar die opening te gaan.

'Waarom noemt iedereen je eigenlijk Skunk?' vroeg ze ineens.

'Dat weet ik eerlijk gezegd niet eens, Judy,' zei hij. 'Op school zijn ze ermee begonnen. Misschien stonk ik toen heel erg. Maar nu stink ik niet meer, toch?'

'Nee, Sebastian, helemaal niet, ik vind je lekker ruiken,' zei ze.

Op dat moment liep Cathal Chambers langs, de directeur van de plaatselijke bank.

'Goedenavond, Skunk, goedenavond, Judy,' groette hij hen vriendelijk.

369

'O, Cathal, luister eens, we hadden het er net over. Sebastian wordt vanaf nu bij zijn gewone naam genoemd,' zei Judy Flynn, alsof ze het tegen een schoolklas van tienjarige jongetjes had.

'Natuurlijk. Sorry, Skunk, eh... Sebastian. Het was nooit kwaad bedoeld, hoor.'

En Skunk Slattery, die ruim dertig jaar onder die naam door het leven was gegaan, vergaf het hem goedmoedig.

De volgende dag werd Judy door haar schoonzus Kitty uitvoerig aan de tand gevoeld, terwijl ze samen mevrouw Flynns bed opmaakten na haar eerst in een stoel geïnstalleerd te hebben. Ze hadden onderhand een efficiënte routine ontwikkeld. Mevrouw Flynn had eindelijk haar dochter herkend, zij het met tegenzin, en met niet minder tegenzin had ze eindelijk haar onredelijke afkeer van haar schoondochter overwonnen, wat een behoorlijke stap vooruit genoemd kon worden.

Natuurlijk klaagde ze voor de zoveelste keer dat iemand al haar kleren had gestolen en bleef ze ontstemd toen Judy fluks de schone was begon uit te pakken die ze bij Fris als een Hoentje had opgehaald.

'Nou, vertel op nou! Heeft Skunk aan je gezeten?' vroeg Kitty.

'Hij heet Sebastian en hij was verrukkelijk gezelschap,' zei Judy stijfjes.

'Skunk verrukkelijk?' Kitty kon het niet bevatten.

'Ik zei toch dat hij niet meer naar die achterlijke bijnaam luistert.'

'Het zal wel even duren voordat iedereen dat accepteert, Judy.'

'Let maar eens op. Vandaag begint hij met het overschilderen van het uithangbord,' zei Judy.

Mevrouw Flynn keek van de een naar de ander. 'Je kunt het veel slechter treffen dan met Skunk,' zei ze. 'Hij heeft aardig wat opzijgelegd.'

'Je kiest niet alleen voor een man om wat hij opzij heeft gelegd,' zei Judy verwijtend.

'Om wat voor reden dan nog meer? Omdat hij goed kan tapdansen soms?' vroeg haar moeder en om de een of andere reden die ze niet helemaal begrepen kregen ze allemaal de slappe lach.

Bankdirecteur Cathal Chambers maakte zich zorgen omdat Neddy Nolan zoveel geld had geleend. Uiteraard diende de boerderij als onderpand, maar toch was het een smak geld. En dat voor een man die zich wel twee keer bedacht voordat hij in een uitdragerij een paar schoenen kocht.

'Wil je me vertellen waarvoor je al dat geld nodig hebt. Neddy?' vroeg Cathal.

'Het is bestemd voor mijn adviseurs,' legde Neddy uit.

'Maar God in de hemel, wat voor advies heb jij nodig dat je er zo veel geld aan kwijt bent?' Cathal begreep er helemaal niets van.

'Experts op dat terrein rekenen een erg hoog honorarium,' zei Neddy, alsof dat een afdoende verklaring was.

'Als je maar geen beunhazen inhuurt die je alles afpakken of zo,' zei Cathal. Hij was volkomen oprecht. Hij maakte zich niet minder zorgen om het heil van Neddy dan om dat van de bank.

'Nee, hoor, Cathal, ze zijn uiterst professioneel,' zei Neddy met een bedaarde glimlach.

Cathal ging langs bij Myles Barry, de advocaat.

'Myles, ik wil uiteraard geen inbreuk maken op de advocaat-cliëntverhouding, maar wie zijn toch al die adviseurs die Neddy Nolan in de arm heeft genomen?'

'Adviseurs?' Myles Barry wist niet waar hij het over had.

'Ja, mensen die hij een gigantisch honorarium betaalt.'

Myles krabde zich op het hoofd. 'Ik heb geen flauw idee wie dat kunnen zijn. Ik heb hem nog niet eens een rekening gestuurd en hij kan moeilijk een ander advocatenkantoor hebben ingeschakeld zonder mij er iets over te zeggen. Ik weet niet waar je het over hebt, Cathal, ik heb werkelijk geen idee.'

Lilly Ryan en haar zoon Donal gingen op de bezoekdag naar de gevangenis. Deze keer wilden ze niet dat de priester mee ging.

'Ik moet op bezoek bij een andere gevangene, dan weten jullie dat voor het geval jullie me nodig hebben,' zei de kapelaan.

Kapelaan Flynn had een uiterst onbevredigend gesprek met Becca King, die met de week gekker leek te worden. Ze moest een zeer lange gevangenisstraf uitzitten wegens de moord op haar rivale in de liefde. Ze toonde totaal geen berouw, maar bleef herhalen dat het simpelweg móést gebeuren. Hij hoopte dat ze hem niet opnieuw zou vragen een huwelijksinzegening in de gevangenis te regelen. Ze wilde trouwen met die jongeman van wie ze bezeten was. Een jongeman die haar niet eens in de gevangenis wilde komen opzoeken, laat staan dat hij daar met haar wilde trouwen. Maar nee, vandaag vroeg ze iets anders van hem. Ze had een verzoek voor de heilige Anna, ze wilde dat hij een kaartje bij het heiligdom ophing dat iedereen zou kunnen lezen.

Ze liet het hem zien. Het was een foto van Gabrielle King, haar moeder, en eronder had ze geschreven: 'Alstublieft, heilige Anna, straf deze vrouw streng omdat ze het leven van haar dochter vernietigd heeft. En mocht een van uw trouwe volgelingen haar in Rossmore op straat zien, laat hij of zij haar dan uit uw naam in het gezicht spuwen.'

Kapelaan Flynn voelde zich oud en doodmoe. Hij zei op ernstige toon dat hij er dezelfde middag nog naartoe zou gaan om het te doen, dat hij het met voorrang zou afhandelen.

'Het moet ergens hangen waar iedereen het kan zien!' riep Becca hem na toen hij wegging.

'Ik zal er een prima plekje voor uitzoeken, Becca,' beloofde hij.

Toen hij de gevangenis verliet, legde Kate, een van de bewaarsters, een hand op zijn arm. 'Het is erg aardig van u, eerwaarde, dat u haar niet van streek maakt,' zei ze.

'U begrijpt toch zeker wel dat ik dat kaartje weggooi, hè?' zei kapelaan Flynn.

'Natuurlijk,' zei Kate. 'Maar misschien moet u wachten tot u thuis bent en het verbranden, in plaats van het ergens weg te gooien waar iemand het zou kunnen vinden.'

Brian Flynn stopte het kaartje in zijn portefeuille naast een cheque die hij die ochtend uit Londen ontvangen had. Het geld was afkomstig van een legaat van een overleden vrouw die Helen Harris heette. Ze wilde de heilige Anna danken omdat die drieëntwintig jaar geleden haar smeekbede dat ze een baby zou krijgen, had verhoord. Misschien kon de priester een bestemming bedenken die het meest geschikt was om de heilige te eren.

Hij ging op een houten bank buiten de gevangenis zitten wachten voor het geval Lilly Ryan hem toch nog nodig mocht hebben en overdacht intussen de rol van de priester in de moderne samenleving. Hij was nog niet tot een bevredigende slotsom gekomen toen Lilly en Donal naar buiten kwamen.

'Is alles goed?' vroeg hij ongerust, en nam zichzelf deze vraag op hetzelfde moment kwalijk. Hoe kon alles nu goed zijn met een gezin waarvan de vader een straf wegens huiselijk geweld in de gevangenis uitzat, een familie die, nu bijna een kwarteeuw geleden, een kind verloren had?

Maar verrassend genoeg knikte Lilly alsof het een heel normale vraag was. 'Prima, eerwaarde. Ik besef nu eindelijk dat hij een zwak mens is. Dat wist ik niet, ziet u, hij was altijd zo groot en sterk. Maar eigenlijk is hij zwak en bang. Nu zie ik dat.'

'En ma realiseert zich nu ook dat zij dan wel zo begrijpend is dat ze hem kan vergeven, maar dat de overheid dat niet is en dat hij niet naar huis mag. Hij zal zijn straf moeten uitzitten,' zei haar zoon.

'Ja, en Donal heeft het zó goed gedaan. Hij voelde er eigenlijk niets voor, maar toch heeft hij zijn vader een hand gegeven en hem sterkte geweest, om mij een plezier te doen.' Lilly's vermoeide gezicht leek minder gespannen dan tevoren.

'Dus we mogen wel stellen dat het goed is afgelopen,' zei kapelaan Flynn.

'Zo goed als maar kan in deze omstandigheden,' beaamde Donal.

'Meer mogen we niet verlangen,' zei kapelaan Flynn.

Clare ging met haar leerlingen naar Galerie Heartfelt in het kader van een project waar ze mee bezig waren. De directeur van de galerie, Emer, was een vriendin van haar. Ze lieten de kinderen los in de galerie om een lijst met vragen te beantwoorden, en dronken toen samen koffie.

Emer ging binnenkort trouwen met een Canadees die Ken heette en op wie ze al tijden verliefd was. Ze had gedacht dat ze hem kwijt was, maar hij was ineens met allemaal bossen bloemen komen aanzetten en toen was alles op een heerlijke manier op zijn pootjes terechtgekomen.

Kapelaan Flynn had ingestemd met een lekker korte plechtigheid. Volgens Emer was de priester al zo blij dat er nog iemand in de kerk kwam of trouwde met iemand van de andere sekse dat hij nergens een punt van maakte.

'Hij is iemand die er zijn eigen denkbeelden op nahoudt,' zei Clare.

'Ja, dat wel,' stemde Emer in. 'Heeft hij jou en Neddy getrouwd?'

'Nee, de kanunnik. Maar hij was er wel bij om de kanunnik voor vergissingen te behoeden en hem weer op het rechte spoor te zetten als hij dreigde af te dwalen...'

'Ik zie jouw Neddy tegenwoordig vaak. Blijkbaar komt hij geregeld voor zaken op een kantoor vlak bij dat van Ken, in die oude meelfabriek die ze pas geleden verbouwd hebben,' zei Emer.

'Neddy? Voor zaken?'

'Nou, dat dacht ik. Ik zag hem vandaag toen ik Ken zijn lunch op kantoor ging brengen. En gisteren...'

Clare zei niets. Neddy had niets over zaken verteld. Ze voelde haar hart verkillen van angst. Neddy zou toch niet... Nee, Neddy niet, nooit van zijn leven.

Emer besefte wat er aan de hand was.

'Ik kan het ook mis hebben, hoor,' zei ze zwakjes.

Clare zei nog steeds niets.

'Ik bedoel, er zijn daar zo veel kantoren, gewoon kleine suites die ze als kantoor verhuren. Je weet wel. Het zijn geen flats of appartementen of zo. Nee, Clare, Neddy zou zoiets nooit doen. Hij aanbidt je, kom op.'

'Ik denk dat die meiden onderhand lang genoeg de tijd hebben gehad,' zei Clare met een breekbaar stemmetje, dat volstrekt niet bij haar paste.

'Alsjeblieft, je moet niet meteen het ergste denken... je kent de mannen toch,' zei Emer smekend.

Als er iemand in Rossmore was die de mannen kende, dan was het Clare wel.

'Kom mee, meisjes, opschieten, we hebben niet de hele dag,' zei ze op een toon die geen tegenspraak duldde.

Ze wilde net in haar auto stappen toen ze Cathal Chambers van de bank tegenkwam. Hij groette haar hartelijk.

'Jij en Neddy hebben blijkbaar grootse plannen met die boerderij van jullie,' zei hij.

'Nou nee, Cathal, het is nog steeds niet duidelijk of er een weg dwars over het terrein komt of niet.'

'Maar hoe zit het dan met al die adviseurs van jullie, die lui die zo veel geld kosten?'

'Ik weet niets van adviseurs die veel geld kosten.'

'Misschien heb ik het mis. Maar je weet toch wel dat jullie een hoge lening afgesloten hebben?' Cathals ronde gezicht had een ongeruste uitdrukking gekregen.

'Een hoge lening? O ja, inderdaad, daar weet ik van...' zei Clare, maar uit de manier waarop ze het zei, bleek overduidelijk dat ze geen enkel idee had.

Er was een tijd geweest dat ze Neddy té goed vond om waar te kunnen zijn. Misschien had ze toen gelijk gehad.

Toen ze thuiskwam zat haar schoonvader zijn middagdutje te doen op de veranda die ze samen hadden gebouwd. Ze herinnerde zich dat ze Neddy spijker na spijker had aangereikt. Marty sliep in een grote schommelstoel met een lichte, warme deken over zijn knieën. Deze woning was voor Clare steeds een vredig toevluchtsoord geweest, maar nu was alles ineens afgelopen.

Neddy zat aan de keukentafel, met allemaal paperassen om zich heen.

'Ik moet je iets heel belangrijks vragen, Neddy,' begon ze.

'En ik moet jou iets heel belangrijks vertellen,' zei hij.

Judy Flynn deed een stap achteruit om het effect van het nieuwe uithangbord van Slattery's tijdschriftenzaak goed te kunnen bewonderen. Het zag er prachtig uit.

'Het zal wel even duren voordat niemand me meer Skunk noemt,' zei hij bezorgd.

'Ach, we hebben toch de tijd,' zei Judy.

'Je hoeft dus nog even niet terug naar Londen?' vroeg Sebastian, boven op de ladder.

'Nee, ik ben mijn eigen baas, maar ik heb geen boom waar geld aan groeit. Ik kan het me niet permitteren om nog lang in het Rossmore Hotel te blijven.'

'Kun je niet in het huis van je moeder logeren dan?' opperde de herdoopte Skunk-Sebastian.

'Nee, als ik bij haar zou moeten wonen, wordt ze binnenkort met een broodmes in haar rug gevonden.' Judy kende zichzelf tamelijk goed.

'En bij Kitty?'

'Hetzelfde laken een pak. Het zijn allebei mensen die ik niet te lang in mijn buurt kan velen.'

'Wat dacht je van mijn huis dan? Je kunt best een tijdje boven de winkel logeren tot... tot...'

'Tot wat, Sebastian?'

'Tot we gaan trouwen en we iets beters voor jou en mij hebben gevonden, voor ons samen, bedoel ik...'

'Gaan we trouwen dan? We kennen elkaar amper,' zei Judy.

'Ik hoop echt dat we dat doen,' zei Sebastian, terwijl hij de ladder af kwam.

'Oké, ik trek vanavond bij je in,' zei ze.

'Uh... ik zal een kamer voor je klaar moeten maken...'

'Bedoel je dat we niet bij elkaar slapen? In één bed?' riep ze hem vanaf de overkant van de straat toe, tot groot vermaak van de mensen die langsliepen.

'Dan krijg ik die broer van je op mijn dak, die vreselijke druïde. Die roept natuurlijk meteen dat ik de baarlijke duivel ben en meer van dat soort fraais.'

'Doe niet zo idioot, Sebastian. Als wij gelukkig zijn is Brian alleen maar verrukt. Hij komt heus niet met van die ouderwetse dingen aan. Je bent veel te lang niet in de kerk geweest...'

Brian Flynn was verrast toen Chester Kovac bij hem aan de deur kwam, de grote Amerikaan die het Danny O'Neill Gezondheidscentrum in Doon bekostigd had.

'Ik vroeg me af of u Hannah Harty en mij in de echt zou willen verbinden. We willen het graag zo bescheiden mogelijk houden, zonder poespas en zo...'

'Natuurlijk wil ik dat. Mijn hartelijke gelukwensen. Maar waarom trouwt u niet gewoon in Doon, waar u woont? Pastoor Murphy leidt daar de parochie.'

'Als we in Doon trouwen, moeten we iedereen uitnodigen, en we zijn een beetje te oud om er een hoop heisa van te maken. En bovendien zitten we dan met dokter Dermot. We willen hem niet de ogen uitsteken... Het ligt nogal gecompliceerd.'

Kapelaan Flynn kende dokter Dermot – een gemene, chagrijnige kerel. Hij wilde best geloven dat die de boel gecompliceerd maakte.

'Ik zou alleen niet willen dat jullie jezelf op zo'n grootse dag tekortdoen,' stelde hij Chester gerust.

'O, maar daar is geen sprake van, eerwaarde, we doen onszelf heus niets tekort. We gaan op huwelijksreis naar de Verenigde Staten en houden daar een groot bruiloftsfeest met heel veel genodigden. En als we weer terugkomen, nemen we mijn moeder mee om hier vakantie te vieren. Ze heet Anna, naar de heilige Anna, en ze wil heel graag de heilige bron hier bezoeken.'

Kapelaan Flynn dacht bij zichzelf dat ze dan wel moest opschieten, omdat de bron er anders misschien niet meer was. Hij keek in zijn agenda of er op korte termijn een geschikte datum voor de trouwerij te vinden was.

Eddie Flynn was nergens te vinden toen het besluit om de nieuwe weg te bouwen werd afgekondigd. In de gemeenteraad was de stemming ten gunste van de rondweg uitgevallen. Eddies syndicaat had elk snippertje grond dat van levensbelang voor het plan zou kunnen zijn opgekocht, afgezien van het land van de Nolans. Volgens het plan kwam de weg dwars door hun terrein en door het naastgelegen bos te lopen, en zouden de bron en het heiligdom eraan gaan.

Eddie had zijn kornuiten verzekerd dat het een koud kunstje zou zijn om het land van Neddy te kopen, dat het zoiets was als een baby zijn speen afpakken. Maar het was niet gelukt. Al zou Neddy uiteindelijk de verliezer zijn. De onteigeningsprocedure zou hem veel minder opleveren dan wat het syndicaat hem geboden had. Maar een probleem was intussen wel dat Eddie Flynn zijn stoere woorden niet had waargemaakt. En dus was hij hem gesmeerd.

Kitty en zijn kinderen merkten nauwelijks dat hij verdwenen was. Maar Naomi zat in zak en as. Ze had de stof voor de jurken van de bruidsmeisjes en bloemenmeisjes in huis en daar moest ze hem nodig over spreken. Waarom was hij ervandoor gegaan? Hij had zelfs geen cent achtergelaten voor het huishouden en de huur van de flat was maar voor de volgende twee maanden betaald. Het was om van uit je vel te springen...

Lilly Ryan had bericht ontvangen van haar nicht Pearl in het noorden van Engeland. Pearl was met een heel lieve man getrouwd die Bob heette en ze hadden twee volwassen kinderen. Schijnbaar had zich in hun leven iets heel plezierigs voorgedaan. Hun kinderen, die zich altijd heel kil en afstandelijk hadden gedragen en die zich misschien een beetje voor hen schaamden, stelden zich de laatste tijd een stuk aardiger op. Pearl schreef altijd heel oprecht, zonder enige aanstellerij en zonder de dingen mooier voor te stellen dan ze waren. Ze vroeg zich af of zij en Bob niet een lang weekend in Rossmore konden komen logeren. Als het lastig was, moest Lilly het eerlijk zeggen, dat zou ze heus wel begrijpen.

Dus zette Lilly zich aan het schrijven. Ze schreef werkelijk alles op. Ze schreef over Aidan en zijn beschuldigingen, ze schreef dat hij de situatie niet aankon en dat hij in feite een zwakkeling was, ondanks zijn gewelddadigheid. Dat hij nog achttien maanden in de cel zou moeten zitten en dat zij, Lilly, het heerlijk zou vinden als Pearl en Bob kwamen logeren. Toen ze de brief gepost had, voelde ze zich veel beter, alsof ze het inderdaad nodig had gehad om alles van zich af te schrijven en zo meer greep op haar leven te krijgen. Ze nam zich voor om met Pearl naar de bron van de heilige Anna te gaan, puur uit nostalgie.

Clare en Neddy zaten ieder aan een kant van de keukentafel. Clare keek niet eens naar alle papieren die her en der verspreid lagen. Ze stond op het punt haar eerste en meteen ook laatste ruzie met Neddy Nolan te beginnen, juist op de dag dat ze van plan was geweest hem te vertellen dat ze drie weken over tijd was, dat ze misschien eindelijk zwanger was, zoals ze al zolang gewenst hadden. En nu was het te laat.

Neddy begon heel rustig te praten.

'Vandaag is de toestemming voor de weg erdoor gekomen, Clare. Zoals we al gedacht hadden komt hij precies door ons land en op de plaats van de bron.'

'Ja, we wisten dat dat zou gebeuren, maar toch heb je geweigerd aan Eddie Flynn te verkopen, en dat juist op een moment dat je méér geld zou kunnen gebruiken dan je ooit eerder nodig had.' Clare zei het op kille toon.

'Maar ik kon mijn grond niet aan hem verkopen, want dan zouden we niets meer in de melk te brokkelen hebben gehad,' zei hij, alsof hij een kleuter iets moest uitleggen.

'En dat heb je nu wel? Je krijgt alleen maar minder geld...'

'Nee, Clare, dat is niet waar, we hebben dit allemaal...' Hij wees op de papieren en kaarten op de keukentafel.

'Dit hier?'

'Ik heb advies ingewonnen en ik heb experts gevraagd om een ander plan te ontwikkelen, om de weg ergens anders te plannen zodat hij niet door het heiligdom van Sint-Anna heen hoeft. Er zijn architecten, ingenieurs en kostendeskundigen aan te pas gekomen en het heeft me een smak geld gekost. Ik moest zelfs geld lenen van Cathal Chambers, Clare. Die denkt volgens mij dat ik aan de heroïne of aan het gokken ben.'

Plotseling besefte ze dat hij het geld inderdaad hieraan besteed had en niet aan het inrichten van een liefdesnestje in de omgebouwde meelfabriek. Haar opluchting werd gevolgd door een vlaag van kwaadheid.

'Maar waarom in godsnaam heb je hem en mij er niets van verteld?'

'Ik moest het heel stil houden allemaal, ik vergaderde met die mensen op een plek waar niemand me zag.'

'In de oude meelfabriek?' raadde ze.

Neddy lachte schaapachtig. 'En ik maar denken dat niemand iets in de gaten had!'

Hij streelde haar hand en kuste haar vingertoppen zoals hij zo vaak deed. Haar kwaadheid was weggesmolten. Clare was alleen nog maar blij dat hij nog steeds van haar hield. Ze besefte nu pas echt hoe verschrikkelijk ze het zou vinden hem kwijt te raken.

'Denk je dat het gaat lukken, Neddy?' vroeg ze zwakjes.

'Ik denk het wel, ja,' zei Neddy kalm. 'Ik heb ook een pr-expert ingehuurd, zie je. Die leert ons hoe we de steun van het grote publiek kunnen winnen. En hij zorgt ook voor een mediacoach voor als we met zijn tweeën op de televisie komen.'

'Wij op de televisie?'

'Als jij het goedvindt kunnen we tijdens een grote nieuwsuitzending discussiëren met de projectontwikkelaars.'

'Werkelijk?' fluisterde Clare.

'O ja. We kunnen uitleggen waarom zoveel mensen hier de heilige Anna zo dankbaar zijn en waarom ze de bron en het heiligdom willen behouden. En dan heeft het voor niemand nog zin om tegen ons in te gaan.'

'Maar Neddy, dat hadden we toch ook kunnen doen zonder al die experts in te huren?'

'Nee,' zei Neddy heftig. 'Dat is nu juist het punt. Dan zouden de mensen ons alleen maar zien als een stelletje vrome, ouderwetse, bijgelovige mensen die de vooruitgang tegenhouden. Dan zouden wij model staan voor het oude Ierland dat vastgebakken zit aan de geschiedenis en aan oude tradities, in plaats van voor het goede moderne Ierland dat een beter leven voor iedereen wil...'

'Maar hoe moet het dan nu?'

'We hebben nu een prima alternatief dat heel goed is uit te voeren. Een plan waarvoor jij en ik met ons eigen geld betaald hebben, terwijl we waanzinnige aanbiedingen van syndicaten en dat soort zaken hebben afgeslagen.' Hij knikte in de richting van de kleine eikenhouten kast. 'Ik heb alles daar in ons archief zitten. Iedereen kan zien dat het waar is wat we zeggen en dat we ons geld besteden aan wat we belangrijk vinden.'

'En hoe gaat de weg dan lopen?'

Ze boog zich met hem over de kaart. Hij streelde met zijn ene hand over haar haren terwijl hij met de andere op de kaart wees. De nieuwe weg zou nog steeds door het terrein van de Nolans lopen, maar vervolgens een route volgen waardoor een aanzienlijk deel van het bos gespaard bleef, met inbegrip van het heiligdom. Er zou daar een groot parkeerterrein moeten komen en vanaf de grote weg een kleine zijweg die bezoekers direct naar de bron voerde, in plaats van door Rossmore. En de plaatselijke bevolking zou net als vroeger in het bos kunnen gaan wandelen, voor zover dat intact bleef.

Clare keek vol bewondering naar haar man. Dit plan zou het heel goed kunnen redden. Er zouden binnenkort landelijke verkiezingen worden gehouden en de gemeenteraad van Rossmore was bang voor de beschuldigingen dat er achter de schermen sprake van handjeklap was geweest; ze zouden deze kans misschien met beide handen aangrijpen, om te ontsnappen aan de grote confrontatie die in de maak leek te zijn. Neddy's oplossing zou voor iedereen wel eens de ideale uitweg kunnen zijn.

'Ik wou dat je het me verteld had,' zei ze.

'Dat was ik ook van plan, maar je zag er zo moe uit en jij moet iedere dag maar weer voor de klas staan. Terwijl ik gewoon hier blijf. Ik heb een veel gemakkelijker leven dan jij.'

Ze keek rond in het blinkend schone huis dat hij voor hen alle drie zo keurig op orde hield. Zo'n gemakkelijk leven had hij helemaal niet, dat wist ze heel goed. Maar Neddy klaagde nooit.

'Hé, je zei dat je mij iets te vertellen had,' zei hij. 'Wat dan?'

Ze zei dat er een kleine kans was dat ze zwanger was. Neddy stond op en nam haar in zijn armen.

'Ik ben vandaag bij de bron geweest en ik weet wel dat het flauwekul is allemaal, maar ik heb toch gezegd dat we dit allebei zo graag zouden willen,' zei hij in haar haren.

'Ach, die Anna mocht ook best iets doen voor de man die haar bron heeft gered,' zei Clare.

Ze stonden daar nog in een innige omhelzing toen Marty Nolan binnenkwam.

'Kapelaan Flynn is er. Hij kreeg geen gehoor en dus kom ik even kijken of alles wel goed is met jullie.' Hij was verontwaardigd dat hij uit zijn slaapje was gehaald.

Terwijl ze aan de thee met eigengebakken koekjes zaten, begonnen de vogels zich in de toppen van de bomen te verzamelen voor de nacht. En de zon neeg ter kimme achter het bos dat Neddy Nolan vrijwel zeker had weten te behouden.

De priester wist dat zijn zus Judy bij de bron was, om de heilige Anna te bedanken en haar te vertellen dat ze niet had gedacht had dat het bidden zó snel zou werken.

En terwijl het buiten donker werd, luisterde kapelaan Flynn naar Neddy's plannen.

Hij wilde een huis kopen, veel dichter bij Rossmore, waarin de kanunnik en de moeder van kapelaan Flynn misschien ook konden komen wonen. Dan hoefde de kanunnik niet al te ver de stad uit. Neddy had ergens een prachtig groot huis met een tuin te koop zien staan. De kanunnik zou het er vast naar zijn zin hebben. Neddy zou dan wel voor iedereen zorgen.

En mocht er een baby'tje komen dan zou hij daar ook voor

zorgen. Het zou voor de oude mensen erg fijn zijn, zo'n nieuw leven in hun midden.

Kapelaan Flynn wist voor de verandering geen woord uit te brengen. Zijn voorraad vertroostende, nietszeggende clichés, zoals hij het zelf graag noemde, leek volledig uitgeput.

Hij keek naar de doodgoeie, goudeerlijke man die tegenover hem zat en voor het eerst sinds lange tijd zag hij weer iets van een reden voor zijn bestaan, dat recentelijk op alle fronten zo verward en tegenstrijdig had geleken.

Hij keek achter zich naar het bos dat donkerder en donkerder werd.

Dat bos was een zeer bijzonder oord, dat kon je zonder overdrijving stellen. Het was een plek waar talloze beden waren verhoord en talloze dromen vervuld.